로빈슨 크루소

제1부

다니엘 디포 장편소설 ㅣ 김병익 옮김

문학세계사

Daniel Defoe

The Life and Strange Surprising Adventures
of Robinson Crusoe of York Mariner

요크의 선원 로빈슨 크루소의 생애와
그의 신기하고 놀라운 모험

옮긴이 **김병익**
1938년에 태어남. 서울대 문리대 정치학과 졸업.
문학평론가. 신문사 기자 및 출판연구소 이사장 역임.
계간 《문학과지성》지 편집동인, 《출판저널》 편집인 역임.
문학과지성사 대표 역임. 한국문화예술위원회 위원장.
저서로는 『한국문단사』 『지성과 반지성』
『한국문학의 의식』 『상황과 상상력』 『지성과 문학』
『부드러움의 힘』 『열림과 일굼』 등 다수와 번역서들이 있다.

로빈슨 크루소〈제1부〉
다니엘 디포 장편소설
·
초판 1쇄 발행일   1993년 4월 10일
개정판 4쇄 발행일   2013년 4월 10일
·
옮긴이 · 김병익
펴낸이 · 김종해
펴낸곳 · 문학세계사
·
주소 · 서울시 마포구 신수로 59-1(121-110)
대표전화 · 702-1800, 팩시밀리 · 702-0084
이메일 · mail@msp21.co.kr
www.msp21.co.kr / www.ozclub.co.kr(오즈의 마법사)
출판등록 · 제21-108호(1979.5.16)
·
값 11,000원
ISBN 89-7075-319-2   03840
ISBN(13) 978-89-7075-319-5
ⓒ문학세계사, 2007

로빈슨 크루소

*The Life and Strange Surprising Adventures of Robinson Crusoe
of York Mariner*

※ 차례

로빈슨 크루소

바다로 가다

나는 1632년 요크 시에서 태어났다. 우리집은 훌륭한 가문이었다. 원래는 그곳 토박이가 아니고, 아버지는 브레멘(역주 : 독일 서북부의 州)에서 태어난 외국인이었다. 처음 헐에서 정주하며 무역으로 한재산을 모았지만, 장사를 집어치우고 어머니와 결혼한 후부터 요크에 살았다. 어머니의 가문은 로빈슨이라 하여 그 지방에서 상당히 명망 있는 집안이었다. 그래서 내 이름도 로빈슨 크로이츠나엘이라 하였지만, 이름이 영어에 흔히 있는 사투리 같아서, 지금은 크루소라고 부른다. 우리 자신도 그렇거니와 또 남들도 그렇게 불렀다. 그리하여 내 친구들도 나를 늘 로빈슨 크루소라고 불렀다.

내게는 형이 두 분 있었다. 한 분은 전에 유명한 로크할트 대령이 지휘한 플랜더스 영국 보병 연대의 중령으로 근무중 덩커크 부근에서 사망했다. 둘째형에 대해서는 어떻게 되었는지 나는 전혀 모른다. 마치 나 자신이 어떻게 되었는지 아버지와 어머님이 전혀 모르듯이.

셋째로 태어나 이렇다 할 직업도 가져 본 일이 없이 자란 나는 일찍부터 방랑해 보고 싶은 생각에만 사로잡히기 시작했다.

아버지는 아주 완고한 분이어서 나를 꽤 많이 공부시켜 주셨다. 하기야 가정교육과 시골의 월사금이 없는 학교의 교육에 지나지 않앗지만, 그분은 나를 법관으로 만들 계획이었다. 그러나 내게는 배를 타는 것만이 소원이었다. 이처럼 바다에 대한 갈망이 너무나 심했기 때문에 아버지의 뜻, 아니 명령까지 거역하고 어머니와 친구들의 간청과 설득도 모두 물리쳤다. 이 타고난 외고집이 나를 비참한 생애로 몰아간 어떤 숙명이었던 것처럼 생각된다.

아버지는 현명하고 엄격한 분이어서 내 계획을 미리 알아차리시고 그것을 말리려고 진지하고도 조리있게 충고해 주셨다. 중풍으로 꼼짝 못하는 아버지는 어느 날 아침 나를 자기 방으로 불러 이 문제에 대해 너그럽고 따뜻하게 타이르셨다.

"난 널 좋은 데 취직도 시켜 주겠다. 네가 의욕과 근면으로 일하면 돈을 벌어 편안하고 즐거운 생활을 할 수 있다. 그런데도 집과 고향을 떠나려 하다니 그건 방랑벽 아니면 무엇이겠느냐? 모험을 찾아 바다를 항해하면서 기발한 일로 이름을 날리려는 자들이란 극심한 절망에 빠진 사람이거나 아니면 야심만만하고 재산이 굉장히 많은 모험가다. 그런 계획은 네 손이 닿을 수 없는 거다. 너는 중간층이 아니면 하류의 상층이라 할 신분을 가지고 태어났는데, 이것은 오랜 경험으로 보아 이 세상에서 가장 좋은 신분으로 사람의 행복에 가장 알맞은 계층이다. 천한 일을 해야 하는 사람들이 겪어가야 할 가난과 고역, 노동과 고통을 겪지 않을 것이고, 상류 계급처럼 오만이나 호사, 야심이나 질투로 고민할 필요도 없다. 이 한 가지 사실만으로도 우리 신분이 얼마나 행복한가를 너는 판단할 수 있을 거다. 바로 이런 신분은 다른 계층 사람들이 모두 부러워하는 거야. 예를 들면 옛부터 왕자들은 권세 있는 자리에 태어났기 때문에 겪어야 하는 불행을 한탄하며, 귀천의 두 극단이 아닌 중류층으로 살았으면 하고 바랐던 것이다. 가난이나 부귀를 피하려고 한 슬기로운 사람들은 진정한 행복의 참기준은 바로 중간층의 신분이라고 증언했다."

아버지는 말씀을 이으셨다.

"네가 잘 살펴보면 알겠지만, 인생의 재앙은 상류층과 하류층에 일어나기 마련이고, 중류층은 거의 재난을 겪지 않는다. 상·하류층처럼 덧없이 변하는 인생의 소용돌이도 겪지 않는다. 이를테면, 중류층은 심신을 아울러 별다른 사고나 불행을 당하지 않는다. 그러나 도덕을 거슬러 살고 사치를 부리는 사람들, 그와 반대로 고된 노동을 하며, 나날의 양식이나 생활필수품이 모자라는 사람들은, 바로 그네들의 살림 탓으로 수난을 겪게 된다. 그러나 중용의 생활은 모든 덕성과 안락에 알맞은 살림이다. 평화와 부유함은 중산층의 하녀요, 절제와 중용, 건강과 친교, 모든 유쾌한 오락과 바람직한 쾌락은 중류 생활자에게 주어지는 축복이다. 이런 생활이야말로 심신의 노동으로 괴로워하지도 않고, 하루의 식량을 위해 종살이로 몸을 팔 필요도 없고, 복잡한 환경 속에서 마음의 평화와 육체의 안식을 잃지도 않고, 엄청난 일에 질투하거나 남몰래 불타는 야망으로 흥분하지 않는다. 안온한 상태에서 세상을 점잖게 살며 생활의 즐거움을 충분히 맛본다. 고통 없는 삶이야말로 행복이라 생각하고, 하루하루 경험으로 그 행복을 더욱 절실하게 알게 되는 것이다. 이렇듯 평범하고 편안하게 끝을 맺는 것이 보람 있는 인생이다."

넘쳐 흐르는 애정으로 나에게 이런 말씀을 하신 아버지는 또 타이르셨다.

"젊은 혈기에만 빠지지 말아 다오. 하나님께서도 네가 태어난 환경이 그저 고생만을 하지 않도록 해주셨다. 너는 빵을 찾아 헤맬 필요도 없다. 내가 널 잘 보살펴 주겠다. 또 내가 말한 그런 생활을 할 수 있도록 열심히 뒤에서 밀어 주겠다. 그렇게 해 주어도 네가 안락이나 행복을 얻지 못한다면, 그것은 결국 너 자신의 잘못이거나 운명 때문이다. 내겐 책임이 없어. 나는 분명히 네 좋지 못한 계획을 아버지로서 미리 경고해 둔다.

한 마디로 말하자면 이렇다. 내가 시키는 대로 집에 머물러 산다면 널 위해 할 수 있는 한 뭐든 잘 해 주겠지만, 네가 집을 떠나면 네가 불행해져도 도와 주지 않겠다.

네 형이 좋은 본보기다. 저지방(역주 : 지금의 베네룩스의 여러 나라) 전투에 가지 말라고, 네 경우처럼 열심히 충고했지만, 말을 듣지 않고 젊은 정열에 들떠 군대에 뛰어들었다가 결국 전사하고 말았어. 네가 끝까지 고집을 부리고 어리석게도 그런 길을 택한다면, 물론 나는 널 위해 기도를 멈추지 않겠지만, 아마 하나님께서도 널 축복하지 않으실 거다. 후에 어쩌다 아버지의 충고를 들었더라면 하고 뉘우칠 때가 올 테니까. 그러나 때는 이미 되돌릴 수 없이 늦었을 거다."

얘기가 이쯤 되자, 아버지 자신은 깨닫지 못하셨지만 아버지의 말은 정말 예언적이었다. 사실 형의 전사를 회상하면서, 언젠가 너도 뉘우치겠지만 널 도와 줄 수 없으리라 말하실 때는 눈물이 얼굴을 적시었고, 가슴이 막혀 말을 잇질 못하셨다. 가슴이 터질 것 같아 말을 할 수 없다고 하셨다.

이 설득에 정말 나는 감동했다. 어느 누가 감동하지 않을 수 있겠는가. 나는 단연 외국 여행을 단념하고, 아버지의 소원대로 집에 머물러 있기로 결심했다. 그러나 아! 그 얼마나 간사한 마음이었던가? 그 결심은 며칠을 가지 못했다. 곧 몇 주일 후 다시 더 극성스런 아버지의 충고를 피하기 위해, 몰래 집을 떠나기로 마음먹은 것이었다. 그렇다고 들떠 있는 기분대로 급히 서두르지는 않았다. 어머니의 기분이 평소보다 좋은 때를 골라 마음을 터놓고, 어머니에게 졸랐다.

"전 세상을 구경하고 싶은 생각밖에 없어요. 어떤 일을 해도 손에 잡히지 않아 끝까지 해낼 자신이 없어요. 그래서 아버지의 허락을 받지 못하더라도 떠날 생각입니다. 그러니 차라리 허락을 해 주시는 게 좋지 않겠어요? 저는 벌써 열여덟 살이나 되었으니 상인들에게 장사를 배울 나이도 아니고, 변호사의 서생 노릇 하기에도 너무 늦었어요. 가령 그렇게 한다고 해도 틀림없이 정한 기간을 다 채우지도 못하고 그 전에 뛰쳐나와 바다에 나가 배꾼이 될 거예요. 그러니 어머니가 아버지께 여쭈어 제가 한 번만 항해를 할 수 있도록 잘 말씀해 주세요. 바다에 나섰다가 항해가 신통치 않다는 걸 깨닫게 된다면, 집으로 돌아와 두번 다시 나가지 않을 거예요. 그리고 그때는 갑절 열심히 일해서 집을 비운 손실을 보상하겠어요. 정말 맹세하겠습니다."

이 말을 듣자 어머니는 무척 화를 내셨다.

"이런 문제는 아버지께 말씀드려 보아도 쓸데없어. 아버지는 무엇이 네게 이로운지 잘 알고 계시다. 내게 해로운 일인 줄 아시면서 허락을 하실 리 없다. 너도 아버지와 충분히 말을 해 보지 않았니. 아버지는 참말 부드럽고 친절하게 타이르셨는데, 이제 와서 또 집 떠날 생각을 하다니 난 알 수 없구나. 네가 구태여 자신을 망치려 한다면 어쩔 도리가 없지만, 어쨌든 부모의 허락을 받을 생각일랑 아예 말아라. 아버지나 어머니로서 네 파멸이 될 일을 돕다니 말이 되느냐. 더욱이 아버지는 반대하지만 어머니는 찬성하리라는 생각은 꿈에도 하지 말아라."

어머니는 이 청을 아버지에게 전하는 것조차 거절하셨지만, 뒤에 들으니 이 모든 이야기를 아버지에게 알렸던 것이다. 아버지는 유심히 들으시더니, 한숨을 쉬면서 어머니에게 이렇게 말씀하셨다고 한다.

"집에 있으면 행복할 텐데, 나가면 형편없이 고생할 거야. 그러니 내가 어찌 허락할 수 있겠소."

이런 일이 있은 지 1년 후에 나는 집을 나왔다. 하긴 1년 동안 나는 취직자리 알선에 귀를 막고, 내 소원인 여행을 단호하게 말리는 아버지, 어머니와 말다툼을 해 왔다. 그러던 어느 날 나는 전에도 가끔 다녀 온 적이 있는 헐에 갔다. 그때까지만 해도 꼭 집을 나가겠다는 생각은 전혀 없었다. 거기서 한 친구를 만났는데, 그는 아버지의 배를 타고 런던으로 항해를 떠나니 함께 가자는 것이었다. 배꾼들이 늘 쓰는 꾀임수이지만 뱃삯도 들지 않는다는 것이었다. 나는 아버지나 어머니에게 아무런 의논도 하지 않았고 한 마디 말도 전하지 않았다. 후에 소문으로 들으시려니 하였고, 하나님이나 아버지의 축복도 없이 지금의 사정이나 앞날의 결과에 대한 생각도 하지 않고, 1651년 9월 1일, 그 불행한 시간에 런던으로 가는 배를 탔다. 젊은 모험가로 나처럼 일찍 고된 운명에 부딪쳐야 했고, 오랜 고통을 겪은 사람도 없으리라 믿는다. 배가 험버를 벗어나자마자 바람이 불기 시작하고 파도가 거세게 날뛰었다.

한번도 바다에 나와 본 일이 없었던 나는 심한 배멀미에 시달렸고 공포에 떨었다. 지금까지 해온 일을 깊이 돌아보고 이것이 아버지로부터 도망쳐 내 할 일을 팽개친 데 대한 하나님의 벌이 내렸다고 생각했다. 부모의 충고와 아버지의 눈물, 어머니의 간청이 이제야 생생하게 되살아나고, 전에 이처럼 극도의 고통을 받아 본 적 없는 내 양심은 충고를 무시하고 하나님과 아버지께 대한 의무를 저버린 데 대해 깊이 뉘우쳤다.

이러는 동안 폭풍은 더욱 심해가고 내게는 첫 경험이었던 바다의 물결은 거세지기만 했다. 이 파도는 그후 여러 차례 겪었던 것에 비하면 별것이 아니었지만, 그래도 경험이 없는 풋내기 선원이요, 이런 일에는 아무것도 모르는 내게는 이 정도로 출렁이는 파도도 충분히 마음을 흔들어 놓을 수 있었다. 파도는 한번 쳐올 때마다 우리를 몽땅 삼키는 것 같았고, 배가 아래로 떨어질 때마다 다시는 솟아날 것 같지 않았다. 이러한 고통 속에서 나는 하나님이 이 바다에서 내 목숨을 살려 주시고 다시 마른 땅을 밟게 해 주신다면 곧장 집으로 돌아가 목숨이 붙어 있는 한 다시는 배를 타지 않을 것이고 아버지의 충고를 따라 더 이상 이런 불행 속에 뛰어들지 않겠다고 수없이 맹세하고 결심했다. 이제야 겨우 알았지만 중류의 살림을 하는 신분이 좋다는 아버지의 의견이 옳았다. 아버지는 한 평생 안온하게 사셨고, 바다의 태풍이나 해변의 재앙에 한번도 맞닥뜨리지 않으셨다. 나는 진실로 성서에 나오는 회개한 탕아처럼 아버지에게 돌아가기로 굳게 굳게 결심했다.

이처럼 현명하고 올바른 생각은 폭풍이 계속되는 동안, 아니 사실 그후 얼마 동안 더 내 마음에 남아 있었다. 그러나 다음날 바람이 자고 바다가 조용해지자, 나는 폭풍에 얼마만큼 익숙해지기 시작했다. 다소 배멀미의 탓도 있어서 그날 하루종일은 아주 침울했지만, 저녁이 가까워지자, 날씨는 개었고 바람은 아주 잠들었다. 그리고 몹시 아름답고 서늘한 저녁이 왔다. 해는 선명하게 졌다가, 이튿날 아침 다시 싱싱하고 웅장하게 떠올랐다. 바람은 잠자는 듯하였고, 바다는 매끄러운 거울 같고, 태양은 그 해면을 비추고 있었다.

이 아름다운 광경은 일찍이 한번도 본 적이 없었다.

밤새 잠도 잘 자고 배멀미도 가라앉아 기분도 상쾌해졌다. 전날 그처럼 거칠고 무서웠던 바다가 얼마 후에는 어떻게 그처럼 조용하고 사랑스러워질 수 있을까? 나는 놀라운 눈으로 바라보고 있었다. 그런데 그때 집으로 돌아가겠다는 내 훌륭한 결심이 아주 굳어 버리면 곤란하다는 듯, 나를 꾀어낸 친구가 어깨를 툭 치며 말했다.

"이봐, 봅, 그 후로는 어떤가? 놀랐지? 어젠 얼굴이 파랗게 질렸더군. 밤바람이 좀 일렁거렸거든."

"뭐? 좀 일렁거렸다고? 무시무시한 폭풍이었어."

"폭풍이라니 바보 같은 소리 말게. 그게 폭풍이라구? 그건 아무 것도 아니야. 배만 좋아보게, 그 정도의 스콜(역주 : 海上에서 소낙비 등을 이르는 急風)은 아무것도 아닐세. 하긴 자네는 풋내기니까…… 봅, 와서 펀치나 한 잔 마시세. 그까짓 것 다 잊어버려. 자, 얼마나 멋진 날씬가!"

서글픈 하소연을 지워 없애는 데는 선원들의 습관을 따르는 것이 약이었다. 우리는 펀치를 마셨다. 술기운이 오르기 시작했다. 그리하여 그날 밤 나는 몹시 취하여 모든 회오와 못된 과거의 행위에 대한 반성을, 그리고 모든 결심들을 내동댕이쳤다. 한 마디로 말하 자면, 바다가 다시 전처럼 잔잔해지고 폭풍도 가라앉아 초조하던 마음도 사라지고, 바다에 먹힐 듯싶던 두려움과 걱정도 잊었으며, 전에 품었던 욕망의 물결이 다시 몰려 왔다. 괴로움과 공포 속에 세운 맹세와 약속도 잊었다. 사실 때때로 생각할 시간이 있을 때 언젠가는 돌아가야겠다는 열망으로 심각해지기도 했지만, 그런 생각들을 떨쳐버리고, 마치 병에서 벗어나려고 몸부림치듯, 마음을 도사려 술을 마시고 사람들과 어울리는 일을 익혀 가면서 돌아가고 싶다는 발작적인 충동을 이겨냈다. 대엿새가 지나가는 사이, 나는 양심에 대해 완전히 승리를 거두었다. 그 완전함이란 양심의 가책을 잊어버리기로 작정한 젊은이가 바랄 수 있는 가장 으뜸되는 것이었다. 그러나 아직 또 하나의 양심의 시련이 남아 있었다. 이런 경우의 예도 그러하였지만 하나님의 섭리가 나에게 아무런 변명의 여지도 주지 않았다. 왜냐 하면 이번 일을 하나님께서 손수 구해 주신 거라고 생각하지 않는다면 그만이겠지만, 다음번 시련에서는 아무리 무도하고 간악한 배꾼이라도 하나님에 대한 두려움과 은혜를 고백하지 않을 수 없을 만큼 컸기 때문이다.

바다로 나온 지 엿새 만에 우리는 야마우스 항 밖에까지 왔다.

바람은 반대 방향으로 불었고 날씨는 잠자듯 고요하여, 우리는 폭풍을 만난 뒤 별로 항해를 못했다. 어쩔 수 없이 여기서 닻을 내리고 정박했지만, 바람은 남서풍으로 여전히 거슬러 불었다. 그런 여드레 동안 뉴우카슬에서 오는 커다란 배들이 뒤이어 같은 항로로 와서 테임즈 강 쪽으로 부는 바람을 기다리고 있었다.

그러나 우리는 여기서 오래 정박해 있을 수 없었다. 테임즈 강으로 올라가야만 했다. 하지만 바람은 너무도 심하게 불었고 마침내 네댓새 후에는 강풍이 되었다. 그러나 우리가 정박한 곳은 항구처럼 닻을 내리기에 좋은 곳이었고, 항구와도 같이 안전하게 생각되었다. 닻들도 튼튼하였기 때문에 선원들은 태평이어서 위험이란 눈꼽만치도 걱정하지 않고, 배꾼다운 습관을 따라 놀고 마시며 시간을 보냈다. 그러나 여드레째 되는 아침, 바람은 더욱 강하게 불어와, 우리는 총동원하여 중간 돛대를 내리고 갖가지 연장을 잘 정돈하여 배가 파도에 흔들리지 않도록 했다.

점심때가 되자 파도가 더욱 거칠어져서 우리 배는 앞머리가 기울어지고, 몇 차례 파도를 뒤집어썼다. 그러자 닻이 빠지고 배는 한두 번 움직이는 것 같았다. 선장은 비상용 큰 닻을 내리라고 명령했다. 우리는 뱃머리에서 닻을 두 개 내리고 닻줄을 있는껏 풀어 주었다.

이때 정말 엄청난 폭풍이 불어 왔다. 나는 비로소 공포와 경악이 깃든 선원의 얼굴을 보게 되었다. 배를 간수하는 일에 경계를 게을리하지 않던 선장도, 내 옆을 지나 자기 선실을 들락거리며 혼자서 몇 차례나 중얼거렸는데, 나는 그 소리를 들을 수 있었다.

"주여 자비를 베푸소서. 우린 모두 죽습니다. 이젠 끝이구나! 우리는 다 죽는다."

처음 보는 이 소동에 나는 선미에 있는 내 방에 틀어박혀 꼼짝않고 멍하니 누워 있었다. 그때의 기분을 어떻게 표현해야 할지 모르겠다. 내가 그렇게도 짓밟았던 맨 처음의 후회를 고통스럽게 되씹으며 마음을 단단히 먹었다.

나는 죽음의 고통은 지나갔고 이것도 처음처럼 아무것도 아닐 거라고 생각했다. 그러나 선장이 내 옆으로 와서 우린 모두 죽는다고 중얼거릴 때, 나는 소스라치게 놀랐다. 선실에서 뛰어나와 돌아보았다. 나는 이처럼 무서운 광경을 본 적이 없었다. 바다는 산더미처럼 높아 3, 4분마다 한번씩 우리 머리 위로 덮쳐 왔다. 주위를 둘러보았으나 모두가 조난뿐이었다. 우리 옆에 있던 배 두 척은 무게를 덜기 위해 돛을 잘라 버렸고, 우리 배의 선원들은 1마일쯤 앞에 정박한 배가 침몰하고 있다고 소리를 질렀다. 닻줄이 끊어진 다른 배 두 척은 바다 가운데로 휩쓸려 가는데, 그나마 돛대가 서 있는 게 없었다. 짐을 싣지 않은 배가 바다에서는 부담도 적었고 그래서 가장 나은 편인데, 그런 배 두어 척도 기운 돛에 바람을 맞으며 우리 쪽으로 밀려와 떠내려가고 있었다.

저녁때쯤 되어 항해사와 수부장은 앞 돛대를 잘라 버리자고 했으나 선장은 응하려 들지 않았다. 수부장이 선장에게 잘라 버리지 않으면 배가 침몰할 거라고 항의하자 선장도 승낙했다. 그런데 앞 돛대를 잘라내자 중심 돛대가 헐거워지고 그만큼 배는 더 흔들거렸다. 그래서 중심 돛대마저 잘라야만 했다.

이때 내 기분이 어떠했을지 누구나 판단할 수 있을 것이다. 풋내기 배꾼인데다 항해를 시작한 지 며칠도 되지 않았을 뿐더러 대수롭지도 않은 전날의 폭풍에 그처럼 놀랐던 내가 아니었던가? 그러나 오랜 세월이 지난 지금에 와서 그 당시 품었던 기분을 표현해 본다면, 전에 한번 후회를 하고서도 다시 그 후회를 뒤엎고 잘못된 결심으로 되돌아간 그 일 때문에 생긴 공포가 죽는다는 공포보다 열 배는 더 컸던 것 같았다. 게다가 폭풍의 공포까지 겹쳤으니, 그 기분을 말로는 도저히 표현할 수가 없었다. 그러나 최악의 사태는 이제부터였다. 폭풍우는 여전히 맹렬하게 위세를 떨쳤고, 선원들조차 이런 심한 폭풍은 처음이라는 것이었다. 배는 튼튼했으나, 짐을 많이 실었고, 파도에 휘둘려 선원들은 벌써 쏟아져 들어오는 물에 배가 침몰할 것이라고 아우성이었다. '침몰'이란 말뜻을 차마 물을 수 없었던 내가 오히려 태평스러운 편이었다. 고맙다면 고마운 일이겠지만, 그래서 흔히 볼 수 없는 광경까지 보았다. 그것은 폭풍우가 워낙 혹심해서 선장과 수부장, 그리고 자신 만만한 선원들까지 배가 가라앉는다고 생각하고 구원을 기도하는 광경이었다.

한밤중이 되자 우리가 받는 재난도 막바지에 이르렀다. 배 밑을 보려고 내려갔던 선원이 배에 물이 새어든다고 외쳤다. 다른 선원이 배 밑바닥에 물이 4피트나 괴었다고 소리질렀다. 그러자 전원이 펌프에 총동원되었다. 그 한 마디에 내 심장은 딱 멈춘 것 같았다. 나는 선실 속 내가 앉았던 침대 옆으로 벌렁 쓰러졌다. 그러나 사람들이 나를 일으켜 세우고는 지금까지는 아무 쓸모가 없었지만, 펌프질쯤이야 남만큼 할 수 있을 게 아니냐고 말해 주었다. 그래서 나는 용기를 얻어 벌떡 일어나 펌프 쪽으로 가서 열심히 일을 했다. 이처럼 작업을 하고 있는 동안 닻줄을 벗어나 가깝게 흘러온 텅 빈 석탄선 몇 척을 보고 선장은 조난 신호로 대포를 쏘라고 명령했다. 나는 그것이 무슨 뜻인지도 전혀 알 수 없었으므로 너무 놀라 배가 부서졌거나 아니면 무슨 무서운 사고가 터진 줄로 생각했다. 요컨대 나는 너무 놀라 기절했던 것이다. 모두 제 목숨만 생각할 때 아무도 내가 어떻게 되었을까 관심도 두지 않고 있었다. 다른 사내가 펌프 쪽으로 뛰어 올라와서 내가 죽은 줄 알았던지 나를 발로 밀쳐내 버렸다. 한참 지나서야 나는 정신을 차렸다. 물 퍼내기 작업을 계속했지만 물은 두 배로 불었고 배의 침몰은 명백해졌다. 폭풍우가 좀 가라앉기 시작했지만 항구까지 이 배를 몰고 갈 수 있다고 보기는 어려워 선장은 계속 구조 신호로 대포를 쏘라고 명령했다. 그러자 앞에서 폭풍을 겨우 면한 빈 배가 우리를 구조하기 위해 구조 보트를 보내 주었다.

그들은 위험을 무릅쓰며 목숨을 걸고 열심히 노를 저었고, 마침내 우리 배에 가까이 왔다. 이쪽에서 부대를 매단 밧줄을 고물 너머로 던져 줄을 늘여 주었다. 그들은 무척 애를 쓴 끝에 다행히 밧줄을 잡을 수 있었다. 우리는 밧줄을 잡아당겨 고물 아래로 보트를 끌어 보트에 옮겨 탔다. 그런데 보트를 타고 보니 어떻게 그 모선까지 저어 갈 수 있을지 막연했다. 그래서 우리는 생각 끝에 모두 보트를 몰아 할 수 있는껏 해안 쪽으로 저어 가자는 데 합의를 보았다. 선장은 해안에 상륙할 때 보트가 상할 경우에는 그쪽 선장에게 보트 값을 보상해 주마고 약속했다. 그리하여 젓거니, 흐르거니 하면서 보트는 해안에 접근하면서 북쪽으로 윈터튼 네스 근처의 해안까지 다가갔다.

보트로 옮겨 탄 지 15분도 안되어 우리는 배가 가라앉는 것을 보았다. 그때 나는 비로소 배가 바다에서 침몰한다는 게 어떤 기분인가를 알았다. 솔직히 고백하면 선원들이 배가 가라앉는다고 말할 때, 나는 차마 눈을 들어 볼 수 없었다. 그건 보트로 옮겨 탄, 아니 사람들이 보트 속으로 나를 처넣은 순간부터 놀라움과 공포로 또 지금껏 내게 벌어졌던 사건으로 내 심장은 큰 충격을 입었기 때문이다.

이런 사태 속에서 선원들이 노를 저으며 해안 쪽으로 다가가고 있는 동안 보트가 산 같은 파도를 타고 오를 때는 해변이 보였다. 우리를 구하려고, 사람들이 바닷가로 몰려들고 있었다. 그러나 보트의 속도가 느릴 뿐더러 그쪽 해안에서는 배를 댈 수도 없었다. 그러다가 윈터튼의 등대를 지나고 크로머로 향해 서쪽으로 굽은 곳에 이르렀다. 이곳은 육지에 막혀 바람이 세지 않았다. 힘이 들었지만, 여기서야 겨우 해안에 안전히 상륙했고 걸어서 야마우스에 도착했다. 우리는 조난자라 하여 그곳 당국자들이 좋은 숙소를 제공해 주었다. 몇몇 상인들과 선주들로부터도 두터운 대접을 받았다. 런던으로 가든 헐로 되돌아가든 하고 싶은 대로 하도록 여비도 충분히 주었다.

이때 내가 집을 찾아 헐로 돌아갈 만큼 분별이 있었다면 나는 행복했을 테고 아버지도 주 예수께서 말씀하신 비유의 표본처럼 나를 위해 살찐 암소를 잡으셨을 게다. 내가 탄 배가 야마우스의 정박처에서 난파했다는 소식을 듣고 나서 오랜 후에야 아버지는 내가 익사하지 않았다는 확증을 얻을 수 있었다.

그러나 불길한 운명이 거스를 수 없는 끈덕진 힘으로 나를 몰아갔다. 이성과 냉정한 판단은 내게 집에 돌아가라고 몇 번이나 강력하게 호소했다. 그러나 나는 그렇게 할 힘이 없었다. 이런 것을 무어라고 불러야 할는지 모르겠다. 눈앞에 재난이 가로놓여 있는 줄

뻔히 알면서도 자신을 파멸로 몰고 가는 것을 신비스런 섭리 탓이라고 내세울 생각은 없다. 그리하여 흥분을 가라앉히고 생각해 내려던 냉정한 판단과 설득, 첫 여행에서 당했던 조난을 통해 얻은 두 차례의 뚜렷한 교훈과는 오히려 반대 방향으로 운명을 몰아갔다. 그 결말은 피할 수도 헤어날 수도 없는 고통뿐이었다.

선장의 아들인 내 친구는 전에는 내 결심을 격려해 주었으나 지금은 나보다 더 소극적이었다. 야마우스에서는 숙소가 서로 달라 우리는 2, 3일 후에야 만나게 되었는데, 그는 나를 보자마자 말을 걸어 왔다. 그러나 그의 말투는 무척 감상에 젖어 있었다. 그는 머리를 흔들면서 내게 어떻게 할 작정이냐고 묻고는 자기 아버지에게 나를 소개하고 나서, 먼 여행을 위한 첫번째 시련으로 이번에 고생을 겪었다고 설명했다. 그의 아버지는 나를 보고는 침통하고 근심스러운 음성으로 말했다.

"보게, 젊은이, 바다를 단념하게. 이번 조난은 자네가 뱃놈이 될 수 없다는 명백하고 뚜렷한 조짐으로 봐야 해."

"그럼 선장님, 선장님도 바다에 다시는 나가지 않으시나요?"

"그건 경우가 달라. 이건 내 직업이요, 따라서 내 의무야. 이번 항해를 하나의 시련으로 보게. 그럼 자네가 바라던 것에 대해 하나님께서 어떤 맛을 보여 주셨는지 알 것 아닌가? 아마 이번 사고는 다르시스로 가는 배 안에서 일어난 요나(역주: 구약성서 요나서 1장 참조)처럼, 자네 때문에 우리가 혼이 난 것인지도 모르지. 말해 보게, 자네는 무엇 하는 사람인데 무슨 이유로 바다에 나가겠다는 건가?"

나는 선장에게 내 얘기를 모두 했다. 이야기가 끝나자 선장은 난데없이 분노를 터뜨렸다.

"도대체 내가 무슨 잘못을 저질렀기에 불행한 조난을 겪어야 했단 말이냐? 천 파운드를 낸다 해도 난 자네와 같이 배에 타지 않겠어."

이제는 망했다는 생각으로 흥분해 있던 그의 감정이 폭발하면서 선장은 본심보다 더 과격하게 폭언을 해댔다. 그러고 나서 후에는 몹시 성실한 목소리로 하나님이 나를 더 이상 파멸로 몰지 않도록 아버지에게 돌아가라고 권했다. 내 욕심을 막는 하나님의 손을 이제는 분명히 보았을 것 아니냐고 나를 설득했다.

　　"그러니 젊은이, 하나님 뜻을 따르게. 자네가 돌아가지 않는다면 어딜 가든 재난과 절망을 면할 수 없네. 자네 부친의 말씀대로 되고 말 거야."

해적에게 잡히다

　우리는 그 후 곧 헤어졌다. 나는 선장에게 아무런 대답도 하지 않았다. 다시는 그를 만나지도 못했고 그가 어디로 항해했는지도 알 수 없다. 주머니에 돈푼이나 들어 있던 나는 걸어서 런던을 향해 떠났다. 가는 길에서도 그랬거니와 거기 도착해서도 앞으로 어떻게 해야 할지 결정을 못 지었다. 집으로 돌아갈 것인가, 아니면 배를 또 탈 것인가 무척 고민을 했다.

　집으로 돌아가는 것이 가장 좋은 길이기는 하지만 창피해서 그럴 수 없었다. 우선 동네 사람들이 나를 얼마나 비웃을 것인가. 아버지와 어머니는 그만두고라도 남들한테 얼마나 수모를 당할 것인가 하는 생각이 들었다. 이때부터 나는 사람들, 특히 젊은이들은 일반적으로 올바른 이성에 순종하지 않고, 얼마나 이치에 거슬리게 움직이는가를 깨달았다. 예컨대 죄를 짓는 것을 수치로 여기지 않고 후회를 부끄럽게 여긴다. 당연히 바보로 여김을 받을 행위에는 치욕을 느끼지 않지만, 마땅히 칭찬받을 바른길로 돌아가는 데는 창피스럽게 여기는 것이다.

　장래 내가 어떤 길로 가야 할 것인가를 결정짓지 못한 채 나는 얼마동안을 그대로 보냈다. 집에 돌아가고 싶지 않다는 생각이 끈질기게 일어났다. 이렇게 머뭇거리는 동안 내가 한때 빠져 있던 고통스런 기억은 희미해져 갔다. 뿐만 아니라 집으로 돌아가야겠다는 가물거리던 생각마저 사라져 갔다. 나는 그 생각들을 아주 지워 버리고, 다시 항해에 나설 기회를 찾게 되었다. 처음 집으로부터 뛰쳐나오게 한 신비한 힘, 출세해 보겠다는 거칠고 돼먹지 않은 망상에 빠져 온갖 선의의 충고와 아버지의 간절한 청이나 명령마저 귀담아 듣지 않도록 고집만 부리게 한, 알 수 없는 그 괴상한 힘 때문에 내 판단은 어긋났고 그리하여 내 운명을 불행하게 만들었다. 마침내 나는 아프리카 해안으로 항해하는, 선원들의 말투를 빌면 기니 행의 배를 타게 되었다.

몇 차례 이런 항해를 할 때, 내가 선원의 자격으로 배를 타지 않은 것은 커다란 잘못이다. 선원의 자격으로 배를 탔다면 일은 좀 힘들었겠지만, 그 반면 일반 수부로서 해야 할 일과 기술을 배울 수 있었을 것이고, 시간이 흐르면 선장까지는 모르지만, 항해사나 부선장 정도는 되었을 거다. 그러나 내 운명은 항상 더 모진 것을 택하게 마련인 듯 여기서도 나쁜 제비를 뽑았다. 주머니에 돈도 있었고, 가방에는 좋은 옷도 들었기 때문에 늘 신사 차림으로 배를 탔다. 그래서 배 안에서는 아무런 직책도 없었고 따라서 배우는 것도 없었다.

나는 런던에서 처음부터 아주 훌륭한 사람들과 사귀게 되었다. 이것은 당시 나처럼 제멋대로 방자하고 교육받지 못한 젊은이로서는 좀처럼 얻기 어려운 행운이었다. 그리고 악마란 언제나 처음에 함정을 파놓는 법이다. 그러나 내게는 그렇지 않았다. 나는 우연히 선장 한 사람과 알게 되었다. 그는 기니 해안에서 크게 성공한 사람인데 다시 그리로 갈 예정이었다. 그는 내 말솜씨가 그리 나쁘지 않았던지 나와 즐겨 이야기했다. 내가 세상 구경을 하고 싶다니까 그는 내게 말했다. 자기 배로 여행하면 뱃삯을 받지 않을 것이고 또 자기 친구가 되어 말상대가 되어 주면 즐거울 것이고, 또 자네는 얼마간 견문을 넓힐 것이라면서 가지고 갈 물건이 있다면 거래할 수 있는 범위 안에서 편의를 보아 주겠다고 약속했다.

나는 이 제안을 받아들였다. 정직하고 경우 바른 이 선장과 굳은 우정을 맺고 그와 함께 떠나기로 했다. 이때 나는 이해 관계를 초월한 친구 선장의 권고에 따라 장난감과 잡화물 40파운드 어치를 사서 실었다. 그래서 나의 모험심도 무척 커졌다. 이 40파운드는 몇몇 친척에게 내가 편지를 보내 얻은 총액인데, 내가 알기로는 이 친척들은 아버지나 어머니로부터 그만한 액수의 도움을 받은 사람들이었다.

이 여행은 내 일생에 걸친 모든 여행 중 단 한번 성공한 경우일 것이다. 내가 성공할 수 있었던 것은 친구인 선장이 성실하고 정직하게 처리해준 탓이었다. 뿐만 아니라 나는 그 선장으로부터 수학과 항해학에 대한 교육을 충분히 받았고, 배의 침로 기록과 기상 관측을 배워 선원으로서 알아야 할 몇 가지 기술을 익혔다. 그는 즐거이 나를 가르쳤고, 나 역시 배우는 것이 즐거웠다. 한 마디로 말해서 이 여행을 통해 나는 선원이 되고 상인이 된 것이다. 기니에서 내가 가지고 간 상품을 팔아 사금 9파운드 5온스를 샀는데 런던으로 돌아와 팔았더니 300백 파운드가 되었다. 이리하여 나는 야심에 들뜨게 되었고, 이것이 그 후에 나를 완전히 파멸로 몰아넣었던 것이다.

이 여행 중에도 사고는 있었다. 우리는 주로 북위 15도로부터 적도 사이의 연안 지방에서 무역을 했기 때문에 나는 무더위로 열병에 걸려 내내 앓고 있었다.

이제 나는 기니의 무역상으로 나섰다. 그러나 귀국한 후 선장인 친구가 곧 죽었다. 그것은 내게도 커다란 불행이었다. 하지만 나는 기니 무역을 계속하기로 작정했다.

나는 먼젓번 그 배에 짐을 실었다. 전번 항해 때 항해사로 있던 사람이 선장이 되었다. 이번은 가장 불행한 여행이었다. 처음 번 돈 중에서 200백 파운드는 성실한 친구인 선장의 미망인에게 맡기고, 1백 파운드 어치만 갖고 떠났는데, 이 여행이 몹시 불운했던 것이다. 우리 배가 카나리 제도와 아프리카 해안선 사이를 항해하고 있을 때, 어스름한 새벽에 살리의 터키 해적선이 전속력으로 우리 배를 쫓아왔다. 돛대를 있는 대로 다 세우고 돛폭을 힘껏 펴서 도망했지만 몇 시간 안에 우리 배를 따라잡아 공격할 것이다. 우리는 싸울 준비를 했다. 우리 배는 대포가 12문이었지만 해적선은 18문이었다. 오후 세시쯤 되어 마침내 해적선은 우리 배에 접근하여 뱃전 뒤쪽으로 공격했다. 우리는 그쪽을 지키던 8문의 대포로 일제 사격했다. 그러나 포탄이 빗나가 버리자 해적선도 응수하여 약 2백 명이 소총 사격을 해왔다. 다행히 우리는 한 사람도 부상하지 않고 잘 숨어 있었다. 적선은 다시 공격할 준비를 하고 우리는 방어할 태세를 갖추었다. 우리가 바닥에 엎드린 다음 순간, 반대편 뱃전으로 해적 60명 가량이 뛰어들어 갑판과 색구(역주 : 배에서 사용하는 로프나 쇠사슬 같은 것의 총칭)를 마구 찍어 부수었다. 우리는 소총과 창, 폭약을 던지고 쏘아 두 차례나 반격했다. 그러나 이 서글픈 이야기의 결말을 간단히 말하자면 우리 배는 파괴되었고 선원 3명이 죽고, 8명이 부상한 후 우리는 항복하고 말았다. 우리는 모두 포로로 잡혀 무어인의 항구인 살리로 붙들려 갔다.

나는 처음 생각했던 것처럼 그렇게 난폭하게 고생하지는 않았고, 다른 사람들처럼 황제의 궁정에 끌려가지도 않았다. 나는 상으로 해적 두목의 차지가 되었고, 젊고 민첩하며 쓸모가 많다는 이유로 그의 종이 되었다. 상인으로부터 갑자기 불쌍한 노예로 처지가 변하여 나는 완전히 얼이 빠져 버렸다. 너는 비참하게 될 거다, 아무도 너를 구해 주지 않을 것이다, 라고 말씀하신 아버지의 예언이 되살아났다. 그 예언이 신통스럽게 들어맞아 나는 가장 불행한 곤경에 떨어졌고, 하나님도 이제는 나를 버렸으니 도저히 구원받을 가망이 없었다. 그러나 천만의 말씀! 후에 이야기하겠지만 이 정도는 내가 겪어야 할 비참한 생활의 일부를 조금 맛본 것에 지나지 않았던 것이다.

내가 모셔야 할 새 주인은 나를 자기 집으로 데려갔다. 그래서 나는 주인을 따라 바다에 나가 다니면 언젠가 스페인이나 포르투갈의 군함에 붙잡혀 자유를 얻을 수 있을지도 모른다는 꿈을 갖게 되었다. 그러나 이러한 꿈은 곧 사라졌다. 주인은 자기가 바다로 나갈 때면 내게는 조그만 정원을 가꾸거나 흔한 집안 잡일이나 시키고 자기가 배에서 돌아오면 선실에서 배를 지키라고 명령하는 것이었다.

이렇게 되자 나는 탈출할 방도만 골똘히 생각했다. 그러나 가능성은 희박하고 방법은 거의 없었다. 내 꿈을 실현시켜 줄 만한 것은 아무것도 없었다. 상의할 사람도, 같이 배를 타고 도망칠 사람도 없었다. 다른 노예 중에 영국인이나 아이랜드 인 또는 스코틀랜드 인은 한 사람도 없었다. 나 혼자였다. 나는 때때로 공상만 할 뿐 실현해 볼 기회는 한번도 얻지 못하고 1년을 보냈다.

2년 후 우연한 기회에 탈출해 보겠다는 옛날의 희망이 다시 일어났다. 주인은 배의 장비도 갖추지 않고 평소보다 오랫동안 집안에 머물러 있었는데 돈이 떨어져 그렇다는 소문이었다. 그는 요즈음 1주일에 한두 번, 날씨가 좋으면 더 자주 배에 달린 보트를 타고 항구 밖으로 고기잡이를 나가는 것이 습관이었다. 그는 그때마다 나와 젊은 마레스코를 태워 보트를 젓게 했다. 우리는 열심히 일하여 주인의 환심을 샀고, 특히 나는 고기를 아주 능숙하게 잘 잡았다. 그래서 그는 가끔 자기 친척인 무어인 한 사람과 마레스코를 딸려 자기가 먹을 반찬거리로 고기를 잡아 오라고 나를 내보냈다.

한번은 아주 잔잔한 아침에 고기를 잡으러 나갔다가 지독히 심한 안개를 만나 해변에서 15마일도 못 나갔는데 방향을 잃은 적이 있었다. 우리는 어디로 가는 줄도 모르고 노를 저으며 하루 종일, 그리고 밤새도록 애를 쓰다가 다음날 아침이 되어서야 육지 쪽이 아니라 바다 가운데로 나가고 있다는 것을 깨달았다. 우리는 적어도 육지에서 6마일 이상이나 떨어져 있었다. 조난당할 위험에 빠지기도 했지만 열심히 노를 저었고 때마침 아침 바람이 선선하게 불어오기 시작해서 겨우 육지에 돌아올 수 있었다. 모두가 무척 시장했다.

그러나 주인은 이 사건에 놀라 앞으로는 사고가 일어나지 않도록 만반의 준비를 했다. 옛날 그가 빼앗아 온 우리 영국 배에 달린 긴 보트를 고기잡이용으로 쓸 생각을 했다. 그리하여 역시 영국인 노예인 조선공을 시켜 긴 보트 한가운데에 짐배처럼 조그만 선실을 만들고, 그 뒤에는 키를 조종하고 돛대 줄을 넣어 둘 곳을, 앞에는 한두 명이 서서 돛을 움직일 자리를 만들었다. 이 배는 우리 영국 사람이 양의 어깨라고 부르는 돛으로 몰게 되었고 돛대는 선실 지붕에 붙어 있었다. 선실은 아주 아늑하고 나지막해서 주인이 노예 한두 명을 데리고 누울 수도 있으며, 식탁과 술병, 특히 빵이나 쌀 또는 커피를 넣을 찬장도 마련했다.

우리는 이 배를 타고 자주 고기잡이에 나갔다. 나는 고기를 가장 잘 잡았기 때문에 그는 꼭 나를 데리고 갔다. 한번은 놀기도 할 겸, 고기도 잡을 겸, 그 지방의 유지인 무어인 두어 명과 함께 이 배를 타기로 했다. 그래서 주인은 보통 때보다 더 많은 식량을 밤새 배에 싣게 했다. 나에게는 화약 및 탄알과 함께 화총 세 자루를 배에 마련케 했다. 낚시도 하고 새도 잡을 계획이었다.

나는 주인이 지시한 대로 모든 것을 갖춰 놓았다. 이튿날 아침에는 배를 청소하고 선기와 표지기를 꽂고 손님을 맞을 준비를 모두 마친 뒤 시간을 기다렸다. 잠시 후 주인이 혼자 배에 오르더니 손님들이 급한 일 때문에 오늘의 계획을 연기하기로 했다고 말하면서 여느 때처럼 자기 친척과 마레스코를 데리고 나가서 자기 친구들이 집에서 저녁 식사하는 데 쓸 고기를 잡아 가지고 빨리 돌아오라고 지시했다. 이 일은 내가 알아서 주관할 일이었다.

해적의 손에서 탈출하다

　이 순간, 전부터 꿈꾸어 오던 탈출에 대한 욕망이 머리에 번쩍 떠올랐다. 이제야 조그만 배 한 척을 내 마음대로 쓸 수 있게 된 것이다. 주인이 가 버리자 나는 고기잡이 준비를 하는 것이 아니라, 항해할 태세를 갖추었다. 어떤 방향으로 키를 잡아야 할지 정하지도 못했지만 별달리 생각하지도 않았다. 어디로 가든 여기서 빠져 나가기만 하면 되는 것이다.

　나는 우선 주인의 친척인 무어인에게 핑계를 대어 배에서 먹을 양식을 더 준비하도록 계략을 세웠다. 그래서 나는 "주인께서 잡수시는 빵을 우리가 어떻게 먹을 수 있겠느냐."고 말했다. 그는 과연 그렇다면서, 하인들이 먹는 라스크빵(역주 : 딱딱하게 구운 빵)을 넣은 큰 바구니 하나와 물항아리 셋을 배에 실었다. 그리고 무어인이 바닷가에 나가 있는 동안 주인이 마실 것으로 꾸며 술상자를 배에 실었다. 생김새로 보아 이 술은 영국 배에서 빼앗아 온 노획품에 틀림없는데, 나는 전부터 그 술병 둔 곳을 눈여겨 두었었다. 그 밖에 50파운드쯤 될 큼직한 밀랍 덩어리와 새끼줄 한 타래, 도끼, 톱, 망치 등 나중에 굉장히 쓸모 있을 물건들을 날라다 실었다. 특히 밀랍은 초를 만드는 데 필요한 것이다. 둘쨋번 계략에도 무어인은 순진하게 넘어갔다. 그의 이름은 이스마엘인데, 보통 '멀리'라고 불렀다. 그래서, 나도 '멀리'하고 불렀다.

"주인님 총이 배에 있는데 자네 화약하고 탄알을 좀 구할 수 없겠나? 그러면 알카미새(역주 : 이 새는 영국의 마도요새하고 비슷함)를 잡을 수 있을 텐데, 아마 본선의 무기 창고 안에 있을 거야."

그는 곧 화약이 1파운드 반 이상 든 큼직한 가죽 주머니와 5, 6 파운드 정도의 탄알이 든 주머니를 가져다 배에 실었다. 그러는 동안 선실에서 주인이 쓰던 탄알을 찾아내어 상자 속에 든 커다란 병하나를 비워 거기에다 채웠다. 그리하여 필요한 것은 모두 장만해놓고 우리는 고기를 잡으러 항구 밖으로 떠났다. 항구 입구에 있는 감시탑은 우리를 알아보고 별달리 관심을 두지 않았다. 우리는 항구로부터 1마일쯤 나와 배를 멈추고 낚시를 내렸다. 바람은 내가 바라던 것과는 반대로 북동풍이었다. 남풍이 분다면 틀림없이 스페인 해안 쪽으로 가서, 적어도 카디즈 만에 갈 수 있을 것이지만, 아무튼 그날 나는 바람이 어디로 불든 지금의 이 무시무시한 곳으로부터 탈출하여 모든 것을 운명에 맡겨 볼 심산이었다.

얼마동안 낚시질을 했지만 아무것도 잡히지 않자(나는 낚시에 고기가 걸려도 잡아채지 않았다. 그들은 이걸 알지 못했을 거다) 나는 무어인에게 말했다.

"여기서는 안되겠어. 주인에게 빈손으로야 갈 수 있겠나. 좀 멀리 나가봐야겠어."

그는 별달리 생각하지 않고 내 말에 따라 뱃머리에 앉아 돛을 당겼다. 나는 키를 잡고 3마일 가량 더 나간 다음 고기를 잡을 것처럼 노예 소년에게 키를 넘겨 주고 앉아 그의 뒤에서 무슨 일을 하는 체하다가 팔로 그의 가랑이를 잡아 간단히 바다 속에 던져 버렸다. 그는 콜크병 마개 못지 않게 수영을 잘하기 때문에 곧 물 위로 떠올라 나를 부르면서 어디든지 나를 따라 섬길 테니 제발 배에 태워 달라고 애원했다. 그는 힘차게 헤엄쳐 오는 데다 바람도 없었기 때문에 곧 배를 따라잡을 것 같았다. 나는 선실에 들어가 사냥총

한 자루를 꺼내 그를 겨누면서 조용히만 하면 해치지 않겠다고 소
리쳤다.

"넌 육지로 되돌아가! 바다도 잔잔해. 힘껏 헤엄쳐 봐. 너를 해
치지 않겠어. 만일 배 쪽으로 다가오면 머리통을 쏘아 버린다. 난
도망할 작정이야."

그러자 그는 몸을 돌려 육지로 헤엄쳐 갔다. 그는 수영을 잘 하
기 때문에 무사히 육지로 되돌아 갔으리라 믿는다.

이 무어인을 데리고 가고 노예 소년을 물 속에 던지는 것이 더
나을지도 모르겠지만 나는 그를 믿을 수가 없었다. 그가 가 버리자
나는 슈리라고 부르는 그 소년에게 몸을 돌렸다.

"슈리! 네가 나한테 충성을 바치면 너를 훌륭하게 키우겠다. 네
가 나한테 충성을 다하겠냐고 네 얼굴을 쓸며 맹세하지 않는다면
(이것은 마호멧과 자기 아버지의 수염에 걸고 하는 맹세법이다)
너도 바다 속에 던져 버린다."

소년은 내 얼굴을 보고 웃으며 무척 순진하게 자기를 의심할 필

요가 없다고 말하고, 충성을 다해 세상 어디든지 따라가겠다고 맹세했다.

우리는 헤엄치고 있는 무어인이 우리를 볼 수 있는 동안까지는 바람 부는 쪽으로 배를 몰아 지브로올터 해협의 입구 쪽으로 가는 줄 믿게 했다.(사실 분별력이 있는 사람은 누구든 그러리라 추측할 것이다.) 누가 정말 야만인이 사는 남쪽 연안으로 달아나리라고 생각하겠는가? 그곳은 모두가 흑인 국가들이어서 카누를 타고 우리를 포위하여 죽여 버리거나 육지로 오른다 하더라도 야생동물이나 더 잔악한 야만족에게 먹혀 버릴 거라고 생각할 것이기 때문이다.

그러나, 저녁이 되어 어두워지자 나는 방향을 바꾸어 곧장 남향하다가 약간 동쪽, 육지 쪽으로 방향을 돌렸다. 강풍이 불다가 다시 바다가 잔잔해졌고, 이튿날 오후 3시쯤 처음으로 육지를 보게 된 때쯤에는 살리의 남쪽 1백 50마일은 왔으리라 생각되었다. 모로코 황제의 영토를 벗어나 다른 나라에 온 것 같았다. 사람은 전혀 보이지 않았다.

그러나 무어인들을 다시 만날까 두렵고, 그놈들에게 잡힐까 무척 걱정되어 배를 멈추거나 육지에 상륙하거나, 정박하지 않고 계속 부는 순풍을 받으며 닷새 동안 항해했다. 그러자, 바람이 남풍으로 바뀌었다. 나는 어떤 배가 추격한다 하더라도 지금쯤은 이미 포기했으리라 결론을 내리고 연안 쪽으로 가서 작은 강 어귀에 닻을 내렸다. 여기가 어딘지 위도가 몇 도인지, 무슨 나라인지, 무슨 강인지 아무것도 알 수 없었다. 아무도 볼 수 없었고 만나고 싶지도 않았다. 가장 긴급한 것은 마실 물이었다. 우리는 저녁 때 이 강으로 들어가, 어두워지면 육지로 헤엄쳐 가서 조사하기로 작정했다.

그러나, 날이 캄캄해지자 종류도 알 수 없는 야수들이 울부짖으며, 으르렁거리는 무시무시한 소리가 들려 왔다. 소년은 불쌍하게도 공포에 질려 죽을상이 되어 가지고는, 날이 밝을 때까지 상륙하지 말자고 빌었다.

"그럼 슈리, 그렇게 하겠다. 하지만 낮에 사람을 만나게 되면 우리릴 죽이거나 해칠 거야."

"그럼, 우린 총을 쏴서 쫓아내죠."

슈리는 우리 영국 사람의 노예가 쓰는 영어투로 말했다. 어쨌든 나는 이 소년이 힘을 되찾은 것이 즐거워 원기를 북돋느라고 술 한 잔(먼저 주인의 술병 상자에서 꺼낸 것)을 주었다. 어쨌든 그럴 듯한 슈리의 충고를 따르기로 했다. 우리는 작은 닻을 내리고 밤새 조용히 있었다. 조용히라고 말하지만 사실 잠 한잠 자지 못했다. 두어 시간 동안 갖가지 종류의 엄청나게 큰 짐승들(그놈들이 무슨 동물인지 알 수 없었다)이 해변으로 내려와 물 속에 뛰어들어 뒹굴면서 기분 좋게 몸을 식히는 꼴들이 보였는데, 놈들은 정말 내가 들어본 적도 없는 무시무시한 소리로 울부짖으며 고함을 질러댔다.

슈리는 무척이나 놀랐고 사실 나도 그랬다. 우리 둘은 커다란 짐승 한 마리가 보트 쪽으로 헤엄쳐 오는 소리를 듣고 더 무서워졌다. 그놈의 생김새를 볼 수는 없었지만 코푸는 소리로 보아 엄청나게 크고 사나운 맹수인 것 같았다. 슈리는 사자라고 했지만, 어떤 것인지 알 수 없었다. 그러나 불쌍한 슈리는 닻을 걷고 배를 저어 피하자고 소리를 질렀다.

"안돼, 슈리! 부표와 닻줄을 버리고 바다로 도망갈 수는 있지만 저놈들은 우리한테 덤비지 못해."

내가 이 말을 하자마자(그게 뭐든 간에) 노 두 개를 이은 만큼의 거리로 다가온 짐승을 보고 나도 새삼 놀랐다. 그러나, 나는 선실 문으로 뛰어가 총을 쏘았다. 그 놈은 총을 맞고 몸을 돌리더니 다시 해변으로 헤엄쳐 갔다.

그러나 이 총소리를 맞받아 해변과 육지에 있는 짐승들이 한꺼번에 지르는 그 무시무시한 울음소리와 으르렁 소리를 어떻게 묘사할 수 있겠는가? 그러나 그 소리의 반응으로 보아 총소리를 한번도 들어본 적이 없는 짐승이라고 믿을 수 있었다. 이리하여 밤에 상륙하지 않은 게 다행이었구나 하고 믿었다. 그러나 낮에 해변에서 겪을 모험은 또 다른 문제다. 야만인에게 잡힌다는 것은 호랑이의 울 안에 갇히는 것만큼 위험하다. 적어도 우리는 그 위험성을 똑같이 느끼고 있었다.

그러니 다른 해변으로 가서 물을 얻어야만 했다. 배 안에는 물이 한 잔도 남아 있지 않았다. 문제는 언제 어디로 가서 얻을 것인가 하는 거다. 슈리는 자기가 항아리를 가지고 상륙해서 물이 있으면 떠 오겠다고 말했다. 나는 왜 네가 가려느냐고 물었다. 내가 가고 너는 배에 남는 게 좋지 않겠느냐고 말했다. 소년의 대답이 너무나 애정에 차 있었기 때문에 나는 그 후 그를 더욱 사랑하게 되었다. 그는 말하는 것이었다.

"야만인이 오면 난 잡혀 먹힌다. 아저씨는 도망칠 수 있다."

"그럼 슈리야, 우리 같이 가자. 야만인들이 오면 둘이 함께 죽여 버리지. 그놈들이 우릴 잡아먹지 못하게 말야."

그래서 나는 슈리에게 라스크빵을 먹이고, 아까도 말했던 주인의 술통에서 술을 꺼내서 한 잔을 따라 주어 마시게 했다. 그리고 해변 가까이 안전하다고 생각되는 곳에 배를 대어 놓고 무기와 물을 담을 항아리 두 개만 들고 걸어서 상륙했다.

나는 야만인이 강 위로부터 카누를 타고 내려오지 않을까 걱정되어, 우리 배가 보이는 거리보다 멀리 갈 마음이 없었다. 그러나 소년은 1마일쯤 구석진 편에 있는 낮은 지대를 내려다보더니 그곳으로 들어갔다. 얼마 후 내 쪽으로 뛰어오는 것을 보았다. 아마 야만인에게 쫓기거나 맹수한테 놀랐을 것으로 생각하고, 그를 구하러 뛰어갔다. 그러나 가까이 가 보니 무언가 그의 어깨에 멘 것이 보였다. 그가 쏘아 잡은 짐승인데 산토끼 같기도 하나 색깔이 다르고 다리가 길었다. 어떻든 좋은 먹이여서 우리는 기분이 좋았다. 그러나 더 다행한 일은 슈리가 물을 찾아냈고 야만인은 없더라는 보고였다.

그러나 우리는 물 때문에 그렇게 고생할 필요가 없다는 것을 뒤에 깨달았다. 썰물이 나가자 우리가 있던 강 조금 위쪽에서 깨끗한 식수가 흐르는 것을 발견했다. 그래서 우리는 항아리를 채우고 잡아 온 산토끼로 배를 불린 뒤 여행을 계속했다. 그 부근에 사람들의 흔적은 전혀 볼 수 없었다.

나는 이미 이 연안을 한번 여행한 적이 있기 때문에 카나리 제도와 케이프 버드 제도가 이 해안에서 그리 멀지 않으리라고 자신있게 추측했다. 그러나 우리가 어디쯤 와 있는지 측정할 기구도 없고 그 섬들의 위도가 몇 도였는지 정확히 알지 못했다. 정확하게 기억하지도 못하였기 때문에 어디로 가야 그 섬들을 찾을지, 우리가 얼마나 멀리 떨어져 있는지 알 수가 없었다. 그렇지만 않으면 쉽게 그 섬들 중 어떤 것이든 찾아낼 수 있었을 것이다.

어쨌든 해안을 따라 영국 사람들이 무역하는 지역으로 가다 보면 무역선을 만나게 될지도 모르고 그래서 구조를 받아 살아날 수 있으리란 희망을 갖고 있었다. 면밀하게 추측한 결과, 내가 지금 있는 곳은 모로코 황제의 영지와 흑인국 사이의 야수밖에 없는 황폐한 무인지대가 틀림없었다. 흑인들은 이 지대를 포기하고 무어인들을 피하여 더 남쪽으로 내려갔을 테고, 무어인들은 이곳이 황무지이기 때문에 사람이 살 만한 곳이 못된다고 생각했을 것이다. 사실 호랑이니 사자니 표범이니 하는 맹수들이 엄청나게 많이 살고 있기 때문에 무어인들은 이 지역을 사냥 지구로 만들어 한꺼번에 2,3천 명이 군대처럼 와서 사냥질을 하는데, 정말 이 연안에서 근 1백 마일의 거리 안에서는 낮에는 황폐한 무인지만 보이고 밤에는 야수의 울부짖는 소리만 들릴 뿐이었다. 낮에 한두 번쯤 카나리 제도의 테네리프 산맥 최고봉인 피코봉이 보인 것 같았고, 그래서 거기에 도착할 수 있으리란 희망이 솟았다. 그러나, 두 차례나 애를 써 보았지만 역풍이 부는데다 배가 작아 파도를 이겨낼 수 없어 단념하고 말았다. 그리하여 처음 계획대로 해안선을 따라갔다.

우리는 그곳을 떠난 뒤 식수 때문에 몇 차례 육지에 상륙했다. 한번은 이른 새벽, 지대가 제법 높은 해안에 배를 대었는데, 밀물이 들어오기 시작해서 우리는 육지 쪽으로 더 다가 들어갔다. 나보다 눈이 훨씬 좋은 슈리는 가만히 나를 부르더니 이 해변을 빨리 떠나는 게 좋겠다고 말했다.

"저기 언덕 아래 깊이 잠든 저 무시무시한 짐승을 보세요."

그가 가리키는 쪽을 보니 정말 엄청나게 큰 사자가 언덕의 그늘을 쓰고 해변가에 누워 있었다.

"슈리야, 네가 상륙해서 죽여라."

슈리는 깜짝 놀라 대답했다.

"절보고 죽이라굽쇼! 그놈은 절 한입에 삼켜 버릴 거예요."

나는 소년에게 조용히 하라고 이르고 나서, 머스킷 총만한 내가 가진 것 중 가장 큰 총을 꺼냈다. 화약을 잔뜩 장전하여 산탄총알 두 개를 넣고 또 한 자루에는 탄환 두 알, 세번째 총(우리는 세 자루를 갖고 있었다)에는 작은 탄환 다섯 개를 넣었다. 나는 첫쨋번 총으로 정확히 겨냥해서 사자 머리를 쏘았다. 그러나 사자는 다리를 코 쪽으로 모아 누워 있었기 때문에 산탄알은 무릎 쪽을 맞춰 뼈를 부수었다. 그놈은 처음에는 으르렁거리며 일어나더니 부러진 다리 때문에 다시 쓰러졌다가 세 발로 일어서서 무시무시한 소리로 울부짖었다. 그 소리는 일찍이 들어본 적이 없으리만큼 무시무시했다. 나는 머리를 못 맞추었기 때문에 약간 당황했으나 곧 두번째 총을 들어 움직이기 시작하는 그놈에게 발사, 머리를 정통으로 맞추었다. 사자는 이번에는 별 소리도 지르지 못하고 버둥대다가 쓰러졌다. 나는 기분이 통쾌했다. 그러자 슈리는 용기가 솟아 제가 육지로 가 보겠다는 것이다. "가 봐라." 하고 허락하자, 소년은 물속에 뛰어들어 한 손에 작은 총을 들고 한 손으로 헤엄을 쳐서 육지에 오르더니 사자한테 가까이 가서 귀쪽으로 총구를 대어 머리를 또 한번 쏘았다. 사자는 아주 조용히 뻗어 버렸다.

이건 진짜 멋있는 싸움이었다. 그러나, 사자 고기는 먹을 수 없었다. 나는 세 발을 낭비하면서 아무런 소용도 없는 짐승을 쏘아 죽인 게 아까웠다. 그러나 슈리는 쓸모가 있다면서 배에 싣자고 하더니 내게 도끼를 달랬다.

"무얼 하려고 그러니, 슈리?"

"제가 머리를 잘라낼게요."

그러나 슈리는 머리를 자르지는 못하고 발을 잘랐는데 그 하나가 굉장히 컸다.

나는 사자 가죽이 쓸모가 있을지도 모른다고 생각이 들어 가죽을 벗겨낼 작정을 했다. 그래서 슈리와 나는 일을 시작했는데 슈리가 어떻게 해야 좋을지 모르는 나보다 이런 일에는 훨씬 능숙한 일꾼이었다. 이 일을 끝내는데 우리 둘이서 하루 종일 꼬박 소비했다. 마침내 가죽을 벗겨 선실 지붕에 널었더니 햇빛을 받아 이틀 후에는 잘 말랐다. 나는 그 가죽을 요로 깔았다.

이렇게, 한번 멈춘 뒤에 우리는 계속 10일 내지 12일간 남쪽으로 항해했다. 그러는 동안 이제는 얼마 남지 않은 양식을 절약해 가면서 음료수를 뜰 때 외에는 상륙하지 않았다. 이때 내 계획은 잠비아나 세네갈의 강가, 곧 케이프 버드 부근으로 가자는 것이었다. 그곳에서 유럽의 배를 만나면 살아날 희망이 있었다. 버드 제도를 못 찾아내면 흑인들에게 참살당할 수밖에 없었다. 유럽으로부터 기니나 브라질 또는 동인도로 가는 모든 배는 이 케이프 버드 쪽을 거쳐 가게 되어 있었다. 그런즉, 내가 살거나 죽거나 모든 운명이 바로 이 한 지점에 걸려 있는 것이다.

이처럼 계획에 따라 10여 일 항해를 하는 동안 육지에 사람들이 보이기 시작했고 두어 군데에서는 사람들이 해변에 나와 우리를 구경했다. 그들은 피부가 아주 새까맣고 옷은 한 오라기도 걸치지 않았다. 나는 그들 쪽으로 한번 가 볼 생각이 있었으나 슈리가 "가지 말아요, 가지 말아요." 하고 나를 열심히 말렸다. 그러나, 나는 그들과 말을 건네 볼 생각으로 배를 해안 쪽으로 끌고 갔다. 그들은 우리가 다가가는 해변 쪽으로 몰려들었다. 토인 중에는 한 사람만이 길고 가는 막대기를 들고 있을 뿐, 무기를 갖지 않았으나 슈리는 그 막대기가 창이라면서 그게 무척 멀리 나가며 토인들이 이 창을 잘 던진다고 걱정했다. 나는 열심히 시늉하며 무엇보다도 먹을 것을 좀 달라고 했다. 그들은 손짓으로 배를 멈추면 먹을 것을 갖다 주겠다고 했다. 그래서, 내가 돛을 늦추어 멈추자 그들 중 둘이 부락으로 뛰어가더니 30분도 안되어 말린 생선 두 마리와 토산물 같은 곡식 약간을 가지고 왔다. 그러나 우리는 서로의 심중을 알 수 없었다. 어쨌든 우리는 그걸 받기로 했다. 하지만, 어떻게 받느냐가 문제였다. 나는 그들 쪽으로 상륙할 용기가 없었고 그들도 우리를 두려워했다. 그러나, 그들이 안전한 방법을 제의했다. 그들이 음식을 해변에 놓고 멀찍이 떨어져 있으면 우리가 그것을 배에 옮기고 그런 후 그들이 다시 우리 쪽으로 다가온다는 것이다.

우리는 이 제안을 그대로 받아들여 고맙다는 시늉을 해보였다. 그러나 바로 그 순간 뜻밖의 일이 생겨서 그들의 은혜에 보답할 기회가 생겼다. 우리가 해변에 있는 동안 맹수 한 마리가 굉장히 성을 내며 산에서 바다 쪽으로 다른 한 마리를 쫓아 달려왔다. 수놈이 암놈을 쫓는 것인지, 운동을 하는 것인지, 아니면 화가 났는지 알 수 없고, 또 자주 있는 일인지, 좀처럼 못 보는 일인지 도시 알 수 없었다. 그러나, 나는 곧 뒤의 것이라 추측했다. 첫째, 저런 맹수는 밤에 나타나는 게 상례며, 둘째, 토인들 특히 여자들이 몹시 무서워했기 때문이었다. 창을 든 사람은 달아나지 않았지만 다른 모든 사람들은 멀리 도망갔다. 그러나, 두 마리의 맹수는 흑인들을 다치지 않고 곧장 물 속으로 뛰어들어 저희들끼리 바다 속에서 마치 장난이나 하듯 헤엄을 쳤다. 마침내 한 놈이 내가 생각한 이상으로 우리 배로 지나치게 가까이 왔다. 나는 급히 총을 장전하고 슈리를 시켜 나머지 총 두 자루를 장전시켜 준비를 갖추었다. 그놈

이 내 사격권 안에 들어오자 나는 총을 쏘아 정통으로 머리를 맞추
었다. 그놈은 즉시 물 속에 잠겼다가 곧 다시 솟아나 첨벙거리며
살려고 몸부림쳤다. 그놈은 해변 쪽으로 헤엄쳐 나갔지만 치명적인
부상과 물 속에서 질식했던 탓으로 육지에 닿기 전에 죽어 버렸다.
울부짖는 이 짐승들과 내 총소리 때문에 그들이 놀라는 꼴을 어떻
게 묘사할까? 몇 사람은 공포에 질려 죽을상이 되어 털썩 주저앉았
다. 그러나, 짐승이 죽어 물 속에 잠긴 것을 보고 또 바닷가로 오라
는 내 손짓을 보자 용기를 얻어 해변으로 돌아와 짐승을 찾기 시작
했다. 근처 바닷물은 피로 벌겋게 됐다. 내가 그쪽으로 줄을 던지
자 흑인들은 짐승을 묶어 뭍으로 끌어냈다. 그놈은 무척 멋있게 생
긴 얼룩표범이었다. 흑인들은 손을 들고 감탄하는 소리를 질렀다.
내가 표범을 잡은 물건이 무엇인가 궁금히 여겼다.

다른 한 놈은 총소리와 불꽃에 놀라 해변으로 헤엄쳐 저희들이
왔던 길로 곧장 도망쳐 버렸다. 이때만 해도 나는 그놈이 무슨 짐
승인지 몰랐다. 흑인들이 이 표범고기를 먹는다는 것을 알자 그들
에 대한 감사의 답례로 선사할 생각이었다. 그들에게 표범을 가져
가라는 시늉을 하자 그들은 무척 고마워했다. 그들은 곧 표범에게
달려들어 날카롭게 깎은 나무로 쉽사리 가죽을 벗겨내는데 우리가
칼로 하는 것보다 빨랐다. 표범 고기를 한 조각 떼어 내게 주었지
만 나는 싫으니 당신들이나 먹으라고 시늉하자, 그들은 가죽을 달
라는 줄 알고 가죽을 가져왔다. 그리고 꽤 많은 식량을 갖다 주었
는데 그것이 무슨 식량인지도 알 수 없었지만 받았다. 그런 다음
나는 항아리 하나를 들어 뒤집어 보이고 물을 청했다. 그들은 곧
사람 하나를 부르더니 두 여자가 흙으로 만든 커다란 동이를 가져
다 내 앞에 놓았다. 나는 슈리를 보내 세 항아리를 가득 채웠다. 여
자들도 역시 완전한 나체였다.

이렇게 해서 이제 식용 뿌리와 곡식, 물을 얻은 후 친절한 흑인
들과 작별했다. 그후 11일 동안 해안에 상륙하지 않고 항해를 계속

하다가 마침내 바다 속으로 길게 뻗친 육지를 4, 5리그(1리그는 약 3마일) 앞에 보게 되었다. 바다는 무척 잔잔해서 우리는 그곳으로 천천히 다가갔다. 그리고 앞에 이르자 바다 쪽으로 평야가 보였다. 그러자 나는 이것이 케이프 버드이고 저 섬들이 케이프 버드 제도라고 확신했다. 그러나 아직 거리는 상당히 멀었으므로 살았구나 하고 자신있게 말할 수는 없었다. 돌풍만 한번 만나면 저 섬에 도착할 수 없는 것이었다. 이런 곤경에서 걱정에 잠긴 나는 슈리에게 키를 맡기고 선실로 들어와 앉아 있었다. 그러자 갑자기 소년이 외쳤다.

"주인님, 주인님, 배가 와요!"

어리석게도 소년은 그 배가 틀림없이 우리를 잡으려고 해적의 두목이 보낸 배가 아닌가 생각하고 당황했던 것이다. 천만에, 그들의 손아귀로부터 이렇게 멀리 도망해 왔는데 따라올 수 없다고 나는 믿었다. 선실에서 뛰어나가 보니 배가 눈에 띄었고 그 배의 정체를 알 수 있었다. 포르투갈 배로 흑인 노예를 사러 기니로 가는 것이라고 생각되었다. 그러나 그 배가 해안 쪽으로 방향을 잡지 않은 것을 보니 그것은 기니가 아닌 다른 곳으로 가는 중임을 깨달았다. 나는 방법만 있으면 그들과 연락해 보기로 하고 보트를 바다 가운데로 힘껏 저었다. 그러나 아무리 배를 몰아봤자, 그들을 따라가기는커녕 무슨 신호를 보내기도 전에 멀리 사라져 버릴 것 같았다. 그러나 내가 힘껏 저어 나가다가 절망할 즈음, 그쪽 배는 망원경으로 나를 알아본 것 같고 조난당한 배에 실었던 유럽 사람의 보트임을 알자 돛을 내리고 내가 쫓아오기를 기다렸다. 힘을 얻어 나는 배 안에 있던 깃대로 조난했다는 신호를 보내고 총을 한 방 쏘았다. 그들은 이 두 가지 신호를 다 받았는데, 후에 들으니 총소리는 듣지 못하고 연기만 보았다는 것이었다. 이 신호를 받은 후 그들은 친절하게 내가 오기를 기다렸고 마침내 세 시간 후 나는 그 배에 도착할 수 있었다. 그들은 내가 누구냐고 포르투갈 어와 스페인 어 그리고 프랑스 어로 물었지만 나는 한마디도 알아들을 수 없었다. 마침내 배에 탔던 스코틀랜드 선원이 와서 영어로 내게 물었다. 나는 영국 사람이며, 살리의 무어인 노예로 잡혀 있다가 도망쳐 왔다고 말했다. 그러자 그들은 내 승선을 허락하고 아주 친절히 맞아 주었다. 내가 갖고 있던 물건도 모두 날라 주었다.

그처럼 처참하고 절망적인 상태에서 이렇게 구출되었다는 사실, 이것이야말로 구원이라 생각했으며, 그것은 더없는 기쁨이었다. 나는 선장에게 구조해 준 대가로 내가 가진 것을 모두 선사하겠다고 말했다. 그러나, 아는 이는 이해해 주리라, 그는 선선히 내 것은 하나도 받지 않고 브라질에 가면 내 물건을 모두 돌려 주마고 말했다.

"내가 당신의 생명을 구하였지만 그것은 나 자신도 구조를 받으면 고맙게 생각을 할 그런 똑같은 입장 때문이오. 이와 똑같은 경우가 나한테도 생길 테니 말이오. 게다가 나는 당신네 조국으로부터 굉장히 먼 브라질로 당신을 데리고 가는데, 당신 그 물건을 모두 내가 갖는다면 당신은 거기서 굶어 죽을 거요. 그러면, 내가 구한 생명을 다시 내가 뺏는 셈이지요. 괜찮습니다, 영국 양반."

이렇게 설명하고 다시 말을 이었다.

"나는 적선하는 마음으로 당신을 그리로 데려갑니다. 이 물건들은 거기서 먹을 것을 사고 다시 귀국하는데 도움이 될 겁니다."

그는 말로만 자비로운 마음을 나타내는 게 아니라, 작은 일에까지 보살펴 줌으로써 실제로 나타내 보였다. 그는 선원들에게 아무도 내 물건에 손을 대지 말라고 명령하고 그걸 전부 자기가 보관하였는데 흙으로 만든 항아리 세 개까지 포함시킬 만큼 정확한 보관 물품 목록을 만들어 주었다.

선장은 내 보트가 무척 좋은 것임을 알고 자기 배에서 쓰겠으니 팔라고 하면서 값을 물었다. 나는 친절하게 해준 것도 고마운데 어찌 보트 값을 매길 수 있느냐, 선장의 마음대로 해도 좋다고 말했다. 그러나 그는 내게 브라질에 도착하면 80스페인화를 주겠다고 약속어음을 써주고 거기 가서 누가 그보다 더 많은 값을 주겠다면 그 차액만큼 더 주겠다고 했다. 그는 또한 슈리에 대한 값으로 60페인트를 지불하겠다고 하였지만 나 자신은 그 돈을 받고 싶지 않았다. 선장이 그 소년을 갖는 게 싫어서가 아니라 내가 자유를 얻는데 충실하게 도와준 바로 그 소년의 자유를 팔고 싶지 않았던 것이다. 내가 거절하는 이유를 밝히자, 그는 내 뜻을 이해하고 타협안을 냈는데, 소년이 기독교로 개종하면 10년 후에 자유를 준다는 증서를 주겠다는 것이다. 슈리도 선장에게 가고 싶어하기에 선장에게 넘겨 주었다.

브라질의 농장인이 되다

브라질까지 가는 항해는 멋진 여행이었다. 22일 만에 토도스 로스 산토스 만(灣)에 도착했다. 이제 나는 다시 한번 가장 비참한 상태로부터 벗어나 자유의 몸이 되었다. 그리고 어떻게 살아야 할 것인가를 생각해야 했다.

선장이 나를 얼마나 친절히 대우해 주었는가 회상하면 마음이 벅차다. 그는 내 뱃삯을 한푼도 받지 않았을 뿐더러 내 표범 가죽에는 20다카트를, 사자 가죽에는 40다카트를 주었고, 선장이 보관하고 있던 내 물건을 어김없이 돌려 주었다. 뿐만 아니라 술병 상자며 총 두 자루, 내가 쓰다 남긴 밀랍덩이 등 내가 팔고자 하는 것을 모두 사 주었다. 그리하여 나는 모두 220스페인화를 벌었고 이 밑천을 갖고 브라질에 상륙했던 것이다.

여기에 도착한 즉시 선장은 자기 자신처럼 선량하고 정직한 사람에게 나를 소개하여 그 집에 가 있게 해주었다. 그는 인겐니오, 즉 농장과 제당 공장을 경영하는 사람이었다. 나는 거기서 얼마동안 보내면서 농사와 설탕을 만드는 법을 배우고, 농부가 얼마나 잘살며 어떻게 벼락부자가 되는가를 알게 되었다.

그래서 나는 정주 허가를 얻게 되면 그들 틈에 끼어 농부가 될 생각이었고 이러는 동안 런던에 맡겨 둔 돈을 송금해 올 일을 궁리하기로 했다. 이러한 목적을 위해 먼저 귀화 서류를 입수하고 돈이 자라는 대로 넓은 미개간지를 사들여 농장 경영의 계획을 세웠다. 내가 송금 신청한 돈이 영국에서 오면 그걸 자본금으로 쓰기로 작정했다.

이웃에 리스본 태생의 포르투갈 사람이 있었다. 그의 양친은 영국 사람으로 이름은 웰스이고, 나와 비슷한 처지에 놓여 있었다. 그를 이웃이라고 불렀지만 그것은 그의 농장이 내 농장과 이웃이었고 또 우리는 서로 잘 어울렸다. 내 자본도 그와 마찬가지로 적었기 때문에 우리는 2년 동안 무엇보다 앞서 식량을 마련하려고 곡식만 심었다. 그러나 수입이 늘기 시작하고 우리 농장도 질서가 잡히게 되었다. 3년째 되던 해는 담배도 좀 심었고, 다음해는 사탕수수를 심을 땅도 상당히 사들였다. 그러나 우리는 서로 손이 모자랐다. 그래서 심부름꾼 슈리를 넘겨준 것이 잘못이었다고 후회하게 되었다.

그러나 한심스럽다. 전에도 바른 일이란 한번도 해본 일이 없는 내가, 이제 실수를 저지른다고 조금도 이상할 게 무언가. 나는 그냥 그대로 지낼 수밖에 달리 뾰족한 수가 없었다. 나는 내 천성과는 엉뚱한 직업에, 내가 원하는 것과는 정반대가 되는 생활에 종사하게 되었다. 이를 위해 아버지의 충고도 마다하고 집을 뛰쳐나왔던 것일까? 그런데 나는 전에 아버지가 내게 충고한 바로 중류층 또는 하층 계급의 웃자리를 찾아내는 생활로 들어가고 있는 바이다. 만일 이런 생활을 계속한다면 차라리 집에 머물러 있는 것이 나았을 것이고 지금까지 고달프게 지내올 필요가 없었다. 그래서 곧잘 혼자 중얼거려 보기도 했다. 5천 마일이나 떨어진 이국 타향에서 낯선 사람들과 야만인 틈에 끼어 지내느니보다, 차라리 영국의 친구들과 같이 사는 게 더 나을 것이 아니냐고.

이런 식으로 내 현재의 상태를 깊이 뉘우쳤다. 언제나 그 이웃 외에는 함께 상의할 사람도 없고 육체 노동 외에는 할 일도 없었으며 마치 아무도 없는 고도에 혼자 떨어진 사람처럼 살았다. 우리를 더 심한 경우에 끌어넣고 현재의 환경에 대하여 불평을 말할 때, 하나님은 곧 그 환경을 바꾸어 주시고, 새로운 체험을 하게 하여 과거가 훨씬 행복했다는 것을 체험하게 하시지만 그 얼마나 하늘의 신묘한 섭리일까? 참으로 모든 인간들은 마땅히 이 점을 명심해야 한다. 천벌을 받은 셈이어서, 내가 상상한 고도에서의 외로운 생활 은 나 자신의 운명이 되었다. 나는 그때의 생활을 섬에 정배 간 거 나 마찬가지라 하였지만 그 견해는 틀려먹은 것이었다. 만일 그후 그대로 계속했다면 나는 틀림없이 번창해서 큰 부자가 되었을 것이 다.

내가 농장을 경영할 준비가 웬만큼 익어갈 무렵 나를 바다에서 구해준 선장이 돌아가게 되었다. 무역품을 마련하고 항해 준비를 하느라고 거의 석 달 동안 머물렀던 것이다. 그가 떠날 때쯤 적기 는 하지만 내가 런던에 맡겨 둔 돈 이야기를 하자 그는 이처럼 따 뜻하고 친절한 충고를 해주었다. 그는 평소에 늘 그렇듯 '영국 분' 하고 부르더니 이렇게 말했다.

"당신 돈을 맡은 런던 사람에게 내가 지정하는 사람 앞으로 그 돈을 리스본으로 보내라는 편지와 정식 위임장을 써서 주시오. 그 러면 그 돈으로 여기서 이윤이 많이 남을 물건을 사가지고 오리다. 그러나 사람의 일이란 어떻게 될지 알 수 없으니 당신 자본의 반인 1백 파운드 어치만 당신이 주문해서 우선 운에 맡겨 봅시다. 그래 서 그게 안전하게 성공하면 나머지를 똑같은 방법으로 주문합시다. 한번 실패한다 하더라도 반은 살릴 수 있을 테니 말입니다."

이 충고는 상당히 유익하고 또 무척 진심어린 것으로 느껴졌다.

그것이 내가 취할 수 있는 가장 좋은 방법이라고 생각되었다. 그 래서 이 충고에 따라 나는 돈을 맡긴 부인에게는 편지를 쓰고 그 포르투갈의 선장에게는 위임장을 주었다.

나는 그 영국인 선장 미망인에게 내 노예 생활이며 거기서의 탈출, 바다에서 포르투갈 선장을 만나 구조받은 일 등 모든 모험담과 그 선장의 믿음직한 인간성이며 내가 현재 처해 있는 상태를 이야기하고 내게 물건을 보내는 데 필요한 방법을 모두 설명했다. 정직한 선장은 리스본에 가서 거기에 있는 영국 상인들을 통해 런던의 상인에게 주문서와 함께 내 모험기를 보내고, 그것은 다시 미망인에게 무사히 전달되었다. 그녀는 맡긴 돈은 물론, 자기 돈으로 아주 값진 선물까지 사서 포르투갈 선장에게 보내 나에게 베푼 그의 선행과 자비에 감사를 표했다.

런던의 상인은 선장이 주문한 대로 영국 상품 1백 파운드 어치를 사서 리스본에 와 있는 선장에게 보냈고 선장은 다시 이 물건을 모두 안전하게 브라질로 보내 주었다. 그 물건 중에는 내 지시 없이 산(난 미처 생각지도 못했다) 농기구와 철제품, 생활용품도 들어 있었는데, 이들은 무척 요긴한 것들이었다.

짐이 도착하자 너무나 기뻤다. 굉장한 운을 잡은 기분이었다. 충실한 대리인인 선장은 런던의 미망인이 선물로 보낸 5파운드로 하인 한 명을 6년 계약으로 사서 보내왔다. 그리고 내가 답례로 주는 선물은 전혀 받으려 들지 않았다. 겨우 내가 농장에서 거둔 담배를 약간 받을 뿐이었다. 뿐만 아니라 내가 받은 상품은 옷, 포목, 모직 및 브라질에서는 값이 비싸고 양이 딸리는 영국의 공장 제품들이었다. 나는 이것을 팔아 원가의 4배 이상이란 큰 이익을 얻었다. 그리하여 이웃 사람보다 자본이 훨씬 늘어 농장도 크게 확장했다. 그리고 우선 흑인노예와 선장이 리스본에서 데려다 준 하인 외의 유럽인 하인 또 한 명을 두었다.

그러나 호사다마란 말이 있지만 바로 내 경우가 그랬다. 이듬해 농장은 대풍년이었다. 담배만도 50타래나 수확했는데, 이것은 마을에서 일용품을 사고도 남을 정도였다. 한 타래의 값이 1백 파운드 이상이었다. 나는 리스본에서 배가 오기를 기다리며 이 담배 50타래를 잘 간수했다. 사업과 재산이 늘어나게 되자, 나는 이제 격에 맞지도 않게 엄청난 계획과 목표를 짜는 데 몰두했다. 아무리 유능한 사업가라도 이렇게 되면 곧잘 파멸하기 십상이다.

　그때 현상을 유지하며 조금씩 확장해 나갔다면, 아마 나는 일마다 모두 성공하였을 것이다. 사실 그런 행복을 바랐기 때문에, 아버지가 그처럼 열심히 착실하고 안정된 생활을 권고하였고 중류층의 생활이야말로 그런 행복에 찬 것임을 또렷하게 설명해 주셨던 것이다. 그런데 나는 다른 일에 정신을 빼앗기고 있었다. 나는 여전히 내 고집으로 비참한 생애를 스스로 불러온 셈이다. 더구나 잘못을 더 크게 키우고 더 깊은 슬픔에 빠뜨리고 스스로를 더욱 큰 자책감에 빠져 들어가게 했던 것이다. 자연과 신의 섭리가 지시하고 또 내 의무로 지워준 인생의 목적과 방향을 쫓아 올바르게 사는 것이 가장 이로웠지만 그렇게 하지 않고 방랑해 보고 싶은 어리석은 욕망에 집착하여 그 욕망을 고집스레 추구한 데서 이 모든 잘못이 생겨난 것이다. 부모들로부터 뛰쳐나올 때도 그러하였지만 나는 현상 유지에 만족하지 않았다. 농장경영을 해 나가면 부자가 되고 사업은 번성하고 있다는 행복관을 떠나 오직 사물의 이치로는 제대로 생각할 수 없는 경솔하고 무모한 욕망에 몰두했다. 그리하여, 나는 사람이 겪을 수 있는, 그리고 생명과 건강이 견딜 수 있는 가장 비참스런 그 비참 중에서도 제일 깊은 밑바닥으로 자신을 던져 버렸다.

　그럼 다시 원래의 차례를 따라 얘기의 전후 사정을 자세히 말하겠다. 브라질에서 거의 4년 동안 지내며 농장으로 한창 번성하는 동안 나는 그곳 말을 배우며 나 같은 농장주는 물론 항구인 산살바도르의 상인들과도 알게 되어 친교를 맺었다. 나는 그들과 대화를 하면서 기니 연안 지방으로 갔던 두 번의 여행담이나 흑인들과 무역하는 방법, 구슬, 장난감, 칼, 가위, 도끼, 유리 등 잡화물로 사금이나 기니의 곡물, 상아는 물론 브라질에서 굉장히 필요한 흑인을 얼마나 쉽게 사들일 수 있는가를 자주 이야기해 주었다. 그들은 언제나 이런 이야기를, 특히 흑인 매매에 관한 부분을 무척 주의깊게 들었다. 당시 흑인 매매는 상당히 활발하기는 했지만 실제로는 어려운 무역이었다. 스페인과 포르투갈의 왕으로부터 허가를 받아야 했고 그나마 공공연하게 독점하여 거래되었기 때문에, 매매되는 흑인 수가 모자랐고, 또 그 값도 무척 비쌌다.

어느 날 농장인과 상인들이 모인 가운데 내 모험담을 열심히 이야기한 적이 있었다. 이튿날 아침 그 중 세 사람이 나를 찾아와 전날 밤 내가 한 이야기를 재미있게 들었다고 말한 다음 은밀한 제안을 해왔다. 그들은 내게 굳게 비밀을 지키도록 약속을 받은 후 기니로 배를 낼 생각이 있다면서 다음과 같이 제안했다. "우리는 모두 당신과 같은 농장 경영자인데 농업 노동자처럼 필요한 것이 없소. 흑인을 데려와도 팔 수 없기 때문에 이건 밀무역을 하자는 게 아니오. 흑인들을 밀입국시켜 각자 자기 농장으로 나누어 갖자는 것이오. 요컨대 당신이 배의 관리인이 되어 기니아 무역을 처리해 달라는 것입니다. 그 대가로 당신은 자본을 대지 않고 흑인 분배는 우리와 똑같은 권리를 가질 수 있소."

이 조건은 솔직히 말해서 자기 농장을 갖고 있고 그것을 더 발전시키며 자본도 더 늘이고 싶은 사람들에게는 확실히 유리한 제안이었다. 그러나 3, 4년 전 처음 시작해서 이제는 완전히 기틀이 섰고, 다만 착실히 노력만 하면 계속 발전할 전망이며 영국에 있는 1백 파운드로 상품을 주문한 것까지 합치면, 재산은 3, 4천 파운드 되는데다가, 현재도 계속 늘어나는 내 입장으로서 그런 여행에 마음이 끌리다니, 상식에 벗어난 일이었다.

불길한 시간에 떠나다

　스스로 파멸할 운명을 지니고 태어났던지, 나는 그 항해의 제안을 거부하지 못했다. 처음에도 아버지의 선의의 충고를 듣지 않을 만큼 방랑욕을 누르지 못했거니와 이번에도 그에 못지 않은 욕망이 일어나 이 제안을 도저히 거절할 수 없었다. 결국 내가 없는 동안 그들이 내 농장을 돌봐 주며 설령 항해 지휘를 잘못한다 하더라도 끝까지 내 지시에 복종하겠다고 약속하면, 나도 전력을 다해 무역선을 안내하겠다고 그들에게 말했다. 그들은 이 조건에 모두 동의하고 그렇게 하겠다고 계약서를 작성했다. 나는 내가 죽을 경우를 생각해서 농장과 동산의 처분에 관한 공식 유언장을 만들어 내 생명의 은인인 포르투갈의 선장을 포괄 상속인으로 지명하여 그로 하여금 내 유서에 따라 동산을 처리하도록 하고 농산물의 반을 그에게, 나머지를 영국으로 보내도록 했다. 간단히 말해서 내 동산을 보호하고 농장을 유지하도록 면밀한 주의를 다했다. 이처럼 재산을 정리하는 데 들인 정성의 반만큼이나 신중하게 내가 해야 할 것과 하지 말아야 할 것을 가릴 분별력이 있었다면, 나는 번창 일로에 있고 한창 잘 되어가는 사업을 버리고 위험이 뒤따를 항해에 나서지 않았을 것이다. 사실 내 사업에 어떤 특별한 불운이 오리라고 생각해야 할 이유는 조금도 없었던 것이다.

그러나 나는 황급히 이성보다 환상의 명령에 맹목적으로 복종했다. 이에 따라 배는 준비를 갖추어 화물을 싣고 동업자들과의 항해 계약에 따른 모든 일을 마친 뒤 1659년 9월 1일, 바로 8년 전 부모의 권유를 거슬러 나 자신이 어리석게도 헐의 양친을 떠나던 날과 똑같은 그 불길한 날에 배를 탔다.

우리 배는 하중이 120톤, 포가 6문이고 14명의 선원 외에 선장과 그의 심부름꾼, 그리고 내가 탔다. 우리 배는 큰 화물은 싣지 않았고, 대부분 흑인들과 거래하기 쉬운 구슬, 유리, 조개껍데기로 만든 물건 등 장난감과 작은 안경과 칼, 가위, 도끼 등 잡화물이었다.

내가 배를 타던 그 날 배는 출범했다. 당시의 항로는 해안을 따라 북향하다가 북위 10도 내지 12도에 이르러 곧장 아프리카 해안으로 향할 계획이었다. 해안을 항해하는 동안 무척 덥기는 했지만 날씨는 아주 좋았고, 케이프 센트 아우구스티누스 봉을 지나서부터 바다 가운데로 들어가 육지는 보이지 않게 됐다.

우리는 페르난도 데 노론하 섬으로 가는 것처럼 북북동의 방향으로 향하다가 동쪽으로 그 섬을 지나쳤다. 이 항로에 따라 우리가 적도를 통과한 것은 12일 만이었고, 마지막 관측으로 북위 7도 22분의 지점까지 왔을 때, 전혀 뜻밖의 대폭풍인지 태풍인지가 우리를 휩쓸어 버렸다. 그 태풍은 남동쪽에서 불기 시작해서 북서쪽으로 오다가 북동쪽으로 바뀌면서 어떻게나 맹렬하게 부는지 12일 동안 바람에 불려 떠내려 가기만 했다. 그리하여 우리는 우리 자신을 운명과 바람의 위세에 맡길 수밖에 없었다. 이 12일 동안 바다에 삼켜질 날이 오늘인가 내일인가 조마조마하였고, 배에 탄 모든 사람들은 목숨을 구하는 것 외에 아무것도 할 수 없었음을 굳이 말할 필요는 없을 것이다.

이 조난 중에 우리는 폭풍에 대한 공포로 시달렸을 뿐 아니라, 선원 한 사람은 열사병으로 죽었고, 또 다른 선원 한 명과 사환이 물에 휩쓸려 바다에 떠내려갔다. 12일째 되는 날, 날씨는 좀 가라앉았다. 선장은 자세히 관측하더니 우리가 북위 11도 서경 22도 지점인 케이프 센트 아우구스티누스 도의 서쪽에 와 있다고 추산했다. 그러니 아마존 강 북쪽 브라질 북부나 기니 연안에서 보통 대하(大河)라고 부르는 오리노코 강 하구 쪽으로 가는 중이었다. 어디로 갔으면 좋겠는가, 하고 의논을 했다. 그의 견해는 배가 침수되고 고장이 났으니 곧장 브라질 해안으로 돌아가자는 것이었다.

나는 이 의견을 완강히 반대하고, 선장이 갖고 있는 아메리카의 해도를 조사했다. 카리브 제도의 해역에 이르기까지는 기류할 만한 사람이 살고 있는 지역이 없다는 결론을 얻었다. 우리는 바로 발바도스로 향하기로 작정했다. 멕시코 만의 내류(內流)를 피하여 외해(外海)로 항해만 잘하면, 15일 만에 그곳에 쉽게 도착할 수 있을 것 같았다. 어떻든 배를 수리하고 선원을 보충하지 않으면 아프리카 해안으로 항해할 수는 없었다.

우리 계획으로는 배의 진로를 북서의 방향으로 돌려 영국령의 섬에 도착해서 구조 받을 계획이었다. 그러나 우리 항해는 또 다른 운명과 마주쳐야 했다. 북위 12도 18분에서 두번째 폭풍이 먼저와 똑같은 맹위로 불어왔다. 우리는 서쪽으로 밀려 통상 항로를 벗어나고 말았다. 따라서 우리는 일단 바다에서 목숨을 구하기는 했지만 무사히 귀국할 가망은 없었고, 야만족들에게 잡혀 먹힐 위험만 커졌다.

태풍이 여전히 혹독하게 부는 조난 속에서 헤매던 어느 이른 아침, 선원 한 사람이 "육지다!"하고 외쳤다. 우리는 선실을 뛰어나가 희망에 차 육지를 둘러보는 순간 우리 배는 모래톱 위에 올라앉고 말았다. 그리고 한순간 멈추는가 싶던 파도가 엄청난 힘으로 배를 덮쳐 왔다. 당장에 몰살당하는 줄 알았다. 우리는 파도가 부서지는 거품을 피해 곧 좁은 선실로 대피했다.

이런 상황에 부딪혀 보지 못한 사람은 이 경우 사람이 얼마나 기가 질릴 것인가 상상조차 하기 힘들 것이다. 어디 와 있는지, 어떤 땅에 밀려 왔는지, 섬인지 대륙인지, 사람이 사는지 무인도인지, 전혀 알 수 없었다. 바람은 처음보다 덜했지만 여전히 맹렬하게 불어 왔고, 배는 기적적으로 풍향이 바뀌지 않는 한 몇 분 후에는 산산조각이 나 버릴 것 같았다. 이 지경에 이르니 거의 속수무책이었다. 요컨대 서로 마주 바라보며 순간순간 다가오는 죽음을 기다리며 저 세상에 갈 준비나 하는 셈이었다. 그래도 이 순간에 우리의 유일한 위안은 우리가 예상한 것과는 달리 아직 배가 산산조각이 나지 않았다는 점과, 바람이 좀 약해지기 시작한다는 선장의 말뿐이었다.

이제 바람은 좀 덜해졌다 하더라도 배는 여전히 모래톱 위에 너무 단단히 박혀 있어 헤어날 가망이 없었다. 이제는 정말 극도의 위기에 놓이게 되었고, 그래서 할 수 있는껏 목숨이나 건질 수밖에 없었다. 풍랑이 일기 전에 보트를 그물에 매 두었는데, 처음에는 키에 부딪혀 깨지더니 그나마 부서져 나가 바다에 가라앉았는지 떠내려가 버렸는지, 거기에는 전혀 희망을 걸 수 없었다. 갑판에 다른 보트가 있었지만 어떻게 바다 속으로 휩쓸려 갔는지조차 알 수 없었다. 그러나 토론만 할 여유가 없었다. 배가 시시각각 부서져 나가는 것 같고, 누군가가 정말 배가 이미 부서졌다고 보고한 것이다.

이런 혼란 속에서 표류하는 보트 한 척을 잡아 선원들의 도움으로 배 측면으로 끌어당겼다. 그리하여 모두 열 한 사람이 보트에 올라타고, 하나님의 섭리와 거친 바다에 우리의 운명을 맡겼다. 폭풍은 상당히 약해졌지만 파도는 여전히 해변 쪽으로 덮쳐와, 네덜란드 사람들이 일컫듯 문자 그대로 '미친 바다'였다.

이제 사태는 정말 암담해졌다. 파도는 심해 보트로는 감당해낼 수 없고, 따라서 익사를 면할 길이 없었다. 돛대는 하나도 없었다. 설령 있어봤자 아무 소용도 없었다. 그리하여 우리는 마치 처형장에 끌려가는 죄수처럼 침통했다. 해변 쪽으로 가까이 가면 보트는

틀림없이 부서지는 파도에 산산조각이 날 것이다. 그러나 우리는 진심으로 영혼을 하나님께 맡겼다. 육지 쪽으로 부는 바람을 타고 해변 쪽으로 열심히 노를 저었는데 스스로의 파멸을 향해 나아간 셈이었다.

해변이 암초인지, 모래인지, 절벽인지, 모래펄인지 알 수 없었다. 다만 하나라도 한 줄의 희망을 갖고 있다면, 우리가 만(灣)이나 하구에 들어서서, 천만 다행으로 육지의 그늘에 보트를 대거나 폭풍을 피할 수 있을지도 모른다는 것이다. 그러나 그렇게 될 가망은 전혀 없었다. 그러니 해변으로 더 가까이 갈수록 육지는 바다보다 더 무섭게 보였다. 노를 저어서라기보다 파도에 밀려 짐작컨대 1리그 반쯤 떠내려가다가 산더미 같은 엄청난 파도가 뒤에서 덮쳐왔다. 최후의 일격인 것 같았다. 한 마디로 그 파도는 맹렬히 보트를 때려서 한번에 뒤집어 놓았다. 우리는 보트에서 제각기 흩어져 떨어졌다. 한순간에 파도에 휩쓸렸기 때문에 "오, 하나님!"하고 외칠 틈도 없었다.

물속에 빠지면서 느낀 내 착잡한 심정을 어떻게 펜이나 혀로 묘사할 수 있겠는가? 나는 수영을 잘 하지만 이런 파도에서 목숨을 이어갈 자신은 없었다. 파도에 떠밀려 가라앉았다 떠올랐다 하면서 물을 함빡 들이켰다. 그러나 반죽음이 되어 얕은 바다에까지 이르렀다. 목숨은 아직 붙어 있었다. 간신히 정신을 차리고 보니 생각한 것보다 육지는 가까이 있었다. 겨우 일어나 기를 쓰며 육지로 몸을 움직였다. 그러나 파도를 피할 수는 없었다. 언덕만한 파도가 적을 추격하듯 내 뒤를 쫓아오고 있었고, 나는 이와 맞설 방법도 힘도 없었다. 할 수 있다면 오직 숨을 죽이고 되도록 물 위로 떠오르는 것이며, 가능하다면 헤엄을 쳐서 해변 쪽으로 나가는 것뿐이었다. 이제 큰 희망은 파도가 들어올 때는 육지로 밀려 나갔다가 물이 밀려 갈 때는 도로 밀려가지 않기를 바라는 것뿐이었다.

몸 위로 다시 떨어진 파도 속에 2, 30피트나 깊이 빠졌던 나는 굉장히 억센 힘에 밀려 해변 쪽으로 상당히 다가간 기분을 느꼈다. 그러면서 숨을 죽이고 어떻게든 앞으로 헤엄쳐 나가려고 애를 썼다. 드디어 숨을 뱉으려 할 즈음, 몸이 솟는 것 같더니 별안간 몸이 가벼워지고 마침내 머리와 손이 물 밖으로 나왔다. 물 밖에 나와 있는 동안은 불과 2초 정도였지만 그 동안 숨을 쉬고 용기를 새로이 가질 틈을 얻어 큰 도움이 되었다. 나는 다시 한동안 물 속에 잠겨 있었지만, 오래잖아 다시 헤엄쳐 나왔다. 파도가 가라앉고 물이 다시 빠지기 시작하자 나는 그 반동으로 앞으로 넘어졌고, 그때 땅이 발에 밟혔다. 숨을 몰아쉬면서 잠깐 동안 그대로 서 있던 나는 물이 빠져나가자 온힘을 다해 육지 쪽으로 뛰었다. 그러나 격한 물이 나를 완전히 놓아 주지는 않았다. 두 번이나 더 파도에 묻혔다가 전처럼 앞으로 떠밀려 나갔다. 해변은 아주 편편했다.

이 마지막 두 번의 파도는 내게 거의 치명적이었다. 파도가 전파처럼 뒤에서 쫓아와 나를 덮치면서 바위 쪽으로 밀었다. 그 힘에 거의 정신이 빠져 뛰어갈 힘을 잃었다. 옆구리와 가슴을 친 그 충격으로 숨이 다 꺼질 정도였다. 곧 또다시 파도가 닥치기만 했다면 나는 물 속에 빠져 죽고 말았을 것이다. 그러나 그 동안 약간이나마 원기를 회복했다. 그리하여 다시 파도가 몰려오자 바위 덩어리를 꼭 잡고 물결이 물러날 때까지 할 수 있는껏 숨을 쉬지 않았다. 이제 육지에 아주 가까이 왔기 때문에 파도도 처음처럼 세지 않았다. 바위를 꼭 잡고 있다가 물결이 빠지자 다시 뛰어 거의 육지에 다다랐다. 그때 다시 파도가 나를 덮치기는 했지만 뒤로 많이 끌려갈 정도는 아니었다.

나는 또 뛰었다. 마침내 천신만고 끝에 육지에 이르러, 해변가 벼랑에 기어 올라가 풀밭에 있었다. 드디어 위험으로부터 그리고 파도로부터 벗어난 것이다.

이제 해변에 상륙하였으니 안심이 되었다. 나는 하늘을 우러러보며 거의 절망적인 순간 가까스로 생명을 구해준 하나님에게 감사를 드렸다. 한 번 들어갔던 무덤으로부터 이처럼 구조받았을 때 내 영혼의 희열과 황홀이 그 얼마나 컸던 것일까? 그것을 생생하게 표현하기란 절대로 불가능할 것이다. 교수형을 받게 된 죄수가 목을 매어 막 집행되려는 판에 집행유예의 영장이 떨어지면 외과의사를 데리고 와 죄수에게 영장을 보이고는 그에게서 피를 약간 뽑는다. 그렇게 하지 않는다면 엄청난 놀라움과 기쁨 때문에 정신이 나가 졸도해 버리기 십상이다.

"갑자기 찾아온 환희는 슬픔과 마찬가지로 인간을 아연실색케 한다."라는 말 그대로다. 이러한 정경은 지금 생각해도 당연한 것처럼 생각된다.

나는 해변을 돌아다니며 손을 흔들었다. 내 전 존재가 살아났다는 환희에 충만하여 무슨 뜻인지 알 수도 없는 별의별 손짓 발짓을 다 하며, 동료들은 모두 죽었는데 단 한 사람 나만이 살아났다는 감격에 젖었다. 동료들은 그 후 다시는 볼 수 없었고, 모자 세 개와 장갑 하나, 제 짝도 아닌 구두 두 짝 외에는 아무런 흔적도 찾지 못했다.

나는 좌초(坐礁)된 배 쪽으로 눈을 돌렸다. 그러자 부서지는 파도와 거품 덩이가 너무 커서 제대로 보이지 않았고 거리도 무척 멀었다. "주여! 어떻게 내가 육지에 닿을 수 있었읍니까!"하고 나는 감탄했다.

우선 살아났다는 안도감으로 심신을 진정한 뒤, 이곳이 어디며, 앞으로 무엇을 해야 할 것인가를 생각하기 위해 우선 주위를 둘러보았다. 그 순간 내 안도감은 다시 동요했다. 요컨대, 나는 비참한 구출을 받은 것이다. 몸은 젖어 있고 갈아 입을 옷도 허기를 면할 음식도 없었다. 앞에 놓인 운명은 굶어 죽거나 맹수들에게 먹히는 것뿐이었다. 더구나 식량을 구하기 위해 사냥을 하거나 짐승을 죽이는 데, 혹은 맹수들로부터 자신을 보호하는데 필요한 무기가 전혀 없었다. 괴로웠다. 있는 것이라고는 칼 하나, 담배 파이프 하나,

쌈지에 든 담배 약간뿐이었다. 이것이 내가 가진 전부이고 이 때문에 엄청난 불안에 휩싸여 한동안 미친 사람처럼 돌아다녔다. 굶주린 짐승들이 덤벼든다면 내 운명은 어찌될는지 암담해지기만 했다. 틀림없이 밤이면 먹이를 찾아 나올 것이다.

그때 내가 생각한 유일한 구원책은 근처에 우뚝 솟은 가시는 많지만 무척 무성하게 자란 전나무 비슷한 나무에 올라가 있는 방법뿐이었다. 그래서 밤은 거기서 지내기로 하고 죽음에 대한 생각은 내일로 미루었다. 나는 전혀 살아날 가망이 없었던 것이다. 식수를 찾기 위해 바닷가로부터 2백 미터쯤 걸어갔다. 천만 다행히 물은 있었다. 물을 마시고 배고픔을 잊을까 해서 담배를 약간 입안에 넣었다. 그런 다음 되돌아와서 나무에 올라가서 널찍하게 잠잘 만한 곳을 찾았다. 곤봉처럼 생긴 짧은 가지를 잘라 잠자리를 만들어 누웠다. 너무 피곤에 지쳐 있었기 때문에 곧 잠속에 떨어졌다. 이처럼 비참한 처지에 빠졌는데도 거의 믿을 수 없을 만큼 깊은 잠을 잤다. 이렇게 잠을 자는 것이 습관이었던 것처럼 기분은 상쾌했다.

무인도에 남겨지다

잠을 깨니 날이 훤히 밝았다. 날씨는 맑고 폭풍은 아주 잤으므로 바다는 전과 같이 잔잔했다. 무엇보다도 놀라운 것은 우리 배가 밤새 파도에 밀려, 좌초했던 모래톱으로부터 내가 전날 밤 파도에 밀려 부딪혔던 바위 근처까지 와 있는 것이었다. 그곳은 내가 있는 해변으로부터 1마일 정도 떨어져 있는데 배는 여전히 제대로 물에 떠있는 것처럼 보여 그 배에 가기만 하면 적어도 쓸 만한 필수품은 구해 올 수 있을 것 같았다.

나는 나무 위의 잠자리에서 내려와 다시 주의를 둘러보았다. 맨 먼저 보인 것이 보트였다. 바람과 파도에 밀려 오른쪽 2마일쯤 되는 해변에 걸려 있었다. 그 보트를 찾아 그쪽 해변으로 걸어갔다. 그러나, 도중에 폭이 반 마일 정도 되는 강이 가로놓여 있었다. 그래서 나는 일단 되돌아왔다. 그 보트 쪽으로 가고 싶은 생각은 간절했지만 당장 무어든 먹을 것을 찾아내야 했던 것이다.

오전이 지난 얼마 후, 바다는 잠잠하고 썰물은 빠져 배까지의 거리는 4백 미터 정도로 줄어들었다. 여기서 나는 새삼 슬픔을 느끼지 않을 수 없었다. 우리가 배에 그대로 타고 있었더라면 틀림없이 모두 안전하게 그리고 무사히 육지에 상륙할 수 있었을 것이다. 또 지금처럼 아무런 위안도 동료도 없이 완전히 혼자 남는 비참한 상태에 빠지지는 않았을 것이다. 그래서 다시 눈물이 솟아났지만 운다고 구제받을 수 없는 일이어서 우선 어떻게든 배에 가 보기로 작정했다. 날씨가 무척 더워 옷을 벗고 물 속에 들어갔다. 그러나 배에 이르자 어떻게 배 위로 오르느냐가 큰 문제였다. 배는 암초에 걸려 물 위로 높이 솟아 있어서, 갑판에 팔이 닿을 수 없었던 것이다. 나는 배 둘레를 두 차례나 헤엄쳐 돌았다. 두번째 돌 때에 나는 조그마한 줄을 찾아냈다. 처음부터 그걸 못 본 게 이상했다. 앞 닻줄에 낮게 걸린 그 밧줄을 간신히 잡아 그 덕택으로 배의 앞 갑판으로 뛰어올랐다. 올라가 보니 갑판은 물을 먹고 배 바닥에는 적잖이 물이 괴어 있었다. 그러나 배가 땅처럼 단단한 모랫벌에 비스듬히 걸려 있었기 때문에, 고물은 모래톱 위로 솟았고, 앞머리는 거의 수면 높이로 기울어져 있었다. 이 때문에 배의 뒷부분은 난을 면했고 그쪽에 있는 물건들은 물에 젖지 않았다. 우선 첫 작업은 물건들을 찾아내어 버릴 것과 쓸 만한 것을 가려내는 일이었다. 배 안의 식량은 모두 물에 젖지 않고 싱싱하여 먹을 만했다. 나는 식품실에 들어가서 주머니에 비스킷을 가득 넣고 시간을 아끼기 위해 그걸 먹으면서 일을 했다. 큰 선실에서 럼주도 찾아내어 한 잔 마시고 나니 내 앞에 놓인 일들을 해치울 기운도 생겼다. 이제 이 많은 물건들을 싣고 갈 배만 있으면 되겠는데 아까 본 보트가 필요할 것 같았다.

　가만히 앉아서 얻을 수 없는 것을 기다려 보아야 쓸데없는 일이었다. 궁하면 통한다더니 얼핏 떠오르는 생각이 있었다. 배 안에는 쓰지 않는 널빤지 몇 개와 커다란 원통형의 목재가 두엇, 쓰지 않는 중간 돛대가 한두 개 있었다.

　이것들을 가지고 일을 시작해 보기로 작정하고 들 수 있는 것을 되도록 많이 모아 풀어지지 않도록 밧줄로 하나씩 동여매었다. 이 일을 마치자 뱃전으로 내려가 그걸 끌어내려 그 중 네 개의 양끝을 뗏목처럼 단단히 붙들어매고 두어 개의 판자를 그 위에 엇비슷이

얹어 놓았다. 그러나 나는 그 위를 걸어다닐 수 있지만, 판자가 너무 가벼워서 무거운 것을 실을 수는 없었다. 그래서 일을 다시 시작했다. 목수가 쓰는 톱으로 중간 돛대를 세 토막으로 잘라 뗏목위에 올려 놓았다. 굉장한 노동과 힘이 들었지만 꼭 있어야 할 물건을 만든다는 일념 때문에 보통 때 같으면 도저히 나올 수 없는 힘이 솟았다.

이제 뗏목은 웬만한 무게를 견딜 수 있을 만큼 튼튼해졌다. 다음 일은 여기에 무엇을 싣고 어떻게 파도를 헤쳐 나가느냐는 것이다. 그러나 오래 생각하지 않았다. 먼저, 할 수 있는껏 판자를 모아 싣고 내게 가장 필요한 것이 무엇인가를 생각하여 우선 선원들이 쓰는 큰 궤짝 세 개를 찾았다. 이 궤짝의 뚜껑을 열어 안에 든 것을 꺼내 뗏목 위에 내려 놓았다. 그리하여 첫 상자에는 빵, 쌀, 화란제 치즈 세 통, 마른 염소 고기 다섯 쪽 등 우리가 먹던 것과 닭에게 주다 남긴 옥수수 모이 등 식량을 넣었다. 배에는 보리와 밀도 있었는데 이제 보니 쥐가 먹어 버렸거나 못 쓰게 만들어 무척 실망했다. 마실 것으로는 선장이 마시던 감로주 여러 병과 색크주가 5, 6갤런이나 있었다. 그러나 이걸 궤짝에 넣어 둘 필요도, 자리도 없어서 그대로 두었다. 이러고 있는 동안 밀물이 잔잔하게 들어오기 시작했다. 그러자 이리로 헤엄쳐 올 때 입은 윗도리와 셔츠, 조끼가 떠내려가는 것이 보여 화가 났다. 이리로 헤엄쳐 올 때 입은 옷이라고는 린네르로 만든 반바지와 양말뿐이었다. 그리하여 이 때문에 배 안을 샅샅이 뒤졌지만 당장 내게 필요한 옷은 없었다. 사실 나는 옷보다 육지에서 쓸 연장들을 찾고 있었다. 오랜 동안 수고한 끝에 마침내 목공 상자를 찾아냈는데, 이건 굉장히 쓸모가 큰 노력의 대가일 뿐 아니라 당장에는 배 한 척에 가득 실을 만큼의 금덩이보다 더 가치가 있는 것이다. 이 상자를 통째로 뗏목에 실었다. 그걸 열어 볼 틈도 없었거니와 그 안에 무엇이 들었는지 대강 알고 있었던 것이다.

　다음 바란 것은 탄약과 무기였다. 큰 선실에는 성능 좋은 엽총 두 자루와 권총 두 자루가 있었다. 나는 먼저 총들과 뿔로 만든 화약총 약간, 산탄이 든 작은 상자, 그리고 녹슨 칼 두 자루를 찾아냈다. 배 안에는 화약통이 세 개 있었는데 우리 포수들이 어디다 놓아 두었는지를 몰라 한참 동안 뒤진 끝에 겨우 찾아냈다. 두 통은 물에 젖지 않아 쓸 수 있었지만 나머지 한 통은 물에 젖어 있었다. 나는 무기와 이 화약통 두 개를 뗏목에 실었다. 이제 짐도 충분히 실었으니 어떻게 이걸 육지에 나를 것인가를 생각하기 시작했다.

돛대도, 노도, 키도 없거니와 비바람만 약간 불어도 뗏목은 당장 뒤집힐 것 같았다.

내게 용기를 주는 것이 세 가지가 있었다. 1, 잔잔하고 조용한 바다. 2, 물결이 해변으로 흐른다는 것. 3, 미풍이 육지 쪽으로 분다는 것. 그리하여 보트용으로 달려 있던 부서진 노 두어 쪽과 목공 상자 외에 톱 두 자루, 도끼 한 자루, 망치 하나를 찾아내 싣고 배를 떠났다. 뗏목은 1마일 정도 바다를 잘 흘러갔다. 전날 상륙한 지점으로부터 약간 떨어진 곳에 이르자 물굽이가 있는 것을 알게 되었다. 그래서 짐을 싣고 상륙할 부두로 사용할 만한 포구나 강이 있을 것 같았다. 과연 앞에는 하구(河口)가 있고 그쪽으로 세찬 조류가 흘렀다. 뗏목을 강 가운데로 이끌었다. 그러나 여기서 또한번 파선할 뻔했다. 정말 그렇게 됐더라면 내 가슴은 칼로 에이듯 쓰라렸을 것이다. 어찌 된 셈인지 뗏목의 한쪽 끝이 모래톱에 박히고 반대편은 물 위에 떠서 짐들이 떠 있는 쪽으로 기울어져 물 속으로 굴러 떨어질 형세였다. 나는 궤짝에다 등을 대고 온힘을 다해 받치고 있었지만 내 힘으로 뗏목을 떠밀 수도 없거니와 내 자세를 바꿀 수도 없었다. 그러나 온 힘으로 궤짝을 받친 채 약 30분을 버티고 있노라니 물이 불어 뗏목이 좀 더 평평해졌다.

얼마 후 물이 더욱 불어 뗏목은 물에 다시 떴다. 나는 가지고 있던 노로 떼밀어 물 가운데로 들어갔다. 좀더 위로 저어 오르자 마침내 조그만 강 어귀에 이르렀는데 양편은 육지이고 세찬 조류는 강을 거슬러 올랐다. 나는 뗏목을 댈 적당한 곳을 찾았다. 언제든 배가 지나가는 것을 관찰해야 하는데 그러자면 가능한 한 해변에 자리를 잡아야 한다고 생각했다. 그래서 강 위로 더 멀리 올라가지 않기로 했다.

마침내 오른쪽 해변에 조그마한 갯가를 찾아냈다. 갖은 애를 다 써서 뗏목을 저어 그곳에 가까이 이르자 노로 바닥을 밀어 육지에 대었다. 그러나 여기서 또한번 짐이 물에 전부 잠길 뻔했다. 그곳 해변은 약간 가파른, 말하자면 경사진 곳이어서 상륙할 만한 곳이 없는데 육지로 밀고 가면 뗏목 한쪽이 높아지고 다른 쪽이 전처럼 낮아져 짐이 물에 떨어질 위험이 있었다. 할 수 있는 일이란 밀물이 만조가 되었을 때 노를 닻처럼 써서 뗏목의 육지 쪽 끝을 눌러 평평한 땅 쪽으로 가까이 가는 것이었다. 그러면 뗏목은 물 위에 뜰 것이라 생각했고 사실 그렇게 되었다. 1피트 정도로 뗏목이 물 위에 뜨자, 나는 평평한 땅 쪽으로 뗏목을 밀어놓고 부러진 노 두 자루를 뗏목 양끝에 꽂아 정박시켰다. 그리고는 썰물이 빠지기를 기다려 뗏목과 짐을 안전하게 땅에 옮겨 놓았다.

다음 할 일은, 그곳 지형을 둘러보아, 거처가 되고 짐을 쌓아 두거나 만일의 경우에 대비할 만한 곳을 찾는 것이었다. 있는 곳이 어디인지, 대륙인지 섬인지, 무인지대인지, 사람이 살고 있는 곳인지, 맹수의 위험이 있는지 없는지 아직 알 수 없었다. 배 있는 곳으로부터 1마일쯤 떨어진 곳에 상당히 가파르고 높은 봉우리가 북쪽으로 뻗친 산줄기 위로 우뚝 솟아 있었다. 나는 엽총 한 자루와 권총 한 자루를 꺼내 둘 다 화약을 장전하고 산꼭대기를 조사하러 나섰다. 겨우 꼭대기에 올라가 주위를 둘러보자, 나는 내 운명이 엄청난 재앙과 맞닥뜨렸다는 것을 깨달았다. 망망한 바다로 둘러싸여 멀리 몇 개의 암초와 서쪽 3리그쯤 떨어진 곳에 이보다 작은 섬 두 개 외에 육지라고는 조금도 눈에 띄지 않는, 외로운 섬에 와 있는 것이었다.

섬은 또한 불모지이며 무인도임을 알았다. 그렇게 볼 만한 이유도 충분히 있었고 아직 한 마리도 보지는 못했지만 짐승밖엔 살 수 없는 곳이었다. 새들은 많이 보였지만 무슨 새인지 잡아서 먹을 수 있는 것인지 알 수 없었다. 내려올 때 커다란 숲속에서 나무에 앉아 있는 큰 새 한 마리를 쏘았다. 이 총소리가 이 섬에서는 천지개벽 이래 처음으로 울린 총소리라고 믿는다. 총을 쏘자 숲속 사방에서 갖가지 종류의 새들이 무수히 솟아 날며 저마다 독특한 소리로

울어댔다. 그러나 그들이 무슨 새인지 전혀 알 수 없었다. 내가 죽인 새는 매 종류인 것 같은데, 빛깔과 부리는 매를 닮았지만 발톱과 갈고리가 없었고, 그 고기는 썩은 고기 같아서 먹을 수 없었다.

이 정도의 조사로 일단 만족하고, 나는 뗏목 있는 곳으로 돌아와 짐을 해변에 내려놓았다. 이 일에 그날의 마지막 시간을 다 쓰고 나니 밤에는 어떻게 해야 할지 어디서 자야 할지 몰랐다. 땅바닥에서 누워 자면 맹수가 덤벼들 것 같아서 무서웠다. 그러나 뒤에 알고 보니 전혀 그런 일에는 걱정을 안 해도 좋았다.

아무튼 할 수 있는껏 해변에서 날라 온 궤짝과 널판으로 둘레를 막아 그날 밤을 지낼 오두막을 세웠다. 식량으로는 무엇으로 대야 할지 알 수 없었다. 내가 매를 잡은 숲속에 산토끼 같은 짐승 두어 마리가 뛰어다니는 것을 본 것밖에는 막막했다.

나는 이제 배에서 쓸모 있는 많은 물건을 꺼내올 생각을 하기 시작했다. 특히 배에서 쓰는 로프, 쇠사슬 따위와 돛대 및 그밖의 여러 가지 물건들을 육지로 옮겨야 했다. 그래서 가능하면 배에 또 한번 가보기로 했다. 폭풍이 한 번만 더 불면 배는 틀림없이 산산조각이 날 것이므로 할 수 있는껏 배에서 물건을 모두 꺼내올 때까지는 다른 일들은 뒤로 제쳐놓기로 했다. 그런 다음 말하자면 마음속으로 의논을 하였는데 모선까지 뗏목으로 가야 할 것인가를 토의했으나, 이것은 실현성이 없다는 결론을 내렸다. 그래서 전번처럼 조수가 빠진 뒤에 헤엄쳐서 가기로 했다. 그 계획대로 했다. 다만 오두막을 나오기 전에 옷을 벗고 바둑판 무늬의 셔츠와 린네르 바지를 입고 가벼운 신만 신었다.

먼저처럼 배에 올라갔다. 다시 뗏목을 만드는 데 첫번째 경험을 살려 너무 무겁지 않게 했고 짐도 덜 실었다. 이리하여 필요한 물건들을 날랐다. 먼저 목공실에서 크고 작은 못 상자와 커다란 잭 하나, 도끼 한두 다스, 그리고 무엇보다도 유용한 숫돌을 찾아냈다. 이외에도 여러 가지 총기도 모았는데 쇠지레 두어 개, 총알이 든 상자 두 개, 보병총 7자루, 엽총 한 자루와 화약 약간, 작은 탄환이 든 커다란 주머니 하나 등이 있었다. 그리고 돛줄 한 타래도 있었지만 너무 무거워 그걸 뗏전으로 옮겨 놓을 수가 없었다.

그리고 옷을 모두 뒤져 내고 예비 돛대 하나와 그물 침대 그리고 침구를 찾아 모았다. 이들을 모두 두번째 뗏목에 싣고 아주 편안히 해변으로 돌아왔다.

내가 없는 동안 육지에서 적어도 식량이 없어진다든가 하는 무슨 사고가 일어나지 않을까 걱정했다. 그러나 돌아와 보니 아무도 다녀간 흔적이 전혀 없었고 다만 들고양이처럼 생긴 짐승이 궤짝 위에 앉아 있다가 내가 그쪽으로 가자 좀 도망가다 멈춰 섰다. 그놈은 아주 태연히 그리고 무관심한 듯 앉아서 나하고 사귀고 싶다는 듯 내 얼굴을 빤히 쳐다보았다. 나는 총을 겨누었지만 그게 무슨 짓인 줄도 모르고 그놈은 아주 무심하게 움직일 생각도 하지 않았다. 저장량이 적어 아깝기는 했지만 비스킷을 조금 던져 주었다. 그놈은 다가와 냄새를 맡더니 비스킷을 먹고는 더 달라는 듯 쳐다보았다. 그게 다행이긴 하지만 더 줄 수는 없었다. 그러자 그놈은 사라져 버렸다. 두번째 짐을 해변에 풀었는데 화약은 커다란 통에 들어 있었으나 너무 무거워서 통을 열고 화약만 작은 주머니에 덜어 조금씩 날랐다. 돛과 기둥 몇 개로 조그만 텐트를 만들었다. 햇빛이나 비바람에 상할 것 같은 물건들은 이 텐트 안에 옮겨 놓고 빈 궤짝과 상자는 텐트 주위에 둥그렇게 쌓아 올렸다. 사람이든 짐 승이든 불의의 습격은 막을 수 있었다.

이 일을 마치자 텐트 안으로 널판 문을 해 달고 바깥쪽으로 빈 궤짝을 세워 놓았다. 그리고 바닥에 침대 하나를 펴고 머리맡에 피스톨 두 자루를, 옆에는 장총을 놓고 처음으로 침대에 누웠다. 전날 밤에는 잠을 조금밖에 못 잔 데다 오늘은 하루종일 배에서 짐을 나르고 해변으로 내려놓느라고 열심히 일을 했기 때문에 몸이 무척 피곤하고 무거워 밤새 잠을 깊이 잤다.

이제 굉장히 큰 창고를 갖게 되었다. 그것은 한 사람의 것으로는 가장 큰 것이리라. 그러나 이 정도로 만족할 수 없었다. 배가 저 꼴로 기울어져 있는 한 할 수 있는껏 배에서 모든 걸 다 옮겨야 하리라 생각했다. 그래서 매일 썰물 때마다 배에 가서 이것 저것을 실어 왔다. 특히 세번째로 갔을 때는 나를 수 있는 작은 밧줄 전부를, 그리고 여분으로 두었다가 돛대를 수선하는 데 쓸 천과 같은 삭구(索具)와 젖은 화약통을 가지고 왔다. 요컨대 가지고 올 수 있는 것은 다 가지고 왔다. 큰 것은 여러 폭으로 작게 찢어 한꺼번에 실어 날랐다. 이것을 돛으로 쓸 수는 없겠지만 돛의 천으로 쓸 수 있었다.

그러다 맨 마지막 날에는 가장 기쁜 일이 있었다. 이제 이처럼 대여섯 번 왕복하면 마침내 쓸모 있을 만한 것을 다 배에서 날랐고, 더 이상 없으리라 생각되었는데, 정말 뜻밖에 빵이 든 커다란 통과 럼주가 든 커다란 술통 셋, 설탕 한 상자, 그리고 밀가루 상등품 한 상자를 찾아냈다. 배 안에는 물에 젖어 버린 것 외에는 식량이 더 없으리라 생각했던 참에 밀가루통을 보고 놀랐다. 나는 빵 상자에서 빵을 꺼내 조각으로 잘라낸 천으로 싸서 실었다. 그리하여 모두 안전하게 육지로 날랐다.

다음날, 나는 다시 한번 배에 갔다. 옮길 수 있는 것은 무엇이든 배에서 날라 올 참이라 이젠 닻줄 차례다. 쇠톱으로 커다란 닻줄을 손으로 들 수 있게 자르고 배 밑에 단 닻줄과 뒷돛대의 가름대 등, 뭣이든 잘라낸 후 커다란 뗏목을 만들어 이 무거운 짐을 싣고 떠났다. 그러나 이번에는 행운이 없었다. 뗏목이 뒤집혀 내 몸과 짐이 물에 빠졌다. 육지에 가까이 있어서 몸은 상하지 않았으나 짐은 거의 다 잃어버렸다.

특히 내게 매우 쓸모가 있는 철제품은 모두 잃었다. 그러나 밀물이 빠지자 무척 힘이 들긴 했지만 밧줄 대부분과 약간의 철제품은 도로 찾아냈다. 물 속에 들어가 이 물건들을 다시 찾아냈는데, 이 작업으로 무척 피로했다. 이런 일이 있은 후로도 나는 매일 배로 가서 날라올 수 있는 것은 모두 날라 왔다. 해변에서 13일을 보내는 동안 배에는 열한 번이나 다녀왔다. 왕복할 때마다 손으로 옮길 수 있는 것은 모두 옮겼고 정말 날씨만 좋았다면 배 전체를 조각조각으로 나누어 옮겨 왔을 것이다. 그러나 열두번째로 배에 갈 즈음 바람이 일기 시작했다. 그렇지만 조수가 빠지길 기다려 배에 갔다. 선실을 샅샅이 뒤질 생각이었으나 더 나올 것도 없었고, 다만 선박의 서랍 속에서 면도칼 두어 개와 커다란 가위 하나, 칼과 포크 열두 개를 찾아냈으며, 다른 서랍에서는 유럽과 브라질과 스페인의 화폐 혹은 금화, 은화가 있었는데, 모두 모아 보니 37파운드나 되었다.

이 돈을 보자 저절로 웃음이 나와 혼자 지껄였다. "이 쓸모 없는 것아, 도대체 널 어디다 쓴단 말이냐? 나한테는 아무런 값어치가 없다. 땅에 떨어져 있다 해도 주울 값어치가 없다. 저 칼 한 자루가 산처럼 쌓인 너보다 낫겠다. 너를 써먹을 데가 없어. 그대로 여기 있다가 구할 가치도 없는 쓰레기로 바다 밑바닥에 파묻혀 버려라." 그러나 마음을 고쳐먹고 이 돈을 다시 주워 천으로 싸고 뗏목을 새로 만들 생각을 했다.

뗏목을 준비하고 있는 동안, 하늘이 어두워지고 바람이 일기 시작하더니, 15분쯤 지났을까 육지로부터 강풍이 불었다. 이 바람을 받으며 뗏목으로 육지에 갈 수는 없었다. 파도가 일기 전에 육지로 돌아가는 것이 급선무였다. 그러지 않으면 절대로 육지에 되돌아갈 수 없을 것이다. 그래서 그대로 물 속에 뛰어들어 배와 모랫벌 사이에 있는 수로를 헤엄쳤다. 그러나 몸에 지닌 돈이 무게와 거친 물결 때문에 무척 힘이 들었다. 바람은 심하게 불고 만조가 되기 전부터 폭풍이 불었다.

나는 조그만 텐트로 돌아와 옆에 쌓아 놓은 전재산을 보며 편히 누웠다. 밤새 바람이 심하게 불었다. 아침이 되어 내다보니 배가 아주 보이지 않아 잠시 놀랐다. 그러나 시간을 허송하지 않고 쓸 만한 물건은 모두 부지런히 실어 왔고, 시간이 더 있다고 하더라도 배 안에는 더 날라 올 것이 없다는 생각이 들자 만족했다. 이제 배나 배에서 날라 올 물건에 대해서 더 미련을 두지 않아도 되었다. 후에 파선한 뱃조각이 바닷가에 흘러 오기는 했지만 이것들은 별로 쓸모가 없었다.

요새를 세우다

　이제 야만족이나 나타나거나 섬에 맹수가 있는 경우 나 자신을 보호할 일에 몰두하기 시작했다. 어떤 방법으로 나를 보호해야 할지 어떤 집을 지어야 할지, 땅 속으로 굴을 파는 게 좋을지, 천막을 세우는 게 좋을지, 갖가지 생각을 해보았다. 그러나 이 두 문제는 곧 결정되었다. 집을 짓는 방법을 설명하는 것은 헛수고는 아닐 것이다. 나는 지금 내가 있는 곳을 조사해 보았다. 이곳은 특히 바다에 가까운 낮은 습지여서 살기에는 알맞지 않았다. 건강에도 좋지 않거니와 특히 근처에 식수가 없었다. 그래서 건강에 보다 좋고 편리한 장소를 찾기로 했다.

　우선 현재 필요한 조건을 생각해 보았다. 첫째로 지금 말한 건강과 식량 문제였고, 둘째는 태양열을 피할 수 있어야 하며, 셋째로 야만인이나 맹수로부터 안전해야 하고, 넷째로 바다가 잘 보여야 했다. 만약 하나님이 배의 모습을 보여 준다면 나는 이 구원의 기회를 놓치지 말아야 한다. 나는 아직 희망을 아주 버리고 싶지 않았다. 이런 조건에 알맞은 장소를 물색한 끝에, 언덕 중간쯤에 약간의 평지를 발견하였다. 이 평지 뒤쪽으로는 경사가 져서 건물벽처럼 가파르기 때문에, 위로부터 습격을 받을 염려가 없었다. 이 바위 옆으로는 굴의 입구처럼 약간 움푹한 데가 있지만, 실제로 암굴이나 암굴로 가는 통로는 없었다.

이 움푹한 분지 앞 평평한 풀밭에 천막을 치기로 결정했다. 이 평지는 폭이 1백 야드이고 길이는 두 배쯤 되었다. 텐트 문앞에 풀밭이 길게 펼쳐 있고 그 끝으로부터 사방으로 울퉁불퉁하게 경사가 져 바닷가의 저지로 이르고 있었다. 이곳은 언덕의 북부서쪽이어서 해가 서남쪽으로 질 때까지 하루종일 태양열을 피할 수 있었다. 텐트를 치기 전에 나는 분지 앞 바위로부터 반경 10야드, 양끝 사이의 직경이 20야드인 반원을 그렸다.

이 반원에 굵직한 말뚝을 두 줄로 세워 땅 속으로 단단히 박고, 제일 큰 말뚝을 끝이 뾰족하게 깎아 땅으로부터 5피트 반의 높이로 세웠다. 두 줄로 세운 말뚝의 사이는 6인치 정도였다.

그런 다음 배에서 잘라 온 그 밧줄을 꺼내 이 두 줄의 말뚝을 서로 잇고, 그 이은 원 안쪽에서 서로 엇비슷하게 다른 말뚝을 꽂아 2피트 반의 높이로 기둥을 세웠다. 이 방책은 굉장히 튼튼해서, 사람이든 짐승이든 여기를 넘어 들어올 수 없었다. 나무를 잘라 이곳으로 옮겨다가 땅에 박는 일에는 굉장한 시간과 노력이 들었다.

이리로 출입하는 데는 문이 아니라 위로 오르는 작은 사다리를 쓰기로 했다. 이 사다리는 내가 올라온 후 들어올릴 수 있도록 했다. 완전히 외부와 차단하여 요새화하자는 것이다. 그래야만 밤에 편안히 잠들 수 있다. 이렇게 하지 않으면 불안해서 견딜 수 없었다. 그러나 후에 안 일이지만, 내가 위험하다고 걱정한 적 때문이라면 이처럼 주의를 할 필요가 없었던 것이다.

이 담장이랄까 요새 안으로 먼저 말한 식량과 탄약, 물자 등 내 재산을 다 옮겨 왔다. 그리고는 일 년에 한 번 있는 심한 장마철을 피할 커다란 천막을 이중으로 쳤다. 곧 안에다 작은 천막을 치고 밖에 큰 천막을 친 뒤, 그 위에 돛대에서 날라 온 커다란 방수포를 덮었다. 이제 나는 얼마동안 배에서 날라 온 침대에서 자지 않고 그물침대에서 잤다. 이 그물침대는 아주 훌륭한 것인데 항해사가 쓰던 것이었다.

식량과 습기를 타는 물건을 모두 천막 안으로 들여 왔다. 그리고 이 물건을 잘 정리해 놓은 다음, 이제까지의 휑하던 입구를 막고 아까 말한 짧은 사다리로 나왔다 들어갔다 해 보았다. 이 일을 마치자 바위에 구멍을 뚫는 일을 시작했다. 내가 파낸 흙과 자갈을 천막 밖으로 옮겨다 울타리 안에 테라스처럼 1피트 반 정도의 높이로 쌓았다. 이리하여 천막 바로 뒤에 굴을 파서 마치 집 창고처럼 썼다.

이런 일은 굉장한 작업이어서 완공하는 데는 여러 날이 걸렸다. 그래서 내 머릿속을 차지하고 있는 다른 일들을 거슬러올라가 얘기해야 하겠다. 내가 천막을 치고 동굴을 만들 계획을 하고 난 뒤, 새까만 구름이 끼고 폭풍이 불더니 갑자기 번개가 번쩍이고 뒤따라 굉장한 천둥 소리가 들려 왔다. 나는 번개에는 그리 놀라지 않았지만, 번개처럼 재빨리 머리 속에 떠오르는 한 가지 생각이 있었다. 아! 화약이다. 번개로 화약에 불이라도 붙는다면! 가슴이 철렁하더니 단번에 온 힘이 쭉 빠지는 것 같았다. 화약은 내 방의 무기일뿐 아니라 식량을 대주는 밑천이었다. 그래서 전적으로 화약에 의지하고 있었다. 화약이 있는 한 만일의 경우 쓸 수만 있다면 누구의 공격을 받더라도 나 자신의 위험은 조금도 걱정할 필요가 없는 것이다. 이런 생각 때문에 폭풍우가 그치자 집을 짓고 요새를 만드는 일을 제쳐놓고, 화약을 넣어둘 주머니와 상자를 만들어 조금씩 분산해 두었다. 이렇게 하면 무슨 일이 생기더라도 화약이 한꺼번에 폭발하지 않을 것이고, 멀리 떼어 두기 때문에 한 덩이가 폭발한다 해서 연이어 폭발하지 않으리라고 생각한 것이다. 두 주일 만에 이 일을 끝내고 나니 모두 240파운드나 되는 화약이지만 백여 개의 부대로 분산되었다. 물에 젖은 화약은 별다른 위험이 없을 것으로 보고, 부엌이라고 혼자 농담삼아 부르는 새 동굴에 두었다. 나머지는 바위 틈에 숨겨 습기를 막아 그곳에 조심스레 표지를 해

놓았다.

　이러는 틈틈이 나는 매일 한 번씩 총을 들고 나가 기분도 풀 겸 먹을 만한 짐승을 사냥하거나, 이 섬에서 나는 것들이 어떤 종류인가를 익혔다. 처음 나갔을 때는 이 섬에 있는 염소를 발견하여 무척 만족스러웠다. 그러나 이 염소들은 너무 겁이 많고, 예민한데다 굉장히 날쌔어 도저히 접근할 수조차 없어 실망하고 말았다. 그러나 이에 굴하지 않고 꼭 한 마리를 잡겠다고 별렀는데, 과연 얼마 안가 그 뜻을 이루었다. 나는 그놈들이 잘 나오는 곳을 알아내어 다음과 같은 방법으로 염소를 기다렸다. 곧 그놈들은 바위에서 골짜기에 있는 나를 보면 굉장히 놀라 도망가지만, 그놈들이 골짜기에 있고 내가 바위에 있으면, 내가 있는 줄을 전혀 눈치채지 못한다는 결론을 내렸다. 이걸 알아낸 후 나는 이 습성을 이용해서 언제든 염소가 있는 곳보다 높은 바위에 올라가 목표물을 쉽게 찾아냈다. 염소떼에게 쏜 첫 총알이 암컷을 죽였는데, 새끼에게 젖을 먹이는 어미 염소라 마음이 언짢았다. 어미가 쓰러져도 새끼는 움직이지도 않고 내가 가서 어미를 안아도 가만히 있었다. 어미 염소를 어깨에 메고 내려오자 집까지 나를 따라왔다. 나는 어미 염소를 내려 놓고 새끼를 집 안으로 끌어들여 키우려고 했지만, 새끼는 아무것도 먹지 않았다. 그래서 새끼도 죽여 먹을 수밖에 없었다. 이 염소 두 마리는 아껴 먹은 탓으로 오랫동안 내 식량이 되었고, 그래서 내 식량, 특히 빵을 무척 절약하게 되었다.

　이제 거처가 안정되자, 불 피울 곳과 연료를 마련하기 위해 서둘러야 했다. 내가 이 문제를 어떻게 해결했는가 하는 이야기는 동굴을 어떻게 넓혔고 어떤 설비를 해 놓았는가 하는 이야기와 함께 적당한 때에 하겠다. 여기서는 우선 나 자신과 생활에 대한 생각을 말해야겠다. 내가 오만 가지 생각을 다 했으리란 점은 쉽게 추측할 수 있으리라.

　현재의 내 처지는 암담했다. 이미 말한 것처럼 폭풍으로 파선되어 우리가 계획한 항로에서 벗어나 보통 상선이 다니는 통로로부터 수백 마일이나 떨어진 고도에 밀려 왔기 때문에, 이처럼 황량한 곳에서 이처럼 쓸쓸한 생애를 보내야 한다는 것은 하나님의 뜻으로 생각할 수밖에 없었다. 생각이 여기에 미치자 눈물이 하염없이 흘렀다. 때로는 하나님이 당신의 피조물을 왜 이처럼 철저하게 파멸시키는가, 아무런 구원의 손길도 보내지 않는가, 이토록 비참하게 괴롭히는가, 고통스럽기만 한 이런 생활에 감사드려야 한다면 웃음거리다, 라고 스스로에게 다짐했다.

그러나 이런 생각이 들 때마다 재빨리 마음을 고쳐먹고 나 자신을 꾸짖었다. 어느 날 총을 들고 바닷가를 거닐면서, 현재의 처지를 심각하게 생각해 본 적이 있었다. 그때 이성(理性)이 내게 이렇게 설명했다. 너는 처참한 상태에 빠졌다. 그것은 사실이다. 그러나 생각해보라. 네 동료들은 어디 있는가? 보트에 열한 명이 타고 있지 않았던가? 열 명은 어디 있는가? 그들은 왜 구조되지 않고 너만 살았는가? 왜 너 혼자 남았는가? 여기 있는 게 더 나은가, 저기 있는 게 더 나은가? 그러면서 바다를 가리켰다. 모든 악에도 선이 포함되어 있고, 또 그 악보다 더 심한 악이 있음을 생각해야 한다. 그리고 다시 살아가기에 충분한 마련도 되어 있지 않은가? 천재일우(千載一遇)로 암초에 걸린 배가 해변 가까이 떠밀려 와, 이 모든 살림살이를 갖출 여유가 없었다면, 내 처지는 어떻게 되었을까? 처음 여기에 상륙했을 때처럼 생활 필수품도, 그걸 구할 아무런 장비도 없이 살아야만 했다면 내 처지는 어찌 되었을까? 나는 혼자 크게 소리내어 말했다.

"더구나 총도 탄약도, 무얼 만들고 다른 일에 쓸 연장도, 옷도 침구도 천막도, 그리고 덮을 것도 없다면 나는 어떻게 됐을 것인가?"

그런데 지금 나는 이 모든 것들을 풍족하게 가지고 있다. 가령 탄약이 떨어져서 총을 쓸 수 없게 되어도, 살아갈 수 있는 길이 환히 트여 있었다. 그리하여 내 목숨이 붙어 있는 한 아무런 부족 없이 살 수 있다고 낙관하고 있었다. 나는 처음부터 일어날 사고를 대비했고 탄약을 다 쓴 후는 물론, 체력이 다할 장래까지 고려했던 것이다.

내 탄약은 한꺼번에 폭발할 수도 있다. 번개에 맞아 모두 다 폭발해 버릴 경우를, 정직하게 말하면 나는 생각하지 못했다. 그러나 좀 전에 말한 것처럼, 번개 치고 천둥이 울렸을 때, 이 생각에 미치자 깜짝 놀랐던 것이다.

그리고 이제 세상에 일찍이 없었던 이 적막한 생활의 외로운 모습을 묘사할 차례다. 나는 이야기를 처음부터 순서대로 차례차례 이야기하겠다. 내 계산으로는, 이미 말한 것처럼, 이 고도에 첫발을 디딘 것이 9월 30일이었다. 추분이어서 해는 바로 내 머리 위에 있었고, 나 자신이 관측 계산해 본 결과, 북위 9도 2분의 지점에 와 있었다.

내가 섬에서 열흘인가 열이틀을 지낸 뒤, 노트와 펜, 잉크가 없으면 날짜 지나는 것을 알 수 없고, 평일과 안식일도 구별할 수 없다는 생각이 들었다. 나는 이걸 막기 위해, 칼로 커다란 기둥에 대문자로 글씨를 파서 십자가를 만들고, 그걸 내가 처음 상륙한 해변에 세웠다. 거기에 "나는 1659년 9월 30일 이 해변에 상륙했다."라는 글을 넣었다. 이 네모판 앞에다가 매일 칼로 눈금을 그었다. 7일마다는 그 두 배의 길이로, 매월 1일에는 그것의 두 배로 길게 그었다. 이리하여 나는 시간을 요일, 달, 해로 계산하는 달력을 갖게 되었다. 그 다음에 나는 이미 말한 대로 여러 차례의 왕복으로 배에서 날라온 물건들 중, 그리 큰 가치는 없지만 그렇다고 전혀 쓸모가 없지도 않은 물건들을 뒤져 보기 시작했다. 전에는 한쪽에 밀어둔 이 물건들은, 펜과 잉크, 종이, 그리고 선장, 항해사, 소총수, 목공들의 지갑과 서너 개의 나침반, 제도 기구, 해시계, 망원경, 해도(海圖), 항해 서적들로서 아무렇게나 뒤죽박죽이 된 채 그냥 쌓아 둔 것들이었다. 이 잡동사니 중에는 좋은 성경책도 세 권이 있었는데 이것은 영국에서 보낸 내 짐 속에 들어 있던 것이다. 이번 항해에 잘 싸서 가져온 것이었다. 이 밖에 포르투갈의 서적도 있었는데 이 중에는 두어 권의 가톨릭 기도서와 그 밖에 다른 책도 몇 권 있었다. 나는 잘 보관했다. 그리고 배에서 기르던 개 한 마리와 고양이 두 마리가 있었다는 사실을 잊어서는 안될 것이다. 이들에 관해 자세히 이야기할 기회가 있겠지만 고양이는 내가 뗏목으로 실어왔고, 개는 처음 짐을 해변으로 옮기던 날 물 속에 뛰어들어 헤엄을 쳐서 나를 따라왔다. 이 개는 그후 수 년 동안 내 충복이 되어 주었다. 나는 개에게 무얼 물어다 주거나 일을 도와주길 바라지 않고 오직 말 상대가 되어 주길 바라고 있었지만 실상 그렇게 되지는 않았다.

아까 말했듯이 나는 펜과 잉크와 종이를 찾아내서 그것을 아주 절약해서 썼다. 후에 소개하겠지만 잉크가 있는 한 내가 겪은 일들을 아주 정확하게 기록했다. 그러나 잉크가 떨어지자 내 궁리로는 잉크를 만들어 낼 수가 없어서 기록을 계속하지 못했다.

잉크 이야기를 하다 보니 배에서 모을 수 있는 것은 다 모아 왔지만, 그래도 필요한 물건들이 많이 있었다는 것을 느끼고 있었다. 잉크는 그 중 하나지만 삽, 곡괭이, 가래 등 땅을 파고 갈 도구와 바늘, 핀, 실 등이 그것이다. 린네르 옷이 있어야 한다는 것도 곧 깨닫게 되었다.

이런 연장이 없기 때문에 하는 일들이 무척 지지부진하였다. 작은 울타리, 곧 담으로 둘러싼 집을 완성하는데 만 1년 가까이 걸렸다. 내가 들 수 있을 만한 나무를 숲에서 잘라 다듬고 집으로 옮기는 데도 굉장한 시간이 걸렸다. 어떤 때는 기둥 하나를 잘라 집으로 날라 오는 데 이틀이 걸렸고, 사흘째야 땅에 박을 수 있었다. 기둥을 박는데도 처음에는 무거운 나무를 썼으나, 나중에야 쇠지레 생각이 나서 그걸 찾아내 썼지만, 그래도 무척 힘들고 지루한 노력을 해야 했다.

그러나 시간은 남아 도는데 해야 할 일이 지루하다고 무슨 상관이 있겠는가? 그 일이 끝난다 하더라도, 적어도 내가 예측할 수 있는 어떤 딴 일이 있는 것도 아니었다. 있다면 식량을 찾아 산을 돌아다니는 것뿐인데, 그것은 크든 작든 매일 해오고 있는 것이었다.

이제 나는, 내가 처한 처지와 앞으로 처할 환경을 심각하게 생각하기 시작했다. 나는 현재의 생활을 기록하기로 했다. 이것은 내뒤에 올 사람에게 남겨 주기 위한 게 아니었다. 그럴 운명에 빠진사람이 앞으로 또 있을 것 같지 않았다. 오직 열심히 글을 씀으로써 괴로운 마음을 풀고자 한 것이었다. 그리고 이성의 판단으로 마음을 달램으로써 이제 좌절감을 극복하기 시작했고, 되도록 마음의평안을 유지하기에 이르렀다. 그리하여 길흉점(吉凶占)을 벌여놓고 내 처지보다 더 불행한 경우도 있을 수 있다는 결론을 내릴 수있었다. 나는 대차대조표처럼 내가 즐거이 받아들이는 행운과 괴로워하는 불행을 아주 공정하게 기록했는데 그것은 다음과 같다.

흉(凶) 나는 절해의 고도에 표류되어 구출될 희망이 전혀 없다.
길(吉) 그러나 나는 살아 있고, 배에 탔던 모든 선원들과는 달리,
빠져 죽지 않았다.

흉(凶) 나는 홀몸이 되어 세상으로부터 격리된 비참한 상태에 빠
졌다.
길(吉) 그러나 나는 배에 탔던 모든 선원들 속에서 뽑혀, 홀로 죽
음을 면하고 살아났다. 또 기적적으로 죽음으로부터 나를
구해준 하나님은 이 상태에서 나를 구해 줄 것이다.

흉(凶) 나는 인류로부터 떨어져 인간 사회로부터 외로이 추방되
었다.

길(吉) 그러나 나는 식량이 나지 않는 불모지에 있지만 굶어 죽지 않고 있다.

흉(凶) 나는 입을 옷이 없다.
길(吉) 그러나 나는 옷이 있더라도 거의 입을 필요가 없는 열대 지방에서 살고 있다.

흉(凶) 나는 인간이나 야수의 공격을 막아낼 방어 수단이 없다.
길(吉) 그러나 아프리카 해안에서 본 것과는 달리 나는 맹수가 없는 땅에 떨어졌다. 만약 아프라카에서 조난을 당했다면 어찌 됐을 것인가?

흉(凶) 나에게는 말을 나누거나 나를 위로해 줄 사람이 없다.
길(吉) 그러나 하나님은 놀랍게도, 해안 가까이 배를 보내 주셔서 당장 필요한 것과 내가 살아 있는 동안 필요한 여러 가지 물건들을 얻도록 해 주었다.

전체적으로 말해서, 이처럼 비참한 상황은 거의 없겠지만 그러나 이런 상태에 빠진 것에 대해서 소극적으로든 적극적으로든 감사드릴 만한 이유가 충분하다는 명백한 기록이 작성된 것이다. 이것은 이 세상에 있는 모든 상황 중 가장 비참한 경험으로부터 생긴 것으로서 하나의 지침으로 삼았다. 여기에 우리 자신을 위로할 수 있는 것이 있고, 길흉의 대차대조표에서 이것을 대변으로 셈할 수 있는 것이다.

이제야 나는 환경에 적응할 여유도 생겼고, 지나가는 배라도 볼까 해서 바다를 바라볼 수도 있게 되었다. 말하자면, 이러한 일들을 겪고 난 뒤 내 생활 조건을 개선하면서 가능한 한 아래 마련한 천막은 말뚝과 밧줄로 된 울타리로 둘러싸였는데, 이 울타리는 2피

트 두께로 뗏장을 입혔으니 벽이라고 해도 과언이 아닐 만큼 튼튼했다. 얼마 후(1년 반 후쯤 될 것 같다) 거기에 서까래를 바위 쪽으로 비스듬히 세우고 큰 나뭇가지 따위로 덮어 비를 피할 수 있도록 했다. 이곳은 매년 여러 차례 폭우가 쏟아진다는 걸 알게 된 때문이었다.

　내 물건들을 모두 울타리 안과 뒤에 파놓은 동굴에 옮겨 놓았는데 이것은 이미 이야기한 것이다. 그러나 처음에는 이 물건들을 아무렇게나 쌓아 두서없이 자리를 넓게 차지하고 있어 내 몸을 제대로 움직일 여유가 없었다. 그래서 굴을 넓히기로 하고 서둘러서 굴을 더 파 나갔다. 그곳은 허술한 모래 바위여서 작업은 쉽게 진행되었다. 맹수로부터 당할 위험이 없음을 알았기 때문에 나는 굴 중간으로부터 오른쪽으로 돌아 일을 했는데 끝내고 보니 울타리랄까, 내 요새의 밖으로 통하는 입구가 되었다.

이 굴은 천막과 창고로 들락거리는 출입구가 될 뿐만 아니라, 물건들을 쌓아 놓는 창고로 쓸 수도 있었다.

이제 나는 절실하게 요구되는 필수품, 그 중 의자와 테이블을 만들기 시작했다. 이것들이 없으니 세상에서 가질 수 있는 약간의 안식마저 즐길 수 없었다. 무엇을 쓰거나 음식을 먹는 등 여러 가지 일들이 불편했던 것이다.

그래서 나는 작업을 계속했다. 여기서 내가 하고 싶은 말은, 이성(理性)이란 수학의 본질이요 근원이기 때문에, 모든 것을 이성으로 처리하고 사물을 가장 합리적으로 판단한다면 누구나 저절로 모든 기술을 습득할 수 있다는 점이다. 이전에 나는 기구를 써 본 적이 한번도 없었지만, 시간이 흐르고 열심히 일하며 연구하고 궁리하면, 웬만큼 필요한 것은 거의 만들 수 있고 특히 기구만 있다면 무엇이든 손쉽게 만들 수 있다는 것을 알게 되었다. 나는 연장도 없이 많은 물건들을 만들었거니와 어떤 것은 손도끼만 가지고 만들었다. 이런 일은 전에는 해 본 적도 없거니와 그만큼 엄청난 노력이 들지 않으면 안되었다. 예를 들면, 널빤지를 한 장 만들려면 나무를 한 그루 잘라 넘어뜨리고 도끼로 양쪽을 베어내어 널빤지처럼 얇게 깎은 다음 도끼로 반반하게 고를 수밖에 없었다. 이런 방법으로는 나무 한 그루에서 판자 한 장밖에 만들지 못하지만 그것으로 참을 수밖에 다른 방도가 없었다. 무엇보다 판자 한 장 만드는데 드는 막대한 시간과 노력이 아까웠다. 그러나 시간이나 노력은 아껴야 할 가치가 있는 것도 아니었고, 또 어떻게 해서 써버리든 큰 차는 없었다.

위에서 말한 것처럼 나는 배에서 뗏목으로 운반해 온 널빤지로 테이블과 책상을 만들었다. 그리고 먼저 말한 방법으로 널빤지를 만들어 동굴 벽을 따라 폭이 1피트 반의 커다란 선반을 여러 단으로 달고 거기에 연장과 못, 철제품 등을 널찍하게 정리해 놓고, 손쉽게 쓸 수 있도록 했다. 바위 벽에 못을 박아 총과 그밖에 걸기 좋은 물건들을 모두 걸어 놓기도 했다.

그리하여 누구든 내 굴 안을 들여다본다면, 마치 모든 필수품들을 정리해 놓은 커다란 창고를 보는 기분이 들 것이다. 모든 물건들을 이처럼 손쉽게 쓸 수 있도록 정리한 후 질서정연하게 놓인 물건들을 보니 특히 내 필수품들이 굉장히 많아진 것 같았다. 무척 흐뭇하지 않을 수 없었다.

이제 나는 나날의 일과를 기록한 일기를 소개해야겠다. 처음에는 사실 작업하기에 너무 바쁜데다가 정신적인 불안이 심해서 일기를 급하게 쓴 탓으로 시시한 일들만 잔뜩 늘어놓았다.

9월 30일 해변에 상륙하여 죽음을 벗어나자 나는 하나님께 구원을 감사드리는 말 대신 뱃속에 마셨던 소금물만 굉장히 많이 토해냈다. 얼마쯤 회복되자 바닷가를 어슬렁거리며 주먹을 꼭 쥐고 머리와 얼굴을 치면서 내 불행을 저주하고, "파멸이다!"라고 소리지르다가 마침내 피곤해서 정신을 잃고 땅바닥에 쓰러져 쉬었다. 그러나 맹수에게 잡아먹힐지도 모른다는 공포 때문에 잠도 잘 수 없었다.

이런 후 며칠 지나, 배에 가서 꺼내올 수 있는 것은 모두 꺼내온 후 나는 참지 못하고 산꼭대기에 올라가 지나가는 배라도 볼까 해서 바다를 바라보았다. 그러자 멀리 돛이 지나가는 것처럼 보여 희망에 가득 찼다. 그래서 바다를 열심히 바라보느라니 눈이 아물거리고 마침내 아주 보이지 않게 되었다. 나는 주저앉아 어린애처럼 울었다. 이같은 바보짓 때문에 내 불행은 더욱 커진 것이다.

그러나 이처럼 불안한 심경을 극복하고 살림에 쓸모 있는 그릇이나 집을 마련해 놓고, 책상과 의자를 만들고 할 수 있는 한 내 주위를 정리해 놓자, 나는 일기를 써 나가기 시작했다. 잉크가 다 떨어져 중단할 때까지 계속 써 온 일기를 여기에 옮겨 소개한다.(이 중 특별한 것은 다시 설명할 것이다.)

일   기

　1659년 9월 30일 불쌍한 로빈슨 크루소는 바다에서 굉장한 폭풍으로 조난당하여 외롭고 불행한 섬에 흘러 왔다. 이 섬을 절망의 섬이라고 부르고 싶다. 배에 같이 탔던 동료들은 모두 바다에 빠져 죽었고 나 자신도 거의 죽을 뻔했다.

　하루종일 내가 당한 불행한 처지를 생각하며 보냈다. 먹을 것도, 집도, 옷도, 무기도, 도망갈 곳도 없고, 구원은 절망적이어서 앞에 보이는 것은 오직 죽음뿐이다. 맹수에게 잡혀 먹히든가, 야만인에게 살해되든가, 먹을 것이 없이 굶어 죽거나 셋 중 하나다. 밤이 가까워 오자 짐승을 피해 나무 위에 올라가 누웠다. 밤새 비가 왔지만 곤히 잤다.

　10월 1일 아침에 일어나 보니, 놀랍게도 배가 밀물에 실려 해변으로 훨씬 가까이 다가와 있었다. 한편으로는 배가 산산조각이 나지 않고 기울어진 채 떠 있기 때문에, 바람이 자면 배에 올라 음식과 기타 필수품들을 꺼낼 수 있기 때문에 안심도 되고 또 한편으로는 동료를 잃었다는 슬픔이 다시 새로워졌다.

　우리 모두가 배에 그대로 남아 있었더라면 생명을 건졌을는지 모른다. 적어도 모두 빠져 죽지는 않았을 것이다. 이들이 목숨을 건졌더라면 우리는 파선된 뱃조각으로나마 보트를 만들어 다른 곳으로 갈 수도 있었을 것이다.

이런 생각을 하며 거의 하루종일을 보냈다. 이윽고, 여전히 물 밖에 솟아 있는 배를 보고 해변 끝으로 가서 배로 헤엄쳐 갔다. 이 날 바람은 전혀 없었지만 종일 비가 내렸다.

10월 1일부터 24일까지 이 동안 썰물 때마다 뗏목을 이용하여 여러 차례 왕복, 배에서 나를 수 있는 물건들을 다 옮기는 데 보냈다. 때때로 맑은 날씨도 있었지만, 요즈음 비오는 날이 많았다. 그러니 지금이 장마철인가 보다.

10월 20일 뗏목이 뒤집혀 거기에 실었던 짐을 모두 물 속에 빠뜨렸다. 그러나, 물이 얕고 물건들은 거의 무거운 것이었다. 밀물이 빠진 뒤 상당히 많은 물건들을 도로 건져냈다. 밤새, 그리고 하루종일 비가 오고 돌풍이 불더니 배가 산산조각이 나버렸고 바람이 전보다 더 심하게 불자 아무것도 보이지 않게 되었다. 썰물이 되어 파선한 조각이 눈에 띄었다. 하루종일 배에서 날라 온 물건들을 비에 젖지 않도록 덮고 간수하는 데 보냈다.

10월 26일 거의 종일 내 거처를 세울 만한 장소를 물색하느라고 해변을 돌아다녔다. 밤에 맹수나 야만인들의 습격을 막는 게 큰 걱정거리였다. 저녁때가 되어 어떤 암벽 아래 적당한 장소를 잡아 반원을 그려 야영할 곳으로 표시했다. 여기에다 이중으로 말뚝을 박고 안으로는 닻줄을 치고 밖으로는 뗏장을 입혀 벽이나 요새를 지어 견고하게 만들 작정을 했다. 26일부터 30일까지 물건들을 모두 새로운 처소에 옮기느라고 열심히 일했다. 때때로 비가 심하게 내렸다. 31일 아침 먹을 것을 찾아 총을 들고 섬 안으로 들어가 탐색했다. 암염소 한 마리를 잡았는데 새끼가 나를 따라 집으로 왔다.

새끼는 통 먹지 않아 결국 죽이고 말았다.

11월 1일 암벽 아래 천막을 치고 첫날밤을 여기서 보냈다. 말뚝을 박아 그물침대를 달아 놓고 널찍하게 자리잡았다.

11월 2일 궤짝과 널빤지, 그리고 뗏목을 만들었던 재목을 모아 요새를 표시한 곳보다 약간 안쪽 둘레에 담을 쌓았다.

11월 3일 총을 들고 나가, 오리처럼 생긴 새 두 마리를 잡았는데, 훌륭한 양식이 되었다. 오후에 테이블 만드는 작업에 들어갔다.

11월 4일 작업 시간, 사냥 시간, 잠잘 시간, 휴식 시간의 순서를 정했다. 즉 아침에 비가 오지 않으면 두어 시간 동안 총을 들고 사냥을 나가고, 그 다음 11시쯤 일한다. 그리고 식사를 하고 12시부터 2시까지 날씨가 너무 뜨겁기 때문에 낮잠을 잔다. 그런 다음 오후에 다시 일을 한다. 이 날과 이튿날의 작업 시간은 모두 테이블을 만드는 데 썼다. 시간이 지나고 또 필요해서 일하다 보면, 다른 사람들처럼 나도 멀지 않아 능숙한 기술공이 되겠지만 아직까지는 무척 솜씨 없는 직공의 수준을 넘지 못하고 있다.

11월 5일 총을 들고 개와 함께 나가 들고양이를 잡았다. 가죽은 상당히 부드러웠지만 고기는 아무 쓸모가 없었다. 내가 잡은 짐승은 모두 가죽을 벗겨 보관했다. 해변을 따라 돌아오는 길에서 여러 가지 바닷새를 많이 보았다. 그러나, 바다표범 두어 마리도 있어 깜짝 놀랐다. 처음에는 무엇인지 잘 알 수가 없어 그냥 보고 있었다. 그것들은 바다 속으로 도망쳐 버렸다.

11월 6일 아침 사냥에서 돌아와 테이블 작업을 끝내었다. 마음에 들지도 않거니와 오래잖아 다시 손대야 할 것 같다.

11월 7일 이제 맑은 날씨가 시작된다. 7, 8, 9, 10일 그리고 12일의 반나절까지(11일은 주일이었다) 전부를 의자 만드는 데 썼다. 고심해서 의자 꼴을 만들어 가지고는 마음에 들지 않아, 여러 차례 부숴 버렸다. **부기** 나는 이후 주일을 지키지 못했다. 기둥에 주일 표지를 하지 않아 어느 날이 주일인지 알 수 없었기 때문에.

11월 13일 비가 와서 기분이 상쾌하고 날씨도 시원했다. 그러나 번개와 천둥이 심하게 내리칠 때, 화약이 생각나 심한 공포감에 젖었다. 폭우가 그치자, 화약을 작은 주머니에 나누어 담아 위험하지 않도록 분산 배치하기로 작정했다.

11월 14, 15, 16일 이 3일간 화약을 한두 파운드씩 나누어 넣을 조그만 상자를 만들었다. 이들 상자에 화약을 넣고 되도록 서로 멀찍이 안전하게 떼어 놓았다. 이러는 동안 어느 날 커다란 새 한 마리를 잡았는데, 식용으로는 좋았지만 새 종류가 무엇인지 알 수 없었다.

11월 17일 천막 뒤의 바위를 파서 좀 편리하게 지낼 방을 만들기 시작했다.
부기 이 일을 하는 동안 곡괭이, 삽, 그리고 손수레나 바구니 같은 운반 기구 등 세 가지가 무척 필요했다. 그래서 작업을 중단하고, 대신 쓸 만한 몇 가지 연장을 만들 생각을 하기 시작했다. 쇠지레로 만든 곡괭이는 무겁기는 하지만, 그럭저럭 쓸 만했다. 그러나 문제는 삽이었다. 이것은 절대로 필요해서 이것 없이는 무슨 일도 제대로 할 수 없었다. 그러나, 어떻게 만들어야 할지 전혀 묘책이 없었다.

11월 18일 어제에 이어, 오늘도 숲속을 탐색하다가 브라질에서는 철목(鐵木)이라고 부르는 굉장히 단단한 나무를 발견했다. 도끼날을 상해 가며 무척 애쓴 끝에 나무를 잘랐다. 시간이 오래 걸렸다. 이 나무를 조금씩 삽 모양으로 깎았다. 손잡이는 영국에서 쓰는 것과 아주 비슷하게 만들었지만, 아래 널찍한 부분에는 쇠 테를 달 수 없어 오래 사용할 수는 없을 것 같았다. 그러나 가끔 이용하기에는 별로 지장이 없을 것이다. 아무튼 이런 식으로 삽을 만드는 것은 전에도 없었거니와 앞으로도 없을 것이다.

이제 남은 것은 바구니나 손수레였다. 별 방법을 다 써 봤지만 바구니를 만들 수 없었다. 굽혀서 얽어 놓을 연하고 질긴 줄기가 없었다. 적어도 아직까지 그런 것을 구하지 못했다. 손수레는 어떻게 만들 수 있으리라 예상했지만, 그러나 바퀴에 이르자 생각은 막히고 어떻게 해야 좋을지 방법을 찾을 수 없었다. 게다가 바퀴를 움직일 쇠굴림대를 만들어낼 도리가 없었다. 그래서 굴에서 파낸 흙을 운반하는 데는 노동자들이 벽돌공장에서 일할 때 모르타르를 운반하는 상자 같은 것으로 대용했다. 상자 만드는 일은 삽을 만드는 것보다 힘이 덜 들었다. 그러나, 삽에 이어 바퀴를 만드느라고 공연히 애를 쓴 후, 이 상자를 만들기까지는 꼬박 4일간이나 걸렸다. 이 동안, 아침에 총을 들고 사냥 나가는 일과만 빼고는, 모든 시간을 여기에 썼다.

11월 23일 이제 연장 만드는 일이 끝났으니, 그 동안 중단했던 다른 일을 계속해야 했다. 힘과 시간이 미치는 대로, 매일 열심히 굴 안을 확장했다. 18일이 지난 후에야 널찍한 장소가 마련되었고 여기에 물건을 보관할 수 있었다.

부기 이 동안 나는 방이랄까, 굴을 아주 널따랗게 만들었기 때문에 창고와 부엌, 식당, 그리고 골방을 마련할 수 있었다. 숙소로는 여전히 천막을 사용했지만 비가 심하게 쏟아지는 장마철에는 습기

를 막을 수 없었다. 그래서, 후에 울타리 안에 있는 내 거소 전부에다 서까래 모양의 긴 장대를 암벽 쪽으로 비스듬히 받치고 여기에다 지붕처럼 새털과 커다란 나무 잎사귀로 덮었다.

12월 10일 굴과 창고 작업을 다 마쳤다고 생각할 즈음(너무 크게 만든 것 같았다) 갑자기 천장과 한쪽 벽에서 커다란 흙더미가 쏟아졌다. 무척 놀라기도 했지만, 그 원인도 알 수 없었다. 바로 흙덩이가 무너진 자리에 내가 서 있었더라면, 그대로 무덤 속에 묻혀 버렸을 것이다. 이 사고 때문에 나는 다시 큰 작업을 벌여야 했다. 무너진 흙을 밖으로 옮겨 내야 할 뿐 아니라 이런 일이 다시 일어나지 않도록 천장을 기둥으로 괴어야 했기 때문이다.

12월 11일 어제의 사고 때문에 이날은 보수 작업에 나서서 천장에 널빤지 두 쪽을 대고 기둥 두 개로 받쳤다. 다음날에야 일이 끝났다. 여기에 널빤지를 더 대고 받침도 더 세우느라고 일 주일을 보낸 끝에 지붕은 안전해졌다. 기둥은 열을 지어 세웠기 때문에 집 안의 간막이 구실을 하게 되었다.

12월 17일 이날부터 20일까지 선반을 만들고 기둥에 못을 쳐서 걸 만한 것은 모두 여기에 걸었다. 이제 집안은 어느 정도 질서가 잡히게 되었다.

12월 20일 이제 모든 물건은 굴 안으로 들여다 집을 정돈하기 시작했다. 널빤지를 서랍처럼 만들어 식량을 넣어 두었다. 그러나 널빤지가 딸리기 시작하였다. 테이블을 또 하나 만들었다.

12월 24일 밤새 그리고 하루 종일 비가 쏟아졌다. 밖에 나가지 않았다.

12월 25일 종일 비.

12월 26일 비가 그치고, 날씨가 전보다 시원해져서 상쾌했다.

12월 27일 새끼 염소를 쏘아 한 마리는 잡아 죽이고 또 한 마리는 다리를 맞추었다. 부상한 염소는 새끼로 매어 집으로 끌고 왔다. 집에 와서 부러진 다리에 나무를 대고 동여매었다.
부기 내가 열심히 돌보아 주었기 때문에 염소는 살아나 다리도 낫고 전처럼 튼튼해졌다. 오랫동안 간호해 주는 사이에 길이 들어, 마당에 자란 풀을 뜯어먹으며 달아나려 하지 않았다. 이리하여 나는 처음으로 가축을 기른다는 기분을 즐길 수 있었다. 화약과 탄환이 떨어지면, 이 염소를 잡아 먹을 수 있게 되었다.

12월 28, 29, 30일 날씨는 무덥고 바람은 없었다. 그래서 저녁 때 식량을 구하러 나간 것 외에는 외출하지 않았다. 이 동안 집안에서 물건들을 정리했다.
여전히 무척 더웠지만 새벽과 저녁에 총을 들고 나갔고, 낮에는 가만히 누워 있었다. 저녁때는 섬 중심부로 뻗은 계곡으로 깊숙히 들어갔다가 염소떼를 발견했다. 너무 무서움을 타서 접근하기 힘들었지만, 개를 데리고 와서 염소 사냥을 해 보기로 작정했다.

1월 2일 그리하여 다음날 나는 개를 데리고 나가, 염소 쪽으로 보냈다. 그러나 착오였다. 염소들이 모두 개에 맞섰고, 개는 위험을 느껴 감히 덤벼들지 못하였다.

1월 3일 담이랄까 벽을 쌓는 작업을 시작했다. 나는 아직 누구의 습격을 받을까봐 안심할 수 없었다. 그래서 두텁고 튼튼하게 만들기로 작정했다.
부기 이 벽에 대해서는 전에 설명한 바가 있기 때문에 일부러 일기의 이 부분을 생략한다. 다만 1월 3일부터 4월 14일까지 오랜 시간을 들여 이 작업을 마치고 완공을 보았다는 점만 밝힌다. 길이는 24야드, 암벽 한 끝으로부터 맞은편 끝에 이르는 지름이 8야드의 반원형이었다.
이 동안 비가 와서 며칠씩, 때로는 몇 주간이나 작업을 중단하기도 했지만 열심히 일을 했다. 이 담벽이 완공되기까지는 안심할 수 없다는 생각이었다. 믿을 수 없을 정도로 노력했고 특히 목재를 숲에서 옮겨다 땅에 박는 데는 말할 수 없이 힘이 들었다. 그 결과 필요 이상으로 크게 담벽을 만들었다.
이 공사가 끝나자, 다음에는 그만한 높이로 바깥쪽에 이중벽을 세우고 떼를 입혔다. 그리하여 누가 이 섬에 와서 이런 곳에 사람이 살 리 만무하다고 판단하리라 자신만만했다. 사실 뒤에 굉장한 사건이 일어났을 때 알게 되었지만, 담 공사는 아주 훌륭하게 이루어졌던 것이다.

곡식의 새싹을 발견하다

이러는 동안 비만 오지 않으면, 나는 매일 숲속으로 사냥하러 가서, 여러 가지 유익한 사실을 이것저것 알아냈다. 그 중 하나가 들비둘기 비슷한 새를 발견한 것이었다. 이 새는 나무에 사는 비둘기처럼 나무에 집을 짓지 않고 집비둘기처럼 바위틈에 둥우리를 쳤다. 나는 새끼 몇 마리를 잡아서 열심히 노력한 끝에 마침내 길들이는 데 성공했다. 그러나 이 비둘기는 다 자라서 어디론가 날아가 버렸다. 아마 먹이를 원했던 모양인데 그들에게 줄 모이가 없었다. 그러나, 가끔 비둘기 둥우리를 찾아내어 새끼를 잡았다. 그 고기는 아주 맛이 좋았다.

이제, 살림살이를 꾸려나가다 보니 여러 가지 물건이 필요하다는 것을 깨닫게 되었다. 처음에는 이런 물건들을 도저히 만들 수 없다고 생각했고, 사실 그 중 몇 가지는 끝내 만들지 못했다. 테를 두른 통이 하나의 예가 된다. 전에 말했지만, 작은 포도주잔을 한두 개 만들기는 했는데, 그 하나를 만드는 데 몇 주일이나 걸렸다. 그러나, 물이 새지 않도록 뚜껑을 씌우거나 나무조각을 꼭 맞게 낄 수가 없었다. 그래서 단념했다.

그 다음에는 초를 어떻게 만드는가가 문제였다. 보통 7시가 되면 어두워진다. 그러면 잠자리에 누워야 했다. 아프리카에서 모험할 때 밀랍 덩어리로 초를 만들던 생각이 났지만 지금은 밀랍이 없었다. 결국 염소를 죽인 후, 그 기름을 짜 내고, 햇빛에 구워 만든 흙 접시에 그 기름을 담아 뱃밥(역주 : 배에 물이 새지 않도록 마지막으로 막는 물건)으로 만든 심지로 불을 켜는 것이 할 수 있는 하나의 방법이었다. 이것은 초처럼 밝지도 않고 광도가 고르지도 못했지만 그래도 환한 편이었다. 이처럼 한창 작업하는 가운데 물건들을 샅샅이 뒤지다가, 조그만 주머니 하나를 찾아냈다. 이 주머니는 전에 잠깐 비춘 것처럼 이번 여행이 아니라, 그전 배가 리스본에서 올 때, 닭 모이로 쓸 곡식알을 가득 넣어 두었던 것이다. 모이로 쓰고 난 나머지는 쥐들이 모두 먹어 버리고, 주머니에는 곡식 부스러기와 먼지밖에 없었다. 나는 이 주머니를 다른 데 쓰려고(번개 때문에 화약을 분산시킬 때 여기다 화약을 넣거나 할 생각이었다) 주머니의 곡식 부스러기를 바위 밑 담 옆에 털어내 버렸다.

별다른 관심없이 곡식 찌꺼기를 버린 것인데, 큰 비가 내리기 직전이었고 또 어디다 무얼 버렸는지도 기억하지 못했다. 한 달쯤 후, 땅에서 푸른 싹이 돋는 것을 보고, 그저 전에 보지 못한 풀이 나나 보다고 생각했다. 그러나, 좀더 후에 영국에서 나는 것과 똑같은 푸른 보리 이삭이 열 두어 줄기가 자라는 것을 보고 놀랐다.

이때 얼마나 놀라고 정신이 착잡했는지는 잘 표현할 수가 없다. 나는 전에는 종교적인 신념이 없이 행동했다. 사실 내 머릿속에는 신앙심이 거의 없었고, 내게 생긴 일은 아무튼 우연이거나 그저 막연히 하나님의 뜻이라고만 느꼈을 뿐이었다. 하나님의 섭리의 뜻이나 세상만사를 주관하는 하나님의 명령을 별달리 탐색하지 않고 지내 왔다. 그러나, 내가 알기에는 곡식이 자랄 수 없는 이 기후에서 더구나 아무런 연유도 없이 보리가 자라는 것을 보자 몹시 감동하지 않을 수 없었다. 이것은 씨를 뿌리지 않고 곡식을 키우는 기적이며 오직 이 메마른 땅에 내 생명을 보존해 주기 위한 섭리라고 믿기 시작했다.

이런 생각을 하게 되자, 내 마음은 적지 않게 감명을 받고, 눈물이 흘러 내렸다. 이처럼 자연의 기적이 내게 일어난 것이 참 고마운 일이라고 생각했다.

그리고 바위를 따라 보리 아닌 다른 식물이 자라는 것을 보자 더욱 놀랐다. 이것은 벼 줄기가 틀림없다. 아프리카 해안에 상륙했을 때 벼를 보아 그 모양을 알고 있었다.

이 곡식은 나를 도우려는 하나님의 순수한 은총의 산물이라고 생각했을 뿐 아니라 이 섬에는 틀림없이 더 많은 식물이 자라고 있지 않은가 찾아보았다. 그러나, 아무것도 발견할 수 없었다. 마침내 우연히 내가 닭모이 주머니를 털어 버렸다는 데 생각이 미치게 되자, 그러자 전날의 놀라움은 사라지기 시작했다. 이 모든 것들이 당연한 일에 지나지 않는다는 사실을 깨닫게 되면서부터 하나님의 은총에 감사하던 신앙심도 줄어들기 시작했다. 이것은 내 솔직한 고백이다. 그러나 그 기적처럼 놀라운, 보이지 않는 하나님의 은총에 감사를 드려야 했다. 열 한두 알의 곡식이 하늘에서 떨어진 듯 상하지 않게(쥐가 먹어 모두 못쓰게 되었음에도 불구하고) 간수하게 된 것은 진실로 하나님이 하신 일이었다. 게다가 유달리 높은 바위 그늘에 버리게 함으로써 곧 싹이 트게 한 것도 하나님의 지시였다. 그때 어디 다른 곳에 버렸다면 보리는 햇빛에 타버렸을 것이다.

6월 말이 되어 열매가 익자, 나는 보리 이삭을 조심스럽게 거두어 낱낱을 잘 간수했다. 빵을 만들 만큼 많이 수확할 때까지 보리 알을 계속 심기로 했다. 그러나 4년이 지나서야 이 곡식을 조금이나마 먹을 수 있게 되었고, 순서에 따라 뒤에 말하겠지만 그나마, 무척 아껴야 했다. 처음에는 제때에 파종하지 못했기 때문에 심은 건 모두 죽어 버리고 말았다. 나는 건조기 직전에 파종했는데, 싹이 자라기는커녕 돋을 기미조차 보이지 않았다. 이에 관해서는 그때 이야기하겠다.

이 보리 외에 먼저 말한 것처럼 벼 줄기가 2, 30개 있었다. 나는 벼포기도 역시 정성껏 키워서, 보리처럼 빵이나 다른 음식으로 만들어 먹을 수 있게 되었다. 쌀가루를 빵처럼 굽지 않고 요리하는 법도 생각해 내어 가끔씩 대용식으로 먹기도 했다. 이제 일기로 다시 돌아가자.

나는 이 서너 달 동안 힘껏 일해서 담벽을 완성했다. 4월 14일에는 이 담벽의 입구를 막고 대신 사다리로 벽을 넘어 출입하도록 했다. 그리하여 외양으로는 전혀 사람 사는 표적을 볼 수 없게 했다.

4월 16일 사다리를 완성했다. 그래서 사다리로 담 꼭대기에 올라가 그걸 끌어 올려 집안에 두었다. 이제 나는 사방을 완전히 둘러막았다. 집안에는 방이 충분했다. 그리고 누구도 담을 뛰어 넘지 않고는 집 안으로 습격해 올 수 없게 되었다.

이 담벽이 완공된 바로 다음날, 그 동안의 모든 노력이 일거에 무너지고, 나 자신도 죽을 뻔한 사건이 일어났다. 그 경위는 이렇다. 내가 담 안 천막 뒤의 굴 입구에서 바쁘게 일을 하고 있을 때 정말 무시무시할 만큼 엄청난 일이 일어나, 나는 깜짝 놀랐다. 동굴 지붕 위와 머리 위 언덕바지에 갑자기 흙이 무너져 내려왔다. 굴 안에 세운 기둥 두 개가 무참히 부러졌다. 나는 살아있다는 느낌을 가질 수 없었다. 어리둥절한 채 전날의 사고처럼 동굴의 지붕이 무너진다는 생각이 솟자 가슴이 철렁 내려앉는 것 같았다. 그러나 여기도 안전하지 못하다는 생각이 들자 담을 넘어 나왔다. 언덕 한쪽이 무너지면 큰일이다 싶었다. 평지로 나서자, 굉장한 지진이 일어났다는 것을 깨달았다.

내가 서 있는 땅이 8분 간격으로 세 번이나 흔들렸는데, 그 충격은 아무리 튼튼한 건물이라도 당장 쓰러뜨릴 만했다. 여기서 반 마일 떨어진 바닷가에 서 있는 암벽 꼭대기가 평생 처음 들어보는 엄청난 소리를 내며 무너졌다. 바다 역시 지진으로 사납게 파도가 일고 있었다. 지진은 육지보다 바다 속에 더 심한 충격을 주는 것 같았다. 나는 일찍이 경험한 적도 경험한 이의 말을 들어 본 적도 없어서, 지진에 굉장히 놀라 얼이 다 빠질 정도였다. 땅의 진동으로 바닷물을 마셨을 때처럼 구역질이 일어났다. 그러나 아까 말했듯, 바위가 떨어지는 소리에 깜짝 놀라 혼비백산했던 정신을 가다듬자 다시 공포가 몰려왔다. 언덕이 무너져 내려, 천막과 물건 등 내 모든 재산이 일시에 파묻혀 버린다면 어떻게 될 것인가? 이 생각 때문에 내 가슴은 또 한번 섬찟했다.

  세번째 진동이 끝나고 얼마동안 잠잠해지자 정신을 차리기 시작했다. 그러나 산 채로 흙 속에 파묻혀 버릴까봐 담을 넘어 들어갈 용기가 생기지 않았다. 그래서 여전히 땅바닥에 주저앉아 어쩔 줄을 모르고 낙담하여 좌절감에 젖어 있었다. 이러는 동안 경건한 신앙심은 조금도 우러나지 않고, 그저 "하나님 자비를 내려주소서!"라고만 지껄였고, 지진이 멈추자 그 상투적인 기도마저 그만두었다.

태풍이 맹렬하게 불다

　내가 이런 꼴로 앉아 있는 동안, 비가 올 듯 구름이 끼고 하늘은 무섭게 흐렸다. 그런 후 바람이 조금씩 조금씩 심해지더니 반 시간도 채 못되어, 태풍 허리케인이 무섭게 불어왔다. 바다는 갑자기 온통 물거품으로 변하고, 해변에는 파도가 몰려와 부서졌다. 나무는 뿌리째 뽑혀 나가고 폭우가 사납게 쏟아졌다. 이러기를 세 시간이나 계속하더니 바람은 조금씩 약해져서 두 시간 후에는 잔잔해지고 비만 심하게 내리기 시작했다. 이러는 동안, 공포와 낙심으로 땅바닥에 주저앉아 있던 나는, 문득 이 비바람이 지진 때문에 생긴 것이고, 지진은 이제 다 끝났으니 굴로 돌아가도 괜찮겠다는 생각이 들었다. 그러자 원기도 다시 돌기 시작했다. 비가 내린다는 것은 내 판단이 틀리지 않음을 입증해 주었다. 나는 천막 안에 들어가 앉았다. 그러나 비가 너무 심하게 왔기 때문에 천막이 곧 주저앉아 머리 위로 또 무너질까 무서웠다. 그래서 한편 불안을 느끼면서도 동굴 안으로 들어가지 않을 수 없었다.

　이 폭우 때문에, 나는 새로운 일을 하지 않으면 안되었다. 곧 새로 만든 담벽에 물이 빠져 나가도록 수채처럼 구멍을 내야 했다. 그렇지 않으면 동굴이 물에 잠길 형편이었다. 얼마동안 굴 안에서 지켜 앉아, 지진이 다시 일어나지 않을 것으로 확신하자, 나는 좀

더 마음의 여유를 가지게 되었다. 실상 원기를 돋우는 일이 퍽 중요했다. 그래서 작은 창고로 가서, 럼주를 한 모금 마시고 힘을 냈다. 술은 한번에 다 마시면 다시 만들 수 없으므로 예나 이제나 아주 아껴 마시지 않을 수 없었다.

그날 밤 사이, 그리고 이튿날도 상당히 오래까지 줄곧 비가 내렸다. 밖으로 나갈 수가 없었다. 그러나 정신 상태는 거의 회복되어 앞으로 어떻게 하면 가장 좋을까 생각하기 시작했다. 이 섬이 지진이 자주 일어나는 곳이라면 굴 속에 살다가는 생명을 잃게 될지도 모른다는 판단이 섰다. 그래서 들판에 조그만 오두막을 짓고 여기처럼 벽을 둘러싸, 맹수나 야만인의 습격도 피해야 하겠다는 생각을 하게 되었다. 아무튼 여기서 산다면, 어느 때고 틀림없이 산 채로 묻혀 버린다는 결론을 얻었다.

이런 결론을 얻자, 나는 천막을 옮기기로 작정했다. 지금 있는 이곳은 위험한 언덕의 절벽 아래여서, 다시 지진이 일어난다면 틀림없이 무너질 것이다. 그래서 4월 19일부터 20일까지 이틀 동안 내 처소를 어디로 어떻게 옮길 것인가 연구했다. 산 채로 묻혀 버린다는 공포 때문에 잠도 편안히 자지 못하고, 마치 담장 없이 벌판에 누워 있는 기분을 느꼈다. 그러나 집안을 돌아 보자 모든 게 가지런히 제대로 정비되어 있었고, 내가 멋있는 은둔처를 장만함으로써 위험으로부터 얼마나 안전하게 되어 있는가를 깨닫고, 집을 옮기고 싶은 생각이 사라지는 한편 새로 집을 장만하자면 시간이 굉장히 많이 들 것이고, 그때까지 지금 있는 곳에서 위험을 무릅쓰고 견딜 수밖에 없으며, 또 그리로 옮길 때까지 여기서 지내도 괜찮겠다는 생각이 들었다. 그리하여 나무와 밧줄로 전처럼 둥그렇게 벽을 쌓고 그 안에 천막을 세우기로 하고 그것이 완공되면 적당한 때 옮기되, 그때까지 여기에 그대로 살기로 작정했다. 이때가 21일이었다.

4월 22일 다음날 아침, 이 결정을 실천에 옮길 방법을 생각하기 시작했다. 그러나 연장이 큰 문제였다. 큰 도끼가 세 자루, 손도끼가 여러 개 있었는데(인디언과 싸움이 벌어질 경우를 생각해서 손도끼를 배에 많이 실었었다) 옹이가 많고 단단한 나무를 너무 많이 찍고 잘랐기 때문에 이가 모두 빠져 있었다. 숫돌이 있었지만 이 숫돌만으로는 연장을 갈 수도 없었다. 마치 정치가가 커다란 정치 문제를 앞에 놓고 연구하거나 혹은 재판관이 피고를 사형에 처할 것인가, 목숨을 살려 줄 것인가, 심사숙고하듯 이 문제를 열심히 생각했다. 마침내 바퀴에 줄을 달고, 발로 숫돌을 돌리며 양손을 자유롭게 쓸 수 있는 회전 숫돌을 고안해 냈다.

부기 나는 영국에서 이런 숫돌을 한 번도 본 적이 없었다. 아주 흔하기는 했지만 주의해 본 적이 없었던 것이다. 게다가 내가 가진 숫돌은 무척 크고 무거웠다. 이 기구를 완성시키는 데에만 일 주일이 소비되었다.

4월 28, 29일 이 이틀 동안 연장을 가는 데 보냈다. 숫돌이 돌도록 만든 장치는 성능이 아주 좋았다.

4월 30일 빵의 재고가 상당히 줄어든 것을 보고, 나머지 양을 조사한 후 하루에 비스킷 과자 하나씩으로 줄이기로 했다. 이 일 때문에 마음이 심히 무거웠다.

5월 1일 아침에 해변 쪽을 바라보니, 물결은 잔잔한데 바닷가에 통보다 큰 물건이 떠 있는 게 보였다. 통 같기도 했다. 가서 보니 조그만 통 하나와 두어 개의 파선 조각이었다. 지난번 태풍에 해안으로 밀려온 것이었다. 조난당한 배를 보면, 전보다 훨씬 심하게 부서진 것 같았다. 바닷가에 밀려 온 통을 조사한 즉, 물에 젖어 돌처럼 딱딱하게 굳은 화약이 들어 있었다. 통을 굴려 끌어다 놓고 모랫벌로 가서 좀더 자세히 보기 위해 난파선 쪽에 바짝 다가갔다. 가까이 가서 보니, 배의 위치가 이상하게 바뀌었다. 처음에는 모래 속에 묻혀 있던 앞 갑판이 적어도 6피트나 높게 들려 있었다. 그리고 전에 내가 물건들을 샅샅이 운반하고 난 후에는 파도 때문에 부서져, 배에서 떨어져 나간 조각조각이 팽개쳐져 있었는데 그 고물 쪽으로 모래가 높이 쌓여있고 앞에는 바다가 흘러 4분의 1마일 정도는 헤엄쳐 가야 했었다. 그런데 이제 조수가 빠지면 걸어서 그 배까지 갈 수 있게 되었다. 처음에는 어떻게 해서 위치가 바뀌었는가 놀랐지만 그러나 틀림없이 지진 때문에 이렇게 된 것이라고 생각되었다. 이 지진의 충격으로 배는 전보다 더 심하게 부서지고 그래서 바다가 잔잔해지자 이런 파선 조각이 해안으로 흘러왔고 바람과 파도에 밀려 육지로 오른 것이었다. 이것을 보고 처소를 옮길 계획을 잠시 중단하기로 하고 이 날은 꽤 열심히 그 배 안으로 들어갈 길을 찾았다. 그러나 배 안이 모래로 꽉 막혔기 때문에 묘안이 떠오르지 않았다. 그러나 나는 어떤 경우에도 절망하지 않는 훈련을 받아 왔기 때문에 어떻게 해서든 할 수 있는 대로 배에서 모든 걸 다 꺼내 오기로 작정했다. 배에서 꺼내 오는 것은 무엇이든, 어떤 용도로든 써 먹을 길이 있을 것이란 생각에서였다.

5월 3일 톱으로 들보를 잘랐다. 이 들보는 윗갑판이나 뒷갑판을 잇는 데 쓰인 것 같았다. 이 일을 마치고 맨 위로부터 쌓여 있는 모래를 열심히 파냈다. 그러나 조수가 밀려들기 시작해서 중단하지 않을 수 없었다.

5월 4일 고기잡이에 나갔다. 먹을 만한 것이 잡히지 않았기 때문인지 지루해졌다. 막 낚시를 걷고 일어나려는 참에 새끼 돌고래가 잡혔다. 나는 낚싯줄이 긴 낚시를 갖고 있었지만 갈고리가 없었다. 그래도 먹을 만한 고기를 곧잘 잡았다. 잡은 물고기는 모두 햇볕에 말렸다가 먹었다.

5월 5일 난파선에서 일을 했다. 들보를 또 하나 잘라 내고 갑판에서 커다란 전나무 재목 세 개를 얻었다.
이것들을 묶어 놓자, 밀물이 들어와 헤엄을 쳐서 해변으로 돌아왔다.

5월 6일 난파선에서 작업을 했다. 쇠로 만든 나사 몇 개와 그밖에 철제품을 여러 가지 꺼냈다. 열심히 일을 했기 때문에 집에 돌아오자 무척 피로해서 이 작업을 단념할 생각이 일어났다.

5월 7일 다시 난파선에 갔지만, 일할 생각은 없었다. 들보가 잘려 나가서 배는 자체의 중량으로 부서져 앉았다. 그래서 배의 이음새가 여러 곳 허술해졌고 선창 안이 훤히 열렸다. 그 안을 들여다보았지만 거의 물과 모래로 가득 차 있을 뿐이었다.

5월 8일 쇠지레를 가지고 난파선으로 가서 물과 모래에 묻히지 않은 갑판을 뜯었다. 널빤지 두 장을 비틀어 떼었으나, 밀물이 오르자 해변으로 옮겼다. 다음날을 위해 쇠지레를 배에 놓고 왔다.

5월 9일 난파선으로 가서 쇠지레로 선체 안에 구멍을 내고 들어갔다. 통이 여러 개 있다. 쇠지레로 떼려 했지만 부술 수가 없었다. 영국제 연판(鉛板) 한 벌도 찾아냈다. 들어서 움직이기는 했지만 너무 무거워 옮길 수가 없었다.

5월 10, 11, 12, 13, 14일 매일 난파선에 가서 많은 목재와 판자를 뜯어내고 2, 3백 파운드의 철재를 거두었다.

5월 15일 연판을 한 장 잘라낼 수 없을까 하는 생각으로 손도끼 두 자루를 가지고 가기로 했다. 도끼 하나를 연판에 대고 다른 한 자루로 쳐서 자를 셈이었다. 그러나, 숲속에서 비둘기 사냥에 시간을 너무 많이 보내고 보니, 조수가 들어와 이날은 난파선에 갈 수 없었다.

5월 17일 2마일쯤 떨어진 곳에 난파선의 조각이 보였다. 가서 보았더니 뱃머리 조각이었다. 그러나, 너무 무거워서 날라 올 수가 없었다.

5월 24일 이날까지 매일 난파선에서 일했다. 열심히 일을 해서 쇠지레로 많은 물건을 뜯어냈다. 첫 조수가 들어오자, 통 여러 개와 선원들의 옷 궤짝 두 개가 떠올랐다. 그러나 바람이 바다 쪽으로 불어 이날에는 목재 몇 장과 커다란 통 하나가 육지로 밀려왔을 뿐, 통에는 브라질 돼지고기가 들어 있었지만, 소금물과 모래로 절여져 먹을 수 없었다.

이 난파선에서의 작업이 6월 15일까지 매일 계속되었다. 이 일을 하는 동안, 조수가 오르는 시간을 계산해서, 시간에 쫓기지 않고 여유있게 식량을 구했고, 물이 빠지면 곧 작업을 계속하곤 했다. 이때까지 목재와 철재를 상당히 거둬들여, 보트 한 척은 충분히 만들 수 있을 만큼 모았다. 그리고 여러 차례의 작업으로 조금씩 떼어낸 연판이 1백 파운드나 되었다.

6월 16일 해변으로 내려갔다가 커다란 거북이 한 마리를 잡았다. 이 섬에서 거북이를 보기는 처음인데, 그건 이 섬에 거북이가 없어서가 아니라, 내가 잘못한 때문인 것 같다. 섬 저편으로 가보기만 했다면 나중에 안 것처럼 하루 수백 마리를 잡을 수 있었을 게다. 게으른 값을 치른 셈이었다.

6월 17일 거북이를 요리하느라 하루를 보냈다. 거북이 뱃속에서 알이 60개가 나왔고 그 고기는 그 당시 내 생애에 처음으로 맛본 별미였다. 이 고도에 흘러온 이래 나는 염소와 새 고기만 먹었던 것이다.

중병이 들어 놀라다

6월 18일 종일 비가 와서 집안에 있었다. 이번 비는 차게 느껴진다는 생각이 들었다. 이런 열대지방에서는 유달리 싸늘하다.

6월 19일 몹시 아프고, 날씨가 추운 것인지 몸이 떨린다.

6월 20일 밤새 통 편히 지낼 수 없었다. 심한 두통이 나고 열이 올랐다.

6월 21일 무척 아프다. 병이 들었는데 아무런 도움도 받지 못한 채 이런 서글픈 상태에서 숨을 거둘까봐 두려웠다. 혈에서 폭풍을 만난 이래 처음으로 하나님께 기도를 드렸다. 그러나 내가 뭐라고 기도했는지 왜 기도했는지 거의 의식이 없었다. 정신이 완전히 혼란 속에 빠졌다.

6월 22일 조금 덜하다. 그러나 병이 들었다는 사실이 무척 무섭고 걱정스러웠다.

6월 23일 다시 심하게 아프다. 춥고 떨리고 하더니 심한 두통이

났다.

6월 24일 훨씬 좋아졌다.

6월 25일 지독한 학질에 걸렸다. 7시간 동안 발작이 계속, 오한과 발열 그리고 식은땀.

6월 26일 좀 좋아졌다. 식량이 없어 총을 들고 나갔다가 몸이 무척 약해진 것을 깨달았다. 겨우 암염소 한 마리를 잡아 간신히 집으로 끌고 왔다. 한 조각 떼어 구워 먹었다. 수프로 만들어 고깃국물을 마시고 싶었지만 냄비가 없었다.

6월 27일 지독한 학질이 재발하여 종일 자리에 누워 아무것도 먹지도 마시지도 못하였다. 목이 말라 죽을 지경이었지만 너무 허약해서 일어서기는커녕 물이 있다 해도 마실 힘이 없을 정도였다. 다시 하나님께 기도를 드렸다. 그때는 머리가 가벼워졌다. 머리에 열이 나면 기도를 하는데 종교에 대해 아는 게 거의 없기 때문에 뭐라고 기도를 드려야 좋을지를 몰랐다. 오직 그대로 누워 "주여 저를 굽어 살피소서! 주여 저를 불쌍히 여기소서! 주여 저에게 자비를 내리소서!"라고만 소리질렀다.
　두어 시간 동안 꼼짝하지 못하고 정신없이 누워 있었다. 발작이 가시자 잠이 들었다. 밤이 깊어 잠을 깨니 기분은 훨씬 개운했지만 몸은 힘을 잃고 심히 목이 말랐다. 그러나 온 집안을 통틀어 물 한 방울 없었으므로 아침까지 누워 있을 수밖에 없었고 그러다가 다시 잠이 들었다.
　이 두번째 잠에서 나는 무서운 꿈을 꾸었다.
　나는 담벽 바깥, 지진이 일어난 후 폭풍이 불 때 앉아 있던 바로 그 땅바닥에 주저앉아 있었다. 그때 커다란 먹구름 속에서 활활 타오르는 불꽃을 일으키며 한 남자가 내려왔다. 그 불꽃은 땅 위를 비추고 전신이 불꽃처럼 빛났다. 나는 그를 우러러보지 않을 수 없을 만큼 몹시 무서웠다. 그가 땅 위로 내려설 때 나는 좀전에 지진이 일어날 때 그랬던 것처럼 땅이 흔들린다고 느꼈다. 그리고, 대기가 마치 불꽃으로 가득 찬 것처럼 생각되었다.

그는 땅에 내리자마자, 내쪽으로 다가오면서 손에 든 긴 창칼인지 다른 무기인지 그걸로 나를 죽이려 했다. 그는 좀 높은 곳에 오르더니 무어라고 말을 했다. 그 음성이 얼마나 무서운지 거기서 느끼는 공포감은 어떻게 표현할 수 없었다. 내가 알아들었다고 할 수 있는 말은 이랬다.

"넌 모든 일을 겪고도 뉘우칠 줄 모르니 이제 널 죽여야겠다."

이 말을 하면서 나를 죽이려고 창을 치켜들었다.

이 이야기를 듣는 사람도 내가 이런 무서운 환상에 얼마나 떨었는지 짐작할 수 있을 것이다. 이것이 단순한 꿈에 지나지 않았지만 나는 무서운 악몽에 시달렸고, 잠을 깨어 그것이 한갓 꿈임을 알고 난 후에도 머릿속에 남은 꿈속의 공포는 어떻게 표현할 수가 없을 만큼 무서웠던 것이다.

아아, 그러나 슬프게도 나는 하늘나라에 대해 아는 것이 없었다. 아버지의 성실한 교육을 받았지만, 지난 8년 동안 선원들의 험상궂은 언동에 줄곧 휩쓸려 살아 왔고, 그 자신의 성품처럼 형편없이 비천하고 야비한 대화만 하다보니 종교적인 관심은 닳아 없어졌던 것이다.

그 동안 하나님을 우러러보고 안으로 나 자신의 삶을 반성해 보려는 생각을 한번도 해본 적이 없었던 것이다. 오직 선을 행하고자 하는 욕심도, 악을 증오하는 양심도 없는 어리석은 이 영혼을 다스렸고, 보통 선원들보다 더욱 마음이 메마르고 분별심이 없는 불량아였으며, 위험 속에서 하나님에 대한 두려움을, 은총 속에서는 감사를 느낄 줄 모르는 일종의 동물이었다.

이미 이야기한 내 과거를 회상하면, 이러한 타락은 쉽게 긍정이 되겠지만, 좀 덧붙여 말해 보겠다. 이날까지 내가 겪어 온 갖가지 고초를 통해, 나는 그것이 하나님의 섭리라거나 또는 아버지를 배반했고, 현재도 악을 저지르고 있는 커다란 죄에 대한 벌이며, 사악한 삶의 태도에서 오는 응보라는 생각이 전혀 들지 않았다. 황막한 아프리카 해안 지방을 절망적인 기분으로 항해할 때에도 나는 내 운명이 어떻게 될지 생각해 보지 않았고, "하나님, 절 어디로 이끌어 주소서."라든가, 나를 둘러싼 위험과 야만족이나 굶주린 짐승의 위협을 받으면서도 "주여, 지켜 주소서." 하고, 하나님께 기도를 하지 않았다. 하나님과 그의 은총에 전혀 무관심했고, 자연의 법칙이나 상식의 지시에 맹종하고, 단순한 동물처럼 행동하였다. 과연 상식조차 따랐던지 의심스러웠다.

포르투갈의 선장이 바다에서 나를 구원해서 배에 태워 주고 공정하고 점잖게, 그리고 자유롭게 대해 줄 때에도 내 마음속에는 진정으로 감사한 마음은 느끼지 못했다. 다시 조난당해, 배를 잃고 이 섬에서 익사할 위기를 모면하였으나, 나는 전혀 양심의 가책을 느끼지도 않았다. 이런 사고를 심판으로 생각지도 않았다. 다만 나는 처참한 환경에 태어난 불행한 놈에 불과하다고 때때로 자위할 뿐이었다.

이 섬 해안에 처음 상륙하여, 배에 탔던 선원들이 모두 바다에 빠져 죽고 나만 살아났다는 것을 알았을 때는, 일종의 희열을 느끼고 하나님의 은총으로 구조를 받았으니 진심으로 감사를 드려야 한다고 마음이 감동되었던 것도 사실이다. 그러나 이런 생각은 들자마자, 흔히 그렇듯 그저 덧없이 사라지는 환희처럼 날아가 버렸다. 다시 말하면 다른 모든 사람은 죽었는데 유달리 나만 뽑아 목숨을 보존하여 준 특별한 섭리의 혜택을 눈꼽만치도 생각하지 않았고, 살아났으니 기쁘다는 정도였다.

나는 하나님이 왜 이처럼 내게 자비로운가를 생각하지도 않았다.

살아났다는 기쁨이란 선원들이 조난을 당했지만 해변에 무사히 상륙해서 목숨을 건지고 나서 펀치 술을 한잔 마시고 방금 지난 일을 몽땅 잊어버리는 것과 똑같은 종류의 것이었다. 그리고 내 생애의 나머지도 이 경우와 비슷했다.

그후, 내가 어떻게 이 무서운 섬에 떨어졌는지 사람의 손이 미치지도 못하고 구조의 희망은 전혀 없고 구원받을 가능성도 보이지 않는 이 섬에서 내 처지를 진지하게 생각하여 분별을 했을 때에도 먹고 살 수 있다는 전망을 갖게 되고 굶어 죽지 않는다는 생각이 들자마자 비통한 생각은 달아났다. 마음이 편안해지면서 몸을 보호하고 양식을 마련하는 일에만 열중하게 되었다. 그리고 내 처지를 하나님의 심판이라거나 신의 섭리라고 여기던 감정으로부터 아주 동떨어져 그런 생각은 아예 다시 머리에 떠오르지 않았다.

일기에서 암시한 것처럼 곡식이 자라게 되자 처음으로 하나님에 대한 관심이 얼마만큼 일어났고 그것을 기적적인 사건으로 생각하는 동안에는 진지하게 하나님을 생각하게 되었다. 그러나 곡식이 자라게 된 이유를 깨닫자 그런 생각은 사라지고 거기서 생겨났던 감동도 이미 얘기했듯 모두 달아나고 말았다.

지진이 일어났을 때에도 그렇다. 그처럼 무서운 일도 없었고 이런 일을 혼자서 주관하는 보이지 않는 하나님의 전능을 이처럼 직접적으로 나타낸 일도 없었건만 처음의 공포가 사라지자마자 여기서 받은 감동 역시 사라지고 말았다. 나는 하나님의 심판에 대한 생각은 물론, 현재의 곤경이 하나님의 손길로부터 나온 것이라고는 전혀 생각하지 않았다. 이것은 내 생활이 가장 풍성했을 때에도 마찬가지였다.

그러나 이제, 나는 병들기 시작했고, 그래서 비침한 죽음의 모습이 눈앞에 어른거렸다. 중병에 걸렸다는 마음의 부담 때문에 의기가 소침하고, 육체는 고열에 시달려 지쳐 버렸다. 그리하여 그처럼 오랫동안 잠자던 양심이 깨어나, 과거의 생활을 비판하기 시작했다. 지난날의 내 삶은 유달리 몹쓸 삶이어서 틀림없이 하나님은 공의심을 일으켜 병을 주어 이처럼 징벌을 받게 된 것이다.

몸이 아픈 2, 3일 동안 이러한 생각이 나를 내리눌렀고 격렬한 발열과 함께 심한 양심의 가책 속에 하나님께 몇 마디 기도를 올리지 않을 수 없었다. 하지만 이것은 소망이나 간구의 기도랄 수는 없었다. 오직 공포와 절망의 절규였다. 내 정신은 산란해졌고 이제 죄값을 받게 된다는 생각이 커졌다. 이처럼 비참한 상태에서 죽는다는 공포가 걱정만으로 가득 찬 머릿속을 더욱 우울하게 만들었다. 이처럼 창황한 정신 상태라 내가 무어라고 말해야 할지 알 리가 없었다.

"주여! 저는 얼마나 가엾은 존재가 되었습니까! 병이 들어도 간호해 줄 사람이 없어 죽을 수밖에 없나이다. 저는 어찌 될 것이옵니까!"

이렇게 외쳤을 뿐이었다. 그러자, 눈에서 눈물이 쏟아져 흐르고 한참 동안 아무 말도 할 수 없었다.

이 동안에, "이런 어리석은 생활에 발을 들여놓는다면 하나님은 널 축복해 줄 리 없고 아무도 너를 도와주지 않는다. 지금 내 권고를 듣지 않는다면 언젠가 후회하게 될 때가 온다." 이렇게 이 이야기의 첫머리에 말한 아버지의 성실한 충고와 예언이 머릿속에 되살아났다. 나는 소리내어 말했다.

"아버님의 예언이 그대로 들어맞았다. 하나님의 심판이 시작되었다. 도와줄 사람도 이야기를 들어 줄 사람도 없다. 자비롭게도, 나를 안정된 신분의 생활 속에 태어나게 해주신 하나님의 음성을 나는 거절하지 않았던가. 그 신분을 가지고 살았더라면 행복하고 편안했을 텐데 이런 생활을 알려고 하진 않았지만 그렇게 부모가 가르쳐 주어도 들으려 하지 않았다. 내 어리석음을 한탄하는 부모를 떠나왔다. 이제는 그 어리석음의 업보를 받으려 한탄하고 있다. 나는 이 몸을 세상에 낳아 주시고 내게 편안한 생활을 시켜 주신 부모의 도움과 원조를 거절했다. 그리하여 이제 나는 건강한 몸으로 감당할 수 없는 커다란 고난과 싸우고 있는데 아무런 도움도, 원조도, 충고도 없구나!"

그리고 나는 외쳤다.

"주여, 저를 도우소서. 저는 커다란 고난 속에 빠져 있습니다." 이것도 기도라 부를 수 있다면 나로서는 몇 년 만에 처음 해보는 기도였다. 이제 다시 일기로 돌아가자.

6월 28일 잠을 자고 나자, 기분도 좀 좋아지고 발작도 가라앉았다. 나는 자리에서 일어났다. 꿈속에서 받은 경악과 공포가 무척 컸지만 내일이면 학질이 재발될 거다.

지금이야말로 아플 때를 대비해서 먹고 마실 것을 마련하여야 할 때다. 우선 커다란 네모 통에 물을 채워 침대 가까이 테이블 위에 갖다 놓았다. 물에서 냉기와 학질을 유발하는 요소를 떨쳐 버리려 럼주 약 4분의 1파인트 정도를 섞었다. 그런 다음, 염소고기 한 점을 떼어 불에 구웠다. 그러나, 조금밖에 먹지 못했다. 걸어다닐 수는 있었지만, 몸이 무척 쇠약해 있었다. 게다가 곤경에 빠졌다는 생각 때문에 마음은 서글프고 무거웠으며, 내일 병이 다시 발작한다는 사실이 끔찍했다. 저녁에는 식사로 거북이 알 3개를 꺼내, 재에 익혀 껍질째 먹었다. 이 식사 때 감사기도를 드렸는데 내 기억으로는 이것이 생전 처음 한 식사 기도였다.

저녁 식사를 한 후 밖에 나갔지만, 몸이 너무 쇠약해 총을 제대로 들 수가 없었다(나는 반드시 총을 들고 나갔다). 그래서 얼마 못 가 땅에 주저앉아 바다를 바라보았다. 바로 내 앞에 있는 바다는 아주 조용하고 잔잔했다. 여기 앉아 있는 동안 이런 생각이 떠올랐다.

내가 그처럼 많이 보아 온 이 땅과 바다는 도대체 무엇인가? 그것은 어디서 나왔을까? 나는 무엇인가? 짐승과 사람이 길들인 가축 또는 동물은 무엇이며 우리는 어디서 왔는가?

우리 모두가 틀림없이 땅과 바다, 대기와 창공을 만든 은밀한 힘에 의해 창조되었다면 그 힘은 무엇인가?

그러자, 하나님이 이 모든 것을 만들었다는 지극히 당연스런 해답이 떠올랐다. 그러나, 어색한 점이 있었다. 하나님이 만물을 만들었다면 그분은 이 만물과 이에 관련되는 만사를 이끌어 다스릴 거다. 그럴 것이, 만물을 만든 힘은 틀림없이 만물을 인도하여 지배하는 힘을 가지고 있을 것이니 말이다.

그렇다면, 하나님이 하시는 일의 범위 안에서 일어난 일은 무엇이든 하나님이 알고 계시고 지시한 것이다. 그리고 하나님이 전지하시다면 내가 여기 있고, 이 고통스런 상태에 빠져 있다는 것도 알고 있다. 그리고 모든 것이 그의 지시에 따른 것이라면 지금 내게 일어나고 있는 이 모든 것도 그가 시킨 것이다.

이 결론을 부정할 반론은 전혀 떠오르지 않았다. 그래서 하나님이 이 모든 일을 내게 지시하고, 그의 명에 따라 나는 이 불행한 처지에 빠지게 되었다. 그분은 나뿐만 아니라, 세상에 일어나고 있는 모든 일에 대한 유일한 권능자라는 확신에 이르게 되었다. 그러자, 곧 한 가지 의문이 떠올랐다. 하나님은 왜 내게 이런 일을 내리셨는가? 내가 무슨 짓을 했기에 이처럼 시달려야 하는가?

그러나, 마치 하나님을 모독했다는 듯한 양심이 일어나 곧 이 의문을 억눌렀다. 그리고 내게 이처럼 말하는 것 같았다.

"철면피여! 네가 무슨 짓을 했다고 그러는 것이냐? 무섭도록 헛되게 보낸 네 생활을 돌아보라. 아무 짓도 하지 않았던가, 네 스스로에게 물어보라. 어째서 오래 전에 네가 죽지 않았는가? 어째서 야마우스 해로에서 빠져 죽지 않았던가? 살리의 해적선으로부터 습격을 받았을 때 어째서 사살되지 않았던가? 어째서 아프리카 해안에서 맹수에게 잡아먹히지 않았던가? 그리고 여기서 다른 선원들은 모두 빠져 죽었는데 어째서 너만이 살아났는가? 이래도 무슨 잘못이 있느냐고 물을 수 있겠는가?"

여기까지 생각이 미치자, 나는 깜짝 놀라 벙어리처럼 멍멍해졌다. 아무런 말도 할 수 없었다. 스스로를 변명할 구실도 찾지 못했다. 나는 슬픈 마음으로 몸을 일으켜 내 소굴로 돌아가 담장을 넘어갔다. 잠을 자려고 했지만, 갖가지 생각이 일어나 도무지 잠이 오지 않았다. 그래서 의자에 앉아 램프에 불을 켰다. 어두워지기 시작한 것이다. 이제 병이 또 재발하리란 생각이 들자 몹시 무서워졌다. 이때, 거의 무슨 병에 걸리든 간에 다른 것보다 담배를 약으로 복용하는 브라질 사람들의 습관이 회상되었다. 다행히 주머니에 잘 말려 보관한 담배 한 타래가 있었고, 이것 외에도 아직 말리지 않은 푸른 담배가 약간 있었다.

이 주머니에서 영혼과 육체의 치료제를 찾은 것은 틀림없이 하나님의 계시였으리라. 나는 주머니에서 담배를 꺼냈다. 그리고 거기에 같이 있던 몇 권의 책 중에서 먼저 내가 말한 성경책을 꺼냈다. 이때까지 나는 이 성경을 들여다볼 시간적 여유도, 그럴 생각도 없었다. 이 성서와 담배를 테이블로 가지고 왔다.

병을 치료하는 데 담배를 어떻게 사용해야 할지, 담배가 과연 좋은지 어떤지도 몰랐다. 그러나 몇 가지 방법을 한꺼번에 중복하여 사용함으로써 틀림없이 효험을 볼 작정이었다. 먼저, 담배 잎 한 장을 꺼내 입 안에 넣고 씹었다. 이 담배는 아직도 피워 본 적이 없는 것인데, 그걸 씹어 먹자 정신이 다 빠져나갈 것처럼 담배는 독했다. 그런 다음, 담배 약간을 럼주에 한두 시간 담가 두었다가 잘 때 마시기로 했다. 마지막으로 역시 담배를 석탄불 위에 태워 그 담배 연기에 코를 들이대고 견딜 수 있는 만큼 들이마셨다. 그 독한 연기와 열로 숨이 막힐 지경이었다.

이처럼 치료를 하고 있는 사이사이로 성경을 들어 읽기 시작했지만, 담배에 너무 지쳐서 잘 읽혀지지 않았다. 이런 식으로 우연히 펼친 성서에서 문득 눈에 띈 구절은 "환난 날에 나를 부르라. 내가

너를 건지리니, 네가 나를 영화롭게 하리로다." (역주 : 시편 50장 15 절)란 말씀이었다.

이 구절의 첫 부분은 지금의 내 경우에 아주 잘 들어맞았기 때문에, 읽자마자 내 마음에 깊은 인상을 주었다. 그러나 그 다음 구절은 그것만큼 감명 깊지 못했다. 구원받는다는 대목을 말한다면 지금의 상태로 보아 너무 아득하였고, 너무나 인연이 멀어서 실감이 나지 않았다. 그래서 이스라엘의 자녀들이 먹을 양식을 약속받았을 때 "하나님이 광야에서 능히 식탁을 준비하실 수 있으랴." 하고 의심한 것처럼 나는 "하나님이 이곳에서 과연 나를 구원하실까?"하고 생각하기 시작했다.

내게 구원의 희망이 나타난 것은 몇 해 후였기 때문에, 이후에도 이 말은 자주 내 마음속에서 우러나왔던 것이다. 그러나 어쨌든, 이 성경 말씀은 내게 깊은 감명을 주었고, 이 말에 번번이 위로를 받았다.

　이제 시간도 늦었고 아까 말한 것처럼 담배의 독한 효과가 나타나 졸음이 왔다. 그래 밤중에 무얼 찾을지도 모른다는 생각 때문에 램프를 끄지 않은 채 굴에 놓아 두고 침대로 갔다. 그러나, 눕기 전에 내 생애 한번도 해보지 않았던 일을 했다. 나는 무릎을 꿇고 환난의 날에 하나님을 부르면서 나를 구해 주시겠다고 하신 약속을 이루어 주소서 하고 하나님께 기도했다. 중간중간 말이 막히면서 엉성한 기도를 마치고 난 뒤, 담배를 담갔던 럼주를 마셨다. 이 술은 담배 때문에 어떻게나 독하고 고약한지 삼키기도 어려웠다. 억지로 술을 마신 후 곧 잠자리에 들어갔다. 머리가 심하게 지끈거렸지만 깊은 잠 속에 빠져 들어갔다.

　잠을 깨 보니, 해를 보아 틀림없이 다음날 오후 3시쯤 된 것 같았다. 아니, 사실은 이튿날 하루종일 밤낮 잠을 잤고, 술 마시던 날로부터는 사흘째 날의 오후 3시라는 생각도 들었다. 그렇지 않고서는 몇 해 후에 밝혀진 것처럼 날짜 계산에 어떻게 하루가 빠졌는지 알 수 없는 노릇이다. 내가 적도를 넘나들 때 하루를 잃었다면 실제로는 하루 이상 모자라야 할 것이다. 아무튼 하루가 계산이 안된 것은 명백한데, 그 하루가 어떻게 해서 모자라는지 알 수가 없었다. 어떻든 내가 잠에서 깨어나자 몸이 한결 가볍고 원기도 돌아, 기분이 싱싱해진 걸 느꼈다. 자리에서 일어나자, 전날보다 몸이 훨씬 튼튼해지고 시장기를 느낄 만큼 위장도 좋아졌다. 요컨대, 다음날에는 아무런 발작도 없었거니와, 오히려 몸이 훨씬 좋아졌다. 이날이 29일이었다.

　30일은 물론 학질이 재발하는 날이 아니었다. 총을 들고 나갔지만, 너무 멀리 가지 않았다. 커다란 거위처럼 생긴 바닷새 한두 마리를 잡아 집으로 가지고 왔다. 그러나 그걸 바로 먹을 생각은 나지 않았다. 대신에 거북알 몇 개를 먹었는데, 무척 맛이 있었다. 그 전날 내게 효험이 있었던 것처럼 보인 약을 이날 저녁에도 다시 복용했다. 곧 럼주에 담배를 담가 마셨다. 다만 먼저보다 양을 적게 하고 담배 잎을 씹거나 담배 연기를 맡는 짓은 하지 않았다. 약간 오한이 날 기미를 보였지만, 그리 심하지 않았다.

7월 2일 담배를 처음처럼 세 가지 방법으로 다시 복용했다. 마신 양도 두 배로 늘렸다.

7월 3일 발작은 완전히 멈추었다. 그러나 체력은 몇 주가 지나서야 완전히 회복될 수 있었다. 이처럼 체력을 서서히 되찾고 있는 동안 "내가 너를 구하리라."고 한 성경 말씀이 머리에 떠올랐다. 구조받을 수 없다는 것이 마음을 무겁게 하고 구원받으리란 기대를 억눌렀다. 그러나 나는 가장 큰 고통으로부터의 구원만을 기대했기 때문에 이처럼 낙담하고 있다는 생각이 들었다. 그래서 이런 질문을 스스로 묻지 않을 수 없었다. 나는 기적적으로 병에서 구원을 받지 않았는가? 가장 비참하고 공포로 떨게 한 상태로부터 벗어나지 않았는가! 그러고서 나는 무슨 생각을 했는가? 내 본분을 다했는가? 하나님은 나를 구원해 주셨는데 나는 하나님께 영광을 돌리지 않았다. 다시 말해서 도움을 받고도 도움을 받았다고 생각지 않고 감사를 드리지 않았다. 어떻게 보다 큰 구원을 기대할 수 있겠는가?

생각이 이에 미치자 가슴이 철렁했다. 곧 무릎을 꿇고 병에서 구원해 주신 하나님께 큰 소리 내어 감사기도를 올렸다.

7월 4일 아침에 성경을 들고 신약성서부터 열심히 읽기 시작했다. 매일 아침 저녁으로 몇 장이든 마음이 내키는 대로 읽기로 한 것이다. 성서를 정독하기 시작한 지 얼마 안되어 내 과거의 생활이 얼마나 죄 많은 것이었던가를 더욱 심각하고 절실하게 반성하게 되었다. 전에 꿈꾼 장면이 되살아나고 "이 모든 일을 겪고도 뉘우치지 않는가?"라고 하던 꿈속의 말이 마음을 침통하게 찔러 왔다. "회개케 하사 죄 사함을 얻게 하시려고 그를 오른손으로 높이사 임금과 구주를 삼으셨느니라."(역주 : 사도행전 5장 31절)란 성경 말씀을 읽을 때는 "하나님께서 나를 회개하게 해주소서." 하고 열심히 빌었다. 나는 성경을 내려놓고 두 손과 가슴을 하늘로 쳐들어 환희에 가득 찬 자신을 잊고 큰 소리로 외쳤다. "예수님, 다윗의 아들 주 예수여, 지극히 높으신 임금이시며 구세주이신 주여, 제게 회개를 주시옵소서!"

이것은 진정한 의미에서 내 생애 처음 드린 기도라고 말할 수 있을 게다. 이제 나는 내 처지를 생각하며, 하나님이 내 기도를 들어주리라고 기대하기 시작한 것이다.

이제 전에 말한 "나를 부르라, 내가 너를 건지리라."라는 성경 말씀을 전과 다른 의미로 생각하기 시작했다. 그때에는 구원이라면 오직 내가 빠져 있는 함정으로부터 벗어나는 것이라고만 생각했다. 이 섬은 함정으로서의 장소가 넓기는 하지만 내게 하나의 감옥이며 세상에 있을 수 있는 최악의 사태를 의미했다. 이제 내 과거를 돌아보면, 공포감이 우러나고 죄는 더없이 무거웠다.

"내 영혼이 모든 삶의 기쁨을 저버려도 죄의 짐에서만은 구원받게 해주소서." 하고 하나님께 빌었다. 삶의 고독은 아무것도 아니었다. 이 외로운 삶으로부터 해방시켜 달라고, 또는 그런 생각을 하며 드린 기도는 별로 없었다. 이것은 내 죄로부터 구원된다는 엄청난 일에 비교하면, 전혀 고려할 만한 문제가 되지 못했다. 다만 여기서 덧붙여 누구에게든 충고해 주고 싶은 말은, 인간이 만사의 진정한 의미를 깨닫게 되면, 곤궁으로부터의 구원보다 죄로부터의 구원에서 훨씬 큰 축복을 발견한다는 것이다.

섬을 조사하다

이제 화제를 돌려 일기로 다시 돌아가자.

생활 방법은 여전히 비참한 편이지만 그래도 환경에 훨씬 더 익숙해지기 시작했다. 성경을 꾸준히 읽고 하나님께 기도를 올림으로써, 내 영혼은 보다 높은 세계로 지향하게 되었다. 나는 이제까지 전혀 알 수 없었던 커다란 마음의 안식을 느낄 수 있었다. 뿐만 아니라, 건강과 체력을 도로 회복하자, 나는 필요한 여러 가지 물건을 마련하는 데 노력하면서, 일상 생활을 규칙있게 꾸려 나갔다.

7월 4일부터 14일까지, 나는 주로 총을 들고 나가, 병을 치른 사람이 자신의 힘을 기르듯 조금씩 조금씩 걸었다. 내가 얼마나 쇠약해지고 얼마나 원기가 줄었는지 상상하기 힘들 정도였다. 내가 사용한 치료법은 전혀 새로운 것이었고, 아마도 그 방법으로 학질을 고친 예는 거의 없을 것이다. 이번에 실험해 본 결과 나는 누구에게든 이 치료법을 써 보라고 권하지 않겠다. 이 방법은 발열을 멈추게 했지만, 그보다 더 내게 체력을 소모시켰다. 내 근육과 팔다리는 얼마 동안 곧잘 경련이 일어날 만큼 쇠약해졌다. 이번 경험에서 또한 우기에 밖에 나가는 것이 건강에 가장 해롭다는 것을, 특히 폭풍과 태풍을 함께 몰고 오는 때에는 치명적임을 알게 되었다. 건조기에 오는 비는 거의 언제나 태풍과 폭풍우를 몰고 오기 때문에, 이 비는 9, 10월에 오는 비보다 훨씬 더 위험하다는 것을 깨달았다. 이 불행한 섬에 온 지도 이제 열 달이 넘었다. 이 곤경에서 구조받을 가능성은 전적으로 사라져 버린 것 같았다. 그리고 이곳은 전에 한번도 사람이 와 본 지역이 아님을 확신하게 되었다. 이제 내 처소도 아주 안전한 곳으로 생각되었다. 그래서 나는 이 섬을 보다 샅샅이 조사하고 내가 지금껏 모르던 어떤 생산물이 있는가 찾아보고 싶은 욕망이 일어났다. 이리하여 이 섬 전체에 대한 상세한 조사를 시작한 것이 7월 15일이었다. 우선 나는 이미 얘기한 것처럼, 바다에서 뗏목을 가져다 대던 물굽이로 올라갔다. 거기서 2마일쯤 거슬러 오르니 조수가 여기까지는 더 오르지 않고 이곳은 작은 냇물이 되어 있음을 알게 되었다. 이 냇물은 아주 깨끗하고 맑지만, 지금이 건조기여서 군데군데 물줄기가 끊겨 물이 없었다.

이 냇물 기슭에는 풀로 덮인 평탄하고 비옥한 초원이 펼쳐 있고, 그것이 점차 경사를 지나가 고지대로 이어졌다. 이 경사진 곳에서 굉장히 많은 담배가 파랗게 무성히 자라는 것을 발견했다. 그밖에도 이름도 모르고 무슨 종류인지도 알 수 없는 여러 가지 식물이 자랐는데, 내가 알 수는 없지만 독특한 효능이 있으리라 생각되었다. 나는 이런 열대지방에 사는 인디언들이 빵으로 해먹는 카사바 뿌리를 찾았지만 하나도 발견하지 못했다. 커다란 노회초(역주 : 백합과에 속하는 상록식물로 지중해 연안으로부터 아프리카 연안에 살고 있는 다년생 식물)를 많이 보았지만, 그때에는 그것이 무엇인 줄을 몰랐다. 사탕수수도 여러 줄기가 있었지만 야생인데다가 제대로 경작한 것이 아니어서 시원찮았다. 이번에는 이 정도의 발견으로 만족해서 흐뭇한 기분으로 돌아오면서, 어떻게 하면 내가 발견한 열매와 풀의 용도를 알아낼까 궁리했다.

그러나 아무런 방법도 생각나지 않았다. 브라질에서 살고 있을 때도 아무런 관심을 두지 않았기 때문에 야생식물에 대해서는 거의 알지 못했고, 지금 이처럼 불행한 상태에 빠져 있지만 이것들이 어떤 방면에 쓸모가 있는지 알 수 없었다.

다음날인 16일 먼저와 똑같은 길을 택해서 어제보다 더 멀리 나가 보았다. 시내와 초원이 없어지면서 숲이 점차 울창해졌다. 이곳에서 나는 여러 가지 열매를 발견했는데, 특히 땅에는 멜론이 굉장히 많았고, 나무에는 포도 줄기가 나무를 타고 뻗쳤고, 포도송이는 이제 막 제철을 만나 한창 무르익어 먹음직스러웠다. 이것은 굉장한 발견이었다. 나는 얼마나 기뻤는지 모른다. 그러나 옛날 내가 바바리에 상륙했을 때, 거기 노예로 있던 여러 명의 영국인이 포도를 먹고 설사와 발열을 일으켜 죽은 것을 본 경험이 있었기 때문에, 쉽사리 포도를 먹어서는 안되겠다는 생각이 들었다. 그러나 나는 이 포도의 훌륭한 용도를 궁리해 냈다. 곧 포도를 햇볕에 잘 말려 건포도로 저장해 두면 포도가 없을 때 먹기 좋고, 양분이 풍부한 양식이 되리라 생각했고, 사실 그대로 되었다.

나는 이날 저녁을 거기서 보내고 집에 돌아가지 않았다. 집을 떠나 외박해 보기는 처음이었다. 밤에는 내가 이 섬에 와서 첫날밤을 보냈던 것처럼 나무 위에 올라가 잠을 푹 잤다. 이튿날 아침에도 조사를 계속해서, 계곡의 거리로 판단컨대 4마일쯤 정북쪽으로 여행을 했다. 내가 서 있는 남쪽과 북쪽으로부터 언덕이 시작되었다. 이렇게 가다 보니 서쪽으로 경사가 진 들판에 이르렀다. 옆 언덕에서 시작된 맑은 샘물이 반대쪽, 그러니까 동쪽으로 흘렀다. 이곳은 지극히 상쾌하며, 신록이 우거지고 비옥하여, 마치 상춘(常春)의 상록지대에서 나무가 무성하게 자란 정원 같았다.

나는 이 아름다운 계곡을 얼마쯤 답사하면서 조사를 하는 중에, 이 모든 것이 내 것이며, 나는 틀림없이 이 모든 지경의 왕이자 주인이며, 소유권을 갖고 있다고 생각하자(달리 괴로운 생각도 나기는 했지만), 은근한 쾌감이 솟았다. 그리고 이걸 가지고 갈 수만 있다면 영국의 장주(莊主)처럼 완전한 상속 재산으로 삼을 수 있으리란 생각이 들었다. 코코아, 오렌지, 레몬, 시트론(역주 : 청량음료의 일종) 등의 나무가 무성했다. 그러나 적어도 이때엔 이들 과목은 거칠고 열매가 거의 없었다. 그러나 내가 따 모은 라임(역주 : 유자나무의 일종) 열매는 맛도 좋았고 양분도 아주 많았다. 나는 뒤에 이 열매즙을 물에 타서 마셨는데, 무척 시원하고 자양이 많은 청량음료가 되었다. 이제 나는 거둬들여 집에 가지고 갈 것이 무척 많아 바쁘게 되었다. 곧 다가올 우기에 대비하여 포도와 라임, 레몬을 저장할 곳을 만들기로 했다.

그러기 위해서 나는 한 곳에 커다랗게 포도 더미를 만들고, 또 다른 곳에 그보다 약간 작게 라임과 레몬 더미를 쌓았다. 그리고는 이 과일을 고루 몇 개씩 가지고 집으로 돌아오면서 상자나 부대를 가지고 와서 모두 집으로 나르기로 작정했다.

따라서 이 여행을 떠난 사흘 만에 집으로 돌아왔다(집이란 물론 내 천막과 동굴을 가리킨다). 그러나 집에 도착하기도 전에 포도는 터져 물이 빠져 버리고 알이 으깨져 쓸모가 없게 되었다. 라임은 싱싱했으나 가지고 온 것은 몇 개 안되었다.

다음날 19일에 작은 부대 두 개를 만들어 내가 거두어 둔 열매를 가지러 갔다. 그러나 포도 더미를 보자 깜짝 놀랐다. 내가 따 모을 때는 그렇게 싱싱하고 좋던 포도가 여기 저기 사방에 흩어져 짓밟혀 있을 뿐 아니라 상당량이 먹혀 없어졌다. 나는 근처의 어떤 짐승이 이런 짓을 한 것으로 추측했지만 과연 그 짐승들이 무엇인지는 알 수 없었다.

포도를 더미로 쌓아 놓자니 짐승들이 먹어 없앨 테고, 부대에 넣고 가자니 짓뭉개질 것 같아, 나는 다른 방법을 택하기로 했다. 곧 포도를 많이 따서 햇볕에 마르도록 나뭇가지에 걸어 놓았다. 라임과 레몬만은 할 수 있는껏 잔뜩 등에 져 왔다.

나는 이 여행에서 돌아오자 자못 흐뭇했다. 그 계곡은 과실이 풍성하고 위치가 아늑하며 폭풍우의 피해가 없을 뿐더러, 물과 나무가 많은 것을 생각하고는 나는 이 섬에서 참 나쁜 위치에 집을 세웠다는 결론에 이르렀다. 나는 거처를 옮길 생각을 했고, 가능하다면 그 비옥한 지대에 지금 내가 있는 곳처럼 안전한 장소를 물색하기로 했다.

이 생각은 오랫동안 내 머리를 떠나지 않았다. 나는 그곳을 굉장히 좋아했을 뿐 아니라, 상쾌한 그 계곡이 또 나를 유혹했다. 그러나 이 문제를 보다 면밀하게 검토해 보았다. 내가 지금 있는 해변쪽은 새로이 항해를 하게 될 기회가 온다거나 전에 내게 닥쳤던 것과 똑같은 불운으로 어떤 다른 사람이 이곳에 표류해 올지도 모르는 가능성을 지켜볼 수 있을 것이다. 그런 일이란 실제로 일어나기 어렵겠지만, 내가 이 섬의 중심부에서 언덕과 숲으로 가려진 곳에 숨어 버린다면, 그나마 남은 일루의 희망마저 아주 내버리는 꼴이 될 것이다. 그러므로 어떻든 여기서 옮기지 말아야 한다고 생각하게 되었다.

그러나 그곳에 워낙 매혹되어 있었기 때문에, 나는 7월의 나머지 거의 전부를 그곳에서 보냈다. 그리고 옮기고 싶다는 욕망과 옮겨서는 안된다는 생각을 절충해서 제3의 방법을 궁리했다.

곧 거기에 조그만 오두막을 짓고, 그 둘레로 높은 이중 울타리를 치고, 그 사이에 덤불을 울창하게 심어 담을 견고하게 쌓았다. 그리고 여기도 언제나 사다리로 출입하도록 했다. 그리하여 2, 3일 밤 정도는 아주 안전하게 지낼 수 있게 되었다. 이제 나는 해변의 본집과 산속의 별장을 갖게 된 셈이다. 이 집 짓는 공사는 8월 초까지 계속되었다.

담 공사를 막 끝내 놓고 그 동안의 작업 성과를 즐기려 할 즈음, 장마가 닥쳐와서 나는 처음 집에 틀어박혀 있어야 했다. 둘쨋번 집도 처음 집처럼 돛을 만들었던 천을 잘 펴서 천막을 쳤지만, 비가 심하게 올 때는 습기를 막을 만한 동굴을 미처 만들지 못하였기 때문에 폭풍우를 피할 피난처는 되지 못했다.

8월 초에는 지금 말한 것처럼 오두막 공사를 마치고 거기서 지내기 시작했다. 8월 3일에는 나무에 걸었던 포도가 햇볕에 아주 잘 말랐다. 나는 이 맛있는 건포도를 거두어 들였다. 나는 이런 일이 무척 즐거웠다. 곧 다가올 장마에 건포도가 상하면 가장 좋은 겨울 양식을 잃는 셈이다. 수확한 건포도는 커다란 다발로 2백 개가 넘었다. 이걸 모두 처음 집 동굴에 옮겨 놓자마자 비가 오기 시작해서, 그날 8월 14일부터 10월 중순까지 매일 적든 많든 비가 내렸다. 때로는 폭우가 쏟아져 며칠 동안 굴 밖엘 나가지 못하기도 했다. 이 우기 중에 식구가 늘어서 나는 상당히 놀랐다. 배에서 데리고 온 고양이 중 한 마리가 없어져 어디서 죽어 버린 것으로 생각했고, 사실 그후 고양이의 흔적을 전혀 볼 수가 없었는데 새끼들을 데리고 돌아온 것이다. 이미 말한 것처럼 총으로 들고양이 한 마리를 죽인 적이 있는데, 이 들고양이는 유럽의 고양이와 전혀 달랐었다. 이번에 집에 돌아온 새끼고양이는 제 어미고양이처럼 집고양이였고, 그 중 두 마리는 암놈이었다. 그러나 이 고양이 세 마리 때문에 나는 뒤에 무척 피해를 받았다. 그래서 해충이나 야수처럼 죽여 없애기로 하였고 되도록 집에서 쫓아내곤 했다.

8월 14일부터 26일까지 끊임없이 비가 내렸고, 그래서 나는 습기에 젖지 않기 위해 밖으로 나다니지 않고 조심했다. 이처럼 칩거하고 있는 동안, 나는 식량을 아끼는 한편, 두 번 밖으로 나가 한 번은 염소 한 마리를 잡고 두번째인 26일에는 커다란 거북이 한 마리를 잡았다. 그리하여 하루 식단을 다음과 같이 정했다. 곧 조반은 건포도 한 송이, 점심으로는 염소고기나 거북이 고기 구운 것(불행히도 수프나 스튜를 만들 냄비가 없었다), 저녁 식사는 거북이 알 두어 개.

비에 막혀서 나가지 못하고 있는 동안 하루 두어 시간씩 동굴을 확장했다. 조금씩 안으로 굴을 넓혀가며 담 밖으로 나가는 출입구를 만들었다. 그래서 나는 이리로 들락거릴 수 있었다. 그러나 한

쪽이 열려 있는 방에 누워 있다는 것이 아무래도 불안했다. 그래서 전에 했던 것처럼 완전하게 담을 둘러 쌓았다. 이렇게 하지 않으면 내 몸을 밖으로 드러내 놓고 날 잡아가라고 문을 열어 놓은 셈이다. 내가 본 것으로는 염소가 이 섬에서 가장 큰 짐승이지만, 어떤 다른 맹수가 또 있을지 몰랐다.

9월 30일 불행하게도 이 섬에 상륙한 지 1주년이 되었다. 달력 기둥에 새긴 눈금을 헤아려 보니, 해안에 표류한 지 365일이 되었다. 나는 이 날을 금식일로 엄숙하게 지켰다. 그리고 정말 겸허한 태도로 땅바닥에 꿇어앉아 하나님께 죄를 고백하고 내게 내린 하나님의 의로운 판단을 받아들이며 예수 그리스도를 통해 자비를 베푸소서 하고 기도했다. 12시간 동안 아무 일도 하지 않았다. 해가 진 다음에야 비스킷 하나와 포도 한 송이를 먹고 자리에 들었다. 이렇게 해서 아침부터 경건한 하루를 마쳤던 것이다.

나는 그 동안 안식일을 지키지 못했다. 더 길게 금을 그어 표시하는 것을 잊었기 때문에, 어느 날이 안식일인지 몰라서 그냥 지나쳤다. 그러나 이제, 방금 말한 것처럼 날짜를 셈하여 만 1년이 된 것을 알게 되자, 나는 눈금을 주일로 나누었고 매 7일째마다 안식일로 따로 표시할 수 있었다. 그러나 후에 보니 계산이 하루 내지 이틀 틀려 있었다.

이즈음부터 잉크가 조금씩 딸리기 시작해서 나는 아껴서 일기를 써야 했다. 그래서 일상적인 사건의 기록은 피하고 중요한 사건들만 적었다.

곡식을 뿌리다

　이제 우기와 건기의 규칙성을 뚜렷이 알게 되었고, 따라서 나는 계절에 대비하여 여러 가지를 준비할 수 있게 되었다. 그러나 그럴 수 있기까지 나는 갖가지 쓰라린 경험을 겪어야 했다. 이제 내가 겪어야 했던 경험 중 가장 쓰라렸던 일을 소개한다.

　내가 저절로 솟아난 것으로 착각하고 경탄하면서 보리알과 쌀알 약간을 저장해 두었다는 것은 이미 이야기했었다. 그 저장한 곡식은 쌀이 약 30낱, 보리가 20낱쯤 되었는데, 장마도 그치고 해도 정남쪽으로 비치게 되어, 이제는 파종기가 되었다고 생각했다.

　이에 따라 나는 나무로 만든 삽으로 정성스레 땅 한쪽을 파고 두 갈래로 이랑을 내고 거기에 곡식 알을 뿌렸다. 그러나 씨를 뿌릴 때 처음부터 다 뿌려서는 안된다고 생각하였다. 이걸 뿌리는 시기가 제대로 맞는지 알 수 없었기 때문이었다. 그래서 3분의 2만 뿌리고 나머지 한 주먹만큼은 그대로 두었다.

　후에 보니 이렇게 한 것이 천만 다행이었다. 이때 파종한 데서는 아무것도 나오지 않았다. 파종한 때가 몇 달 동안 계속되는 건조기여서 씨를 뿌린 뒤 비가 오지 않아 싹이 자랄 습기가 없었던 것이다. 그러다가 우기가 돌아와야 새로 씨를 뿌린 것처럼 싹이 트기 시작하는 것이었다.

첫 파종에서 아무것도 나오지 않은 것이 한발 때문임을 곧 깨닫고 축축한 땅을 골라 다시 한번 시험하고, 새 오두막 부근에 또 땅을 파서 2월 춘분 조금 전에 나머지 씨를 모두 뿌렸다.

이 씨가 3월, 4월의 장마철에 물을 흠뻑 먹더니 싱싱하게 싹이 돋아 열매를 풍성하게 맺었다. 그러나 내가 가진 씨가 얼마 되지도 않는데다가 그나마 다 뿌린 것이 아니어서 거두어들인 것도 얼마 되지 않았다. 수확량이라고는 모두 쌀, 보리가 각각 한 주머니 정도도 안 되었다. 1년에 이모작을 할 수 있는가를 알게 되었다.

이처럼 곡식이 자라고 있는 동안 한 가지 유익한 발견을 했다. 장마가 그치고 고른 날씨가 계속되는 11월경, 나는 계곡의 오두막 집에 가보았다. 몇 달 동안 비워 두었던 곳이지만 모든 것이 전과 다름없이 놓여 있었다. 더욱 내가 만든 둥근 이중 생울타리는 견고하고 완벽했다. 그리고 근처에서 자라는 나뭇가지를 잘라 박은 울타리가 모두 뿌리를 뻗쳐 마치 버드나무 가지처럼 1년 만에 커다랗게 자라 있었다. 내가 이 가지를 잘라 울타리를 만든 나무 이름이 무엇인지 모른다. 다만 이 어린 나무가 무척 잘 크는 것이 놀랍고 기뻤다. 나는 잔가지를 손질하여 자라도록 해 주었다. 3년 후면 얼마나 멋있게 자랄 것인가 그 모습을 상상하기조차 어려웠다.

이 생울타리는 직경 약 25야드의 원형이지만 이 나무(이제는 그렇게 불러도 될 것이다)가 곧 전체를 덮어, 건조기에는 여기서 기숙하기 충분할 만큼 그늘을 이루었다.

이것을 보고 나는 이 나뭇가지로 내 담벽(처음에 지은 집의 담을 말하는 것이다) 둘레도 이와 같은 반원형의 생울타리를 만들기로 했다. 나는 처음 담으로부터 8야드 가량 떨어지게 두 줄로 나무를 심어 생울타리를 만들기로 했다. 이 울타리는 오래잖아 내 거처를 멋있게 덮었고 후에는 방벽 구실도 했다. 이 이야기는 그때 가서 다시 하게 될 것이다.

이제 나는 이곳의 1년이 유럽처럼 여름과 겨울로 나뉘는 것이

아니라, 대개 우기와 건기로 구별된다는 것을 알았다. 이걸 대략 구분해 보면,

2월 후반 3월 4월 전반	우기로 해는 춘분점에 접근해 있다.
4월 후반 5월 6월 7월 8월 전반	건기로 해는 적도 북쪽에 위치한다.
8월 후반 9월 10월 전반	우기로 해는 추분점에 접근한다.
10월 후반 11월 12월 1월 2월 전반	건기로 해는 적도 남쪽에 위치한다.

우기는 바람이 부느냐 불지 않느냐에 따라, 이보다 길어지기도 하고 짧아지기도 했지만, 대략 위와 같이 구분할 수 있었다. 장마철에 밖으로 나다니는 것이 결과적으로 나쁘다는 것을 경험으로 안 다음부터, 나는 나가지 않고도 지낼 수 있도록 미리 식량을 준비했고, 우기가 시작되면 되도록 집안에 들어앉아 지냈다.

집안에 있는 동안에는 여러 가지 일을 했다(그리고 시기적으로도 이때가 알맞았다). 이때가 아니면 할 수 없는 일거리를 많이 만들어 열심히 일하고 끊임없이 고안해 냈다. 특히 바구니 때문에 여러 가지로 노력해 보았지만 재료로 쓸 나무가 모두 부서지기 쉬운 것이어서 소용이 없었다. 이때야말로 내가 어렸을 때의 경험이 큰

곡식을 뿌리다 *127*

도움이 되었다. 나는 동네 바구니 집에서 사람들이 바구니 만드는 모습을 즐겨 보아서 아이들이란 으레 그렇듯, 그들이 일하는 데 열심히 참견하여 일을 거들어 주고 어떻게 바구니를 만드는가를 자세히 관찰하며, 때로는 조수 노릇도 해주었다. 이렇게 해서 나는 바구니 만드는 법을 완전히 습득했고, 이제 필요한 것은 오직 재료뿐이었다. 이때 내가 심은 생울타리에서 꺾어 온 잔 나뭇가지가 영국의 버드나무나 실버들 가지처럼 질길 것이란 생각이 들었다. 그래서 이것으로 바구니를 만들어 보기로 했다.

이튿날 나는 소위 별장이 있는 계곡으로 가서 잔가지를 꺾었다. 나뭇가지는 내가 바라던 만큼 질겨 바구니를 만드는 데는 충분했다. 그런 다음에는 손도끼를 가지고 가서 잔가지를 잘라냈다. 잔가지는 곧 잔뜩 쌓였다. 이 가지를 생울타리에 널어 알맞게 말린 후 동굴로 운반해 왔다. 그리고 우기 중에 바구니 만드는 일에 몰두했다. 그리하여 흙과 물건을 나르거나 넣어 둘 수 있는 바구니를 한껏 많이 만들었다. 이들 바구니는 멋은 그리 없었지만 그래도 사용하기에는 충분했다. 이로부터 무슨 일이든 바구니를 이용했고 닳아 못 쓰게 되면 새로 더 만들었다. 특히 곡식을 많이 수확할 경우에 대비해서, 큰 자루 대신에 쓸, 들이가 깊숙한 곡식 바구니를 만들었다.

많은 시간을 들여 이 어려운 작업을 마친 뒤, 나는 아직 갖추지 못한 물건 두 가지를 만들어 볼 궁리를 시작했다. 곧 물을 담을 그릇이 없었다. 있다면 럼주가 가득 찬 술통 두 개와 보통 크기의 유리병 몇 개, 그리고 물이나 술을 넣어 두는 상자통뿐이었다. 또한 음식을 끓일 그릇으로는 배에서 가져온 커다란 주전자가 있었는데, 그것은 너무 커서 수프나 스튜를 만드는 데 마땅치 않았다.

또 한 가지 갖고 싶은 물건은 담배 파이프였다. 파이프를 만드는 것은 불가능할 것 같았지만, 마침내 그것도 만들어낼 방법을 연구해 냈다.

나는 두번째 줄의 울타리를 심는 작업도 했는데, 바구니 제조에 매이다 보니, 여름 그러니까 건기 전부가 지나갔다. 게다가 다른 일이 일어나 여기에 또 시간을 빼앗겨서, 예상했던 것보다 시간이 더 걸렸던 것이다.

섬을 종단 여행하다

　　내가 이 섬 전체를 조사하고 싶은 호기심에 젖어, 시내를 거슬러 올라갔다가 오두막을 새로 짓고 섬 저편의 해변으로 트인 곳까지 가보았다. 이제 나는 저쪽 해변으로 여행을 해 보기로 작정했다. 그리하여 보통 때와 달리 총과 손도끼, 개와 함께 많은 화약과 탄환, 비스킷 과자 두 덩이와 귤, 건포도 송이를 넣은 작은 주머니를 가지고 떠났다. 먼저 말한 내 오두막이 서 있는 골짜기를 지나자 서쪽으로 바다가 나타났다. 날씨가 아주 청명해서 멀리 육지가 똑똑히 보였다. 그 육지가 섬인지 대륙의 한 부분인지 알 수는 없었지만, 서쪽으로부터 서남쪽으로 무척 길게 뻗친 고지를 이루고 있는데, 짐작으로는 15내지 20리그 이상 떨어진 것 같았다. 이 육지가 아메리카 대륙의 일부가 아니라면 또 어떤 땅일는지 알 수 없었다. 면밀히 관찰한 결과 그곳은 틀림없이 스페인 영토 부근이며, 오직 야만족만이 살고 있어, 내가 그리로 가보았자 지금 있는 곳보다 처지는 더 나쁠 것으로 판단이 섰다. 그리하여 나는 하나님의 처분을 조용히 받아들이기로 했다. 그것만이 최선이며 그에 따라 행동하지 않을 수 없는 것이다. 다시 말하면 육지를 발견했다 해서 흥분하지 않고 거기에 가보고 싶다는 헛된 욕망과 싸우며 마음을 차분히 가라앉힌 것이다.

게다가, 이러고 나서 얼마 후 다시 생각해 보니, 이 육지가 스페인 영토의 연안이라면 그 동안 틀림없이 지나가는 배를 보았어야 했다는 생각이 들었다. 이 육지가 스페인 영토가 아니라면 스페인령과 브라질 사이의 야만 지대로서, 이곳 주민은 틀림없이 식인종들일 것이다.

이런 생각들을 하며 천천히 앞으로 나갔다. 지금 내가 서 있는 섬 이편은 내가 살고 있는 지역보다 훨씬 살기 좋은 곳임을 깨닫게 되었다. 비옥한 대초원에는 꽃과 풀이 곱게 자라고 훌륭한 숲이 까맣게 뻗쳐 있었다. 앵무새도 많았다. 나는 한 마리를 잡아 길들여서 말을 가르치고 싶었다. 나무로 쳐서 겨우 새끼 한 마리를 잡아 생기를 되찾도록 구슬린 뒤 집으로 가지고 왔다. 그러나 몇 해가 지나서야 앵무새는 말을 할 수 있게 되었다. 나는 마침내 앵무새가 정답게 내 이름을 부르도록 가르치는 데 성공한 것이다. 앵무새에 대한 그 후의 일은 아주 사소한 것이지만 그때 가서 다시 즐겁게 이야기하겠다.

이번 여행은 무척 즐거웠다. 낮은 들판에서 산토끼로 생각되는 짐승도 보았고, 전에 본 것과는 전혀 다른 종류의 여우도 눈에 띄었다. 이 여우를 여러 마리 잡았지만 먹을 기분은 나지 않았다. 식량이 모자라지도 않았거니와, 게다가 무척 좋은 양식이 있었기 때문이다. 특히 염소와 비둘기, 그리고 거북이 등 세 가지 고기에다 포도까지 있으니, 레든홀 시장에서도 구할 수 없을 정도였다. 내 처지가 아직 한심하기는 하지만, 식량이 다 떨어지기는커녕 오히려 더 풍부해지고, 그것도 진미들이어서 나는 아직 더 감사를 드려야 할 여유가 있었다.

이번 여행에서 하루 2마일 정도 이상 더 나가지 않았지만, 이리 돌고 저리 굽으면서 많은 것을 찾아냈기 때문에 아주 피곤해져서, 한 곳에 자리를 잡아 거기서 밤을 지내도록 했다. 나는 나무 위에서 자기도 하다가 나무와 나무 사이의 땅에다 내 몸 둘레에 생울타

리를 한 줄로 세우고, 짐승들이 덤벼들면 잠이 깰 수 있게 했다.

해안으로 내려와서 둘러보고, 내가 이 섬에서 가장 나쁜 곳에 자리잡았음을 깨닫고 한탄했다. 정말 수없이 많은 거북이가 해변을 뒤덮을 정도지만, 저쪽 내가 사는 해변에는 1년 반 동안 세 마리밖에 구경을 못했던 것이다. 여기에는 또 여러 가지 새가 엄청나게 많았다. 이미 내가 본 새도 있었지만 전혀 본 적이 없는 새도 있었고, 그 중 많은 종류가 아주 좋은 식육이 될 수 있었다. 그러나 내가 아는 새 이름은 펭귄밖에 없었다.

나는 기분이 내키는 대로 총을 쏘기도 했지만, 더 좋은 먹이가 될 암염소를 잡기 위해 탄환과 화약을 아꼈다. 이곳에는 내가 사는 쪽보다 염소가 훨씬 많았지만, 지대가 평탄한 곳이라서 가까이 다가가면 언덕진 곳보다 더 쉽게 나를 알아채고 도망쳐 버리기 때문에 잡기가 더욱 힘들었다.

이 지역이 내가 사는 곳보다 훨씬 살기는 좋겠지만, 그렇다고 이리로 옮길 생각은 조금도 없었다. 나는 이미 거처를 확정하였고 그곳은 마치 태어난 고향 같았기 때문이다.

또한 내가 여기에 와 있는 동안 줄곧 집을 떠나 여행하고 있다는 기분을 느낄 수 있었다. 그리하여 해안을 따라 동쪽으로 나가서 12마일쯤 되는 곳에 멈추었다. 그리고 해변에다 커다란 나무 기둥을 목표로 세우고 집에 돌아가기로 했다. 다음번 여행은 집으로부터 동쪽으로, 정반대편으로 돌아서 이 기둥까지 다시 오기로 했다. 이에 대한 이야기는 그때 할 것이다.

나는 돌아가는 길을 올 때와 달리 잡았다. 이 섬 전체를 쉽게 전망할 수 있어서 주위를 돌아보고 어김없이 집을 찾으리라 생각한 것이다. 그러나 길을 잃고 말았다. 2, 3마일쯤 걷자 아주 넓은 계곡을 내려가게 되었는데, 이곳은 언덕으로 둘러싸이고 언덕은 숲으로 덮여 있어서 해의 위치로 짐작하는 외에는 집으로 가는 방향을 잡을 수 없었다. 나는 시간과 해의 위치로 방향을 알 수 있었던 것이다. 그러나 운 나쁘게도 골짜기에 가 있는 3, 4일 동안 안개가 끼어 해가 보이지 않았다. 그래서 무척 불안한 마음으로 길을 헤매다가 결국 해변으로 다시 나와 내가 세웠던 기둥을 찾아냈다. 여기서 처음 내가 갔던 곳을 더듬어 쉬운 길을 잡아 집으로 돌아왔다. 날씨는 무척 덥고 총과 탄약, 손도끼와 기타 휴대품이 무척 무거웠다.

집으로 돌아오는 도중에 내가 데리고 간 개가 기습해서 새끼 염소를 잡았다. 나는 뒤쫓아가 개가 챈 새끼 염소를 산 채로 붙들어 잡았다. 나는 되도록 이 염소를 집으로 데려가고 싶었다. 전부터 새끼 염소 한두 마리를 잡아 키우면서 길들이면 화약과 탄환을 다 쓴 후에도 식용으로 잡아먹을 수 있지 않을까, 자주 생각해 왔던 것이다. 나는 늘 가지고 다니던 새끼줄로 이 새끼 염소를 고리에 매어 끌고 왔다. 힘은 꽤 들었지만 오두막까지 끌고 와 가두어 놓고 집으로 떠났다. 거의 한 달 동안 비워 두었던 집이 몹시 그리웠다. 집에 돌아와 그물침대에 누웠다. 그때의 기분이 얼마나 포근하고 만족스러웠는지 어떻게 표현할 수 없을 정도였다. 일정한 거처 없이 짧으나마 이처럼 돌아다닌 여행이 내게는 참으로 불편했다. 돌아다니는 생활에 비하면 내 집은 훌륭한 안식처였다. 집안에서 하는 생활이 모든 점으로 편안했기 때문에 나는 이 섬에 살면서 이 집을 거처로 삼는 한, 다시는 멀리 떠나가지 않기로 작정했다.

나는 집에서 1주일 동안을 지내면서 휴식을 취하여 오랜 여행을 하고 난 뒤의 내 몸을 추슬렀다. 이렇게 집에서 보내는 시간 대부분을 앵무새 폴이 살 새집을 만드는 어려운 일에 바쳤다. 앵무새 폴은 이제 집안 생활에 익숙해졌을 뿐더러 나하고도 친하게 사귀기 시작했다. 그때 나는 오두막집 담 안에 가두어 두었던 가련한 새끼 염소 생각이 났다. 그리로 가보니 염소는 내가 두어 둔 그대로 있었다. 밖으로 도망치지도 못할 뿐더러 먹을 게 없어 거의 굶어죽을 지경이었다. 나는 나가서 나뭇가지와 덤불 줄기를 잔뜩 잘라 염소를 먹었다. 그리고는 전번처럼 목에 줄을 매어 끌었지만 사실은 그럴 필요가 없었다. 새끼 염소는 너무 굶주린 탓으로 온순해져서 개처럼 잘 따랐던 것이다. 계속 먹이를 주면서 키우자 이 새끼 염소는 아주 귀엽고 온순해져서 그때부터 내 가족의 하나가 되어 다시는 도망가려 하지 않았다.

이제 추분의 우기가 왔고, 나는 작년과 같이 엄숙한 자세로 9월 30일을 기념했다. 이 섬에 상륙한 지 1년이 지나고 2주년이 되었지만, 구조받을 전망은 처음 여기에 표류해 온 날보다 더 밝아지지 않았다. 나는 하루종일 겸허한 마음으로 내 외로운 처지에 내려진, 그것이 없었다면 한없이 비참하게 되었을 여러 가지 놀라운 은총에 대해 감사의 기도를 드렸다. 자유로이 사람과 사귀며 세상의 쾌락 속에 싸여 살 때보다, 이처럼 고독한 환경 속에서 더 행복스러울 수 있다는 가능성을 가르쳐 주신 하나님에게 나는 진심으로 감사를 드렸다. 하나님은 자신의 존재를 내게 드러냄으로써 내 고독한 환경에서 오는 부자유와, 사람과 사귈 수 없는 고립된 생활에서 온 결핍을 충분히 보상해 주었다. 내 영혼을 은총으로 도와 주고 위로하며 격려해 주셨다. 그리하여 지상에서는 하나님을 의지하게 하고 저세상에서는 하나님의 영원한 모습을 소망하게 해주셨다.

이제야 나는 이 비참한 환경 속에서도 나의 삶이 과거의 내 생애처럼 몹쓸, 더럽고 지긋지긋하던 삶보다 얼마나 행복한가를 비로소 분별있게 느끼기 시작했다. 이제 나는 슬픔을 기쁨으로 바꾸었고, 내 소망도 감정도 바뀌었다. 지금의 내 환희는 이 섬에 처음 올 때나, 혹은 지난 2년 동안 느껴 오던 것과는 전적으로 다른 것이었다.

전에는 사냥이나 지형 정찰을 하러 밖에 나갔다가, 갑자기 내 영혼의 고뇌가 터지고 심장이 멎어 버릴 것 같은 고통을 자주 느꼈다. 나를 둘러싸고 있는 숲과 산과 들판을 돌아보며 어떻게 해서나는 이 사람 없는 황야에 버림받고, 구원의 가망도 없이 바다라고 하는 영원한 감방에 갇혀 버린 죄수가 되었는가? 생각할수록 괴로웠다. 한껏 마음의 평정을 지녔다가도 이 생각만 하게 되면 내 마음은 폭풍처럼 터져 손을 움켜잡고 어린애처럼 울었다. 때로는 일을 하다가도 이 생각을 하고는 곧장 주저앉아 한숨을 쉬며, 한두 시간 동안 땅만 멍하니 내려다보곤 했고, 이 때문에 사태는 더욱 악화되었다. 눈물을 쏟으며 혼자 지껄여대다 보면 고통도 가라앉고 슬픔도 말라서 다 잊혀지기도 했다.

그러나 이제는 새로운 생가으로 나 자신을 훈련하기 시작했다. 나는 매일 하나님의 말씀을 읽고 거기서 현재의 상태에 대한 위로를 찾았다. 어느 날 아침, 마음이 무척 우울해서 나는 성경책을 펼치고 "나는 너희를 버리지 아니하고, 너희를 떠나지 아니하리라." 란 구절을 읽었다. 그러자 즉시로 이 말씀은 내게 하신 말씀이란 생각이 들었다. 하나님과 인간으로부터 버림받은 사람으로서 내 처지를 슬퍼하고 있는 바로 이 순간에, 이 성경 말씀은 왜 하필 이런 식으로 내게 향해 오는가? 나는 스스로 대답했다. "그렇다. 세상이 모두 나를 버린다 하더라도 하나님께서 나를 버리지 않으시는 한 그게 무슨 큰 불행을 만들 수 있단 말인가? 만일 이와 반대로 내가 온 세상을 얻을지라도 하나님의 은총과 축복을 잃는다면 그보다 큰 손해는 없지 않겠는가?"

이 순간부터 나는 이 버림받고 고독한 상태에서 얻는 행복이 세상에서 어떤 특정한 신분으로 얻을 수 있는 행복보다 더 클 수 있다고 마음속에 확신했다. 그리하여 이런 생각으로 하나님이 나를 이곳으로 보내신 데 대한 감사를 드렸다.

그러나 여기에 생각이 미치자 그것이 무엇인지는 모르지만, 갑자기 내 머릿속에 비집고 들어오는 것이 있었다. 나는 감히 지껄이지 않을 수 없었다. 억지로 만족한 체 애를 써 보았자 진심으로는 구출되기를 기도하고 있지 않은가? 이런 상태에 대해 감사를 하는 체하다니 정말 위선자가 아니냐? 그러나 나는 여기서 생각을 멈추었다. 그리고 내가 여기 오게 된 것을 하나님께 감사했다고 말할 수 없을망정, 어떤 고통스런 시련을 겪게 하여 내 눈을 뜨게 해서 과거의 생활을 반성하고, 그것의 사악함을 슬퍼하며 회개하도록 해주신 데 대해서는 하나님에게 진심으로 감사를 올렸다. 나는 옛날 성서를 뒤적거려 본 적이 없었다. 그런데도 불구하고 하나님이 영국에 있는 내 친구에게 지시해서 다른 물건과 함께 성서를 보내주시고, 후에는 조난당한 배에서 이 성경을 찾아내도록 도와주신 것에 대하여 감사를 드리지 않을 수 없었다.

쉴 여가가 없어지다

    .

    이런 심정으로 이 섬에서 3년째를 맞았다. 첫해의 생활처럼 자세하게 이 해의 작업을 설명할 수는 없다. 다만 전반적으로 보아 쉴 틈이 거의 없었다는 것만 말해야겠다. 나는 매일 일과에 따라 시간표를 작성, 규칙적으로 생활했다. 그 일과의 첫째가 하루 세 번씩 하나님께 기도를 드리며 성경을 읽는 일이었다. 둘째는 총을 들고 사냥을 나가는 일인데, 비가 오지 않는 날은 보통 오전 중 세 시간이 걸렸다. 셋째는 잡아온 짐승을 간추리고 간수하며 요리하는 일이었다. 이 일이 하루 중 상당한 시간을 차지했다. 해가 중천에 뜬 대낮에는 햇빛이 너무 뜨거워 움직일 수도 없을 정도였다. 그래서 오후 세 시간은 작업을 할 수 없었다. 가끔 규칙을 어겨 때로는 사냥과 작업의 순서를 바꾸어, 오전에 작업하고 오후에 총을 들고 나가기도 했다.

    이처럼 작업시간이 짧은 데다가 한 작업에 드는 노동량은 엄청나게 많다는 사실도 덧붙여야 하겠다. 연장이 모자라고 누구의 조력도 받지 못하는 것은 물론, 기술이 모자라 무엇을 하든 시간이 많이 들었다. 예를 들면 굴 안에 걸어 둘 선반에 사용할 널빤지 한 장을 만드는 데만 42일이 걸렸다. 두 사람이 연장을 갖추고 틈을 만들어 톱질을 하면 반나절 동안에, 한 나무에서 널빤지 6장을 만들어 낼 수 있을 것이다. 그러나 내가 하는 방법은 이렇다. 내가 원하는 널빤지는 폭이 넓어야 하기 때문에, 우선 커다란 나무를 자른다. 이 나무를 잘라 쓰러뜨리는 데 사흘이 걸리고, 가지를 쳐내고 통나무를 만드는 데 이틀이 걸린다. 도끼로 깎고 찍어내고 하는 등 무진 애를 써서 통나무 양쪽을 깎아내면 마침내 움직일 수 있을 만큼 가벼워진다. 그런 다음, 끝에서 널빤지처럼 매끄럽고 평평하게 한 면을 깎고, 이것이 다 되면 돌려서 다른 면을 이처럼 깎는다. 그런 다음에야 3인치 두께로 양면이 매끄러운 널빤지 한 장이 이루어지는 것이다.

이런 일에 무슨 일을 그리 많이 하느냐고 하겠지만, 나는 이 노력과 인내로 널빤지뿐만 아니라, 그밖의 수많은 일을 해치웠던 것이다. 다만 이처럼 자질구레한 일에 어떻게 그처럼 오랜 시간을 썼는가, 여기서는 그 이유를 설명한 것뿐이다. 다시 말하면 내가 남의 도움을 받고 또 연장을 가지고 한다면 순식간에 했을 일을, 혼자서 그것도 손만 가지고 하다 보니 노동력이 엄청나게 많이 들고 굉장히 오랜 시간을 소비해야 했던 것이다. 그러나 이런 실정에도 불구하고 나는 인내와 노동력을 기울여 많은 물건들을 만들어냈고, 사실 환경에 따라 필요한 것은 무어든 다 만들었다. 그 실례는 다음에서 볼 것이다. 이제 11월부터 12월 사이, 나는 보리와 밀의 수확을 기다리게 되었다. 땅을 갈고 거름을 준 면적은 그리 넓지 않았다. 이미 말한 것처럼 파종한 보리와 쌀은 각각 반 봉지를 넘지 못했고, 게다가 건조기에 뿌린 것은 완전히 허탕만 쳤기 때문이다. 그러나 이제 수확은 확실했다. 그러는 참에 갑자기 여러 가지 짐승들이 곡식을 해쳐서 일거에 농사를 실패할지도 모를 위험을 발견했다. 그중 하나는 염소와, 내가 산토끼라고 부르는 들짐승이었다. 이들은 부드러운 잎사귀를 맛보고 밤낮으로 틀어박혀 곡식을 뜯어먹었다. 그래서 보리와 벼는 줄기로 자랄 여유마저 없었다.

여기에는 울타리를 쳐서 막는 길밖에는 다른 방법이 없었다. 이 때문에 나는 상당한 고역을 치러야 했고, 더구나 빨리 해치워야 했다. 다행히 경작 면적이 혼자서 수확하기 알맞도록 적기 때문에 울타리를 다 치는 데 약 3주일이 걸렸다. 그러는 동안 낮에는 뜯어먹으러 오는 짐승들을 총으로 쏘고, 밤에는 개를 입구 말뚝에 매어 두고 밤새도록 짖게 했다. 얼마 후에는 이 짐승들도 다시는 오지 않게 되었고, 곡식은 싱싱하게 무럭무럭 자라 곧 이삭을 맺기 시작했다. 그러나 곡식의 잎이 나기 시작할 때는 짐승들이 망치려 들더니, 이제 이삭이 팰 무렵에는 새가 또 덤벼들었다. 어느 날 벼와 보리가 제대로 자라는가 보려고 논에 나갔다가, 이름도 모를 여러 종류의 새들이 근처에 몰려 와 있는 것을 발견했다. 그들은 내가 돌아가는가 지켜보듯 앉아 있었다. 나는 곧 새를 쫓아 버렸다.(나는 언제나 총을 가지고 쏘다녔다. 총을 한번 쏘자 논 근처에는 새 한 마리 볼 수 없었다.)

이 일 때문에 나는 무척 침울해졌다. 며칠만 지나면 새들이 내 유일한 희망인 곡식 이삭을 다 먹어 버릴 것이다. 그러면 나는 곡식 한 알 먹어 보지 못하고 또다시 씨를 뿌리지도 못하게 될 것이다. 어떻게 해야 좋을지 몰랐다. 어떻든 밤낮으로 망을 봐서라도 곡식을 빼앗기지 않을 결심이었다. 우선 어느 정도 피해를 입었나 보기 위해 논으로 들어갔다. 새가 많이 먹어 없애기는 했지만, 곡식이 아직 익지 않은 것이어서 손실이 그다지 큰 편은 아니었다. 이대로 잘 살리기만 하면 풍작을 바랄 수 있을 것 같았다.

나는 논을 둘러본 다음 총을 장전하고 돌아가려 했다. 바로 그때 새들이 내가 가기를 기다리는 듯 나무 위에 앉아 있는 것이 보였다. 정말 새들은 내가 가기를 기다리고 있었다.

내가 가는 체하고 자리를 떠서 그들이 보지 못하는 곳쯤에 숨자, 그들은 다시 하나씩 곡식이삭으로 날아 내렸다. 저 새들이 지금 먹고 있는 곡식 한알 한알을 다 모으면 내게 1봉지 정도의 양이 된다는 것을 생각하니 분통이 터져 더 이상 그 자리에 숨어 있을 수 없었다. 나는 울타리께로 와서 다시 총을 쏘아 세 마리를 잡았다. 그리고 영국에서 악명 높은 도적들을 처형할 때처럼, 이 세 마리 새의 목을 매닮으로써 다른 새에게 공포감을 주도록 했다.

이 처형 방법이 그처럼 큰 효과를 내리라고는 전혀 뜻밖이었다. 새들은 다시는 논에 다가오지 못할 뿐만 아니라, 얼마 후에는 그 부근에는 얼씬하지 않았다. 그리하여 내가 허수아비를 만들어 세워 놓은 동안 이 근처에서는 새 한 마리 볼 수 없었다.

나는 곡식을 벨 낫이 없어서 다시 암담해졌다. 궁여지책으로 배에서 꺼내 온 무기 가운데서 폭 넓은 칼과 단검을 고쳐서 쓸 수밖에 없었다. 그러나 내 첫 수확량은 많지 않았기 때문에 그걸 거두어 들이는 데 별 힘이 들지는 않았다. 간단히 얘기해서 내 방식대로 이삭만 잘라 거두고, 내가 만든 커다란 바구니로 날랐다. 그런 후 손으로 이삭을 비벼 껍질을 벗겼다. 이렇게 곡식을 거두고 보니 달아볼 말이 없어 정확히는 알 수 없었지만 추측컨대 반 봉지의 종자로부터 쌀이 약 2부셸 보리가 2부셸 반 정도 나왔다.

양이 많지는 않았지만 이것으로 해서 나는 큰 용기를 얻게 되었다. 멀지 않아 하나님이 내게 빵을 해 먹을 만큼 식량을 보급해 줄 것이라 기대하게 되었다. 그러나 여기서 다시 난처한 문제가 생겼다. 이 곡식알을 어떻게 갈아서 가루로 만들어야 할 것인가, 또 설령 가루를 만들었다 하더라도 어떻게 체에 친 고운 빵가루를 만들어야 할지, 또 그렇게 만들었다 하더라도 어떻게 빵을 구워야 할지 막연했다. 뿐만 아니라, 곡식을 많이 저장해서 계속 먹어도 충분할 만큼 확보해 두고 싶었다. 그래서 이번 수확한 곡식은 맛도 보지 않고 모두 다음 파종기에 쓸 종자로 보관하기로 하는 한편, 그 동안 곡식으로 빵을 해 먹는나는 이 커나란 일을 이루기 위해 전심전력 연구하며 작업하기로 작정했다.

이제는 빵을 위해서 일한다고 해도 과언이 아니었다. 이 말이 좀 이상하게 들릴는지 모른다. 그러나 빵 하나를 위해 준비하고, 제작하며, 가공하고, 굽고, 만드는 데까지 자질구레한 일이 굉장히 많다는 것을 사람들은 별로 생각하지 않는 것 같다.

순수한 자연상태에 놓이게 된 나는 매일 이 빵 문제를 생각했고, 시시각각으로 빵을 갖고 싶은 욕망이 절실해졌다. 이미 말한 것처럼, 뜻밖에 곡식 종자 한 줌을 얻게 되어 기적이라고 놀랄 때까지만 해도, 빵이 없어서 언제나 절망적인 기분에 빠져 있었다.

종자가 생긴 후에도, 첫째로 땅을 팔 삽이나 논을 갈 가래가 없었다. 이 문제는 먼저 설명한 것처럼 나무삽을 만듦으로써 극복했다. 그러나 이 나무삽은 엉성했다. 이걸 만드는 데 무척 많은 날짜가 소모되었지만, 그러나 쇠로 만든 것이 아니어서 쉬 닳아 버리기도 했다. 그리고 나무삽으로 일하는 데 힘이 들었고 작업 성과도 좋지 않았다.

그러나 나는 이 정도로 감사했고 인내심으로 작업하며 그 좋지 않은 실적으로도 참고 만족하였다. 파종을 하고 난 뒤 써레가 없어 손으로 직접 고르고 커다란 나뭇가지로 논을 쓸어 시답잖으나마 갈퀴질이나 써레질을 대신했다. 곡식이 쑥쑥 자랄 때 울타리를 쳐서 논을 지키고, 갈고 베어 거두고, 집으로 나르고, 도리깨질하여 탈곡하고 다시 고르고 저장하기까지 얼마나 많은 물건이 필요했던가 이미 말했다. 그런데도 곡식을 빻을 방아와 가루를 칠 체, 빵을 만들 이스트와 소금, 빵을 구울 화덕이 더 필요했다. 그러나 뒤에 보겠지만 나는 이런 물건 없이 소기의 목적을 이루었다. 그리고 곡식이 있다는 것만으로도 내게는 무한한 위로와 힘이 되었다. 이 모든 일이 내게는 일일이 힘들고 지루한 것이었지만 나로서는 다른 방도가 없었다. 그리고 시간도 그리 많이 낭비한 편이 아니었다. 내가 정한 일과표에 따라 매일 작업시간에만 일을 했고, 또 수확량이 많아질 때까지 빵을 해 먹지 않기로 작정했기 때문에, 다음 여섯 달 동안 곡식을 요리해서 먹는 데 필요한 연장 일체를 장만하는 데 노력과 연구를 기울였다. 그러나 첫째로 경작지가 더 필요했다. 이제 나는 한 에이커 이상의 면적에 파종할 종자를 갖게 되었다. 그러나 논을 확장하기 전 일주일 동안 삽을 만드는 데 온 힘을 쏟았다. 이렇게 만든 삽은 허술하기도 하거니와 무척 무거워서 두 배의 노력이 필요하게 되었다. 그러나 이 삽을 이용해서 마음 내킬 때마다 돌아볼 수 있을 만큼 가까운 집 근처에 널찍한 논 두 배미를 일구어 파종했다. 그리고 전에도 썼던 나뭇가지를 잘라 튼튼하게 울을 쳤다. 이 울타리가 뿌리를 뻗고 자라면 1년 동안 손을 약간만 봐주어도 내내 살아 있는 생울타리가 될 것으로 생각했기 때문이다. 이 작업은 간단한 것이 아니어서 석 달 이상이나 걸렸다. 이처럼 시일이 오래 걸린 것은 작업기간 중 오래 비가 내려서 밖에 나갈 수 없었기 때문이다.

비가 와서 나가지 못할 때는 집 안에서 여러 가지 일을 했다. 그리고 일을 하는 사이사이 앵무새에게 이야기를 걸어 말하는 법을 가르치는 데 재미를 붙였다. 앵무새는 제 이름을 쉽게 익혀 마침내 예쁜 목소리로 폴 하고 커다랗게 불렀다. 이 말은 내가 이 섬에 와서 나 스스로 지껄이는 말 외에 처음으로 들은 남의 말이었다. 따라서 앵무새에게 말을 가르치는 것은 내게는 작업이 아니라 오히려 내 작업을 도와주는 것이었다. 이즈음 나는 이리저리 오랫동안 궁리해 온 대로 토기(土器)를 만드는 중대한 일에 몰두하고 있었다. 토기는 내게 절실하게 필요했지만 어떻게 손을 대야 할지 몰랐다. 그러나 기온이 높은 것을 고려해서 쓸 만한 찰흙만 있다면 적당한 모양으로 빚고 햇볕에 말려 그릇을 만들 수 있을 것 같았다. 그릇은 내 곡식과 양식을 담아 두는 필수품이기 때문에 항아리처럼 물건을 넣으면 끄떡하지 않을 만큼 크게 만들 생각이었다.

빈죽한 흙으로 빚은 그릇의 모양이 얼마나 우스꽝스러웠는시, 독자들은 나를 동정하기도 하고 비웃기도 할 것이다. 나는 참 어처구니가 없을 만큼 실패작을 많이 냈다. 어떤 것은 옴팍 들어가고 어떤 것은 툭 튀어나왔는가 하면, 또 어떤 것은 반죽이 시원찮아 제

무게를 이겨내지 못하고 물러져 앉았다. 어떤 것은 햇볕에 너무 빨리 내놓았기 때문에 과열로 금이 죽죽 갔으며, 어떤 것은 다 말린 뒤 옮기는 도중에서 산산조각이 났다. 요컨대 찰흙 있는 곳을 찾아내어 파내고 반죽을 해서 집으로 가져다 그릇을 빚는 등, 두 달 동안의 고된 노력 끝에 내가 성공시킨 항아리는 못생긴 것 두 개뿐이었다. 그것도 항아리라고 부르기에는 쑥스러운 것이었다.

그러나 이 두 개의 항아리는 햇볕에 아주 단단히 그리고 바짝 잘 말랐다. 이 항아리를 조심스레 들어 커다란 바구니 안에 다시 넣었다. 그리고 항아리와 바구니 사이에 벌어진 약간의 공간에 볏짚과 보릿짚을 잔뜩 채워 항아리에 습기가 차지 않도록 했다. 여기에다 마른 곡식을 빻아 만든 가루를 넣어 둘 생각이었다.

커다란 항아리를 만들 계획은 거의 실패한 셈이지만 그러나 조그만 그릇들을 만드는 데는 제법 성공한 편이었다. 이때 만들어낸 토기는 조그만 둥근 항아리와 편편한 접시, 주전자와 작은 병 등 손돌아가는 대로 빚어 태양열로 아주 단단히 구운 것들이다.

그러나 이것으로 내 계획이 이루어진 것은 아니었다. 물을 담고 불에 견딜 수 있는 질그릇을 만들려는 내 목적은 지금까지 만든 그릇으로 만족할 수 없었던 것이다. 얼마 후 우연히 흙그릇에 고기를 넣고 불을 많이 때게 되었다. 이렇게 요리를 하고 그릇을 꺼내 보니 이 흙그릇은 불에 달아 깨졌는데 그 조각은 돌처럼 단단하고 벽돌처럼 붉었다. 나는 이 모양을 보고 놀랐다. 그리고 이처럼 타서 깨질 정도로 그릇 전체에 열을 가하면 틀림없이 내 뜻이 이루어지리라고 생각되었다.

이로 해서 불기를 어느 정도로 해야 질그릇이 될 것인가를 연구하게 되었다. 나는 그릇을 구워 내는 가마가 어떻게 생겼는지, 납은 약간 있지만 그걸 어떻게 광활제로 사용해야 할지 몰랐다. 어쨌든 커다란 흙그릇 세 개와 항아리 두어 개를 서로 겹쳐 쌓아 놓고 그 주위에 타고 남은 재를 빙 둘러친 후 그 위에 나무를 쌓고 불을 지폈다. 그리고 그릇들 둘레와 위에 불이 계속 타도록 열심히 돌보았다. 마침내 이 가운데 있는 그릇이 아주 빨갛게 타올랐다. 자세히 들여다보니 조금도 깨지지 않았다, 나는 이들이 진홍색으로 달아오른 것을 보고 대여섯 시간 그 정도의 열을 계속 가했다. 이러다 보니 그 중 하나가 깨지지는 않았지만 녹아 내리고 있었다. 진흙 속에 섞여 있던 모래가 뜨거운 열로 녹는 것이었다. 계속 열을 더 가했다면 유리가 되어 버릴 것 같았다. 그래서 화기를 서서히 내리자 진홍색은 차차 스러지기 시작했다. 나는 밤새도록 옆에 붙어 화기가 갑자기 줄지 않도록 해주었다. 아침이 되자 날씬하다고는 할 수 없을망정 단단한 그릇 세 개와 흙 항아리 두 개가 내가 바란대로 훌륭하게 구워졌다. 그 중 하나는 녹아내린 모래 때문에 완전히 광활제까지 입혀져 있었다.

이 실험에 성공한 후 질그릇이 이 이상 별달리 필요하지는 않았다. 그러나 누구나 짐작하겠지만 그 모양이 너무 변변치 못했다. 마치 아이들이 진흙으로 장난하듯 혹은 반죽할 줄 모르는 여자가 파이를 만들듯, 그런 식으로밖에 만들 수 없었다.

이처럼 변변치 못한 것이나마 불에도 견딜 수 있는 질그릇을 만들어냈을 때, 어떤 기쁨이라도 당신은 내 것과 비교할 수 없으리라. 나는 그릇이 식을 때까지 참지를 못하고 그 중 하나에 물을 붓고 다시 불 위에 올려 놓아 고기를 끓였다. 크게 성공한 셈이다. 재료만 있다면 오트밀을 맛있게 만들어 먹고 싶었지만, 그럴 수 없어서 염소 새끼 고기로 맛있는 고깃국을 끓였다.

그 다음에 생각한 것은 곡식을 빻을 돌절구를 만드는 일이었다. 두 손만 가지고는 완벽한 기술이 필요한 방아를 만들어낼 자신이 없었다. 이 돌절구를 만드는 문제는 난감했다. 세상의 일 중에 나는 무엇보다 돌 깎는 일에 자신이 없었다. 게다가 돌 깎을 방법이 없었다. 사실 이 섬에는 단단한 돌은 없고 모두가 모래바위뿐, 무거운 공이가 내려치는 힘을 견디지도 못하겠거니와 곡식을 빻으면 모래가 섞일 것이었다. 그래서 오랫동안 돌을 찾다가 결국 단념하고 말았다. 대신 나무 둥치를 물색하기로 했는데 이것은 쉽게 구할 수 있었다. 온 힘으로 겨우 움직일 수 있을 만큼 큰 둥치를 찾아내어, 둥그렇게 다듬고 도끼와 손도끼로 외양을 만들었다. 그런 다음 브라질의 인디언들이 카누를 만들 때 하는 것처럼, 불을 피워 간신히 나무둥치에 구덩이를 만들었다. 이렇게 절구를 완성한 후 철목(鐵木)이라는 나무로 묵직한 공이를 만들었다. 다음 추수기까지 이처럼 각종 도구를 마련함으로써 곡식을 빻아 가루를 만들고 빵을 구울 준비를 갖추었다.

다음의 어려운 문제는 가루를 쳐서 밀기울과 껍질을 갈라 낼 체를 만드는 일이었다. 이것 없이는 빵을 만들 수가 없었다. 이것은 굉장히 어려운 문제여서 손을 대지 못하고 계속 궁리만 했다. 아무리 보아도 체를 만드는 데 필요한, 가루를 칠, 엷고 고운 천이 없었다. 그리하여 몇 달 동안을 속수무책으로 보내면서 정말 어떻게 해야 좋을지 몰랐다. 린네르 감으로는 넝마쪽 같은 것 외에는 남은 것이 없었다. 염소 털이 있기는 하지만 그걸 실로 만들어 천을 짤 방도가 없었다. 설령 방법이 있다 하더라도 기구가 없었다. 그러나 마침내 구제책이 나타났다. 배에서 꺼내 온 선원들의 옷 중에 캘리코나 모슬린으로 만든 목도리가 있다는 것을 생각해냈다. 나는 이 목도리로 작긴 하지만 일하는 데는 충분한 체 세 개를 만들었다. 그리고 이것으로 몇 해 동안은 그럭저럭 변통했다. 그 후는 어떻게 했는지 그때 가서 이야기하겠다.

그 다음으로 생각할 일은 기구와 곡식은 생겼는데 정작 빵을 어떻게 굽느냐 하는 문제였다. 첫째로 이스트가 없었다. 그러나 이 요구를 채울 만한 것은 아예 없었기 때문에 별로 마음을 두지 않았다. 그러나 화덕에 대해서도 고충이 많았다. 마침내 이것도 역시 만들어냈는데 그 방법은 이렇다. 먼저 폭이 넓고 깊지는 않은 질그릇 몇 개를 전처럼 불에 구워 만들었다. 지름은 2피트, 깊이는 9인치가 못되었다. 그리고 빵을 굽고 싶으면 화덕 위에 불만 피우면 되었다. 이 화덕은 역시 내가 만들어 구운 벽돌을 깐 것인데 그것은 꽤 쓸만한 것이었다.

나는 장작이 불타서 숯불과 같이 되면 화덕 전면에 화기가 가도록 하고 난로가 뜨거워지도록 하였다. 그런 다음 숯불을 모두 치우고 빚은 빵을 거기에 놓았다. 그 위에 흙으로 만든 그릇으로 눌러 놓고, 그 그릇 둘레에 숯불을 놓고 열을 가한다. 이렇게 해서 나는 세상에서 제일 좋은 화덕으로 구운 보리빵만큼 멋있게 구웠다. 더 나아가, 얼마 후에는 진짜 과자 기술자가 되었다. 나는 여러 가지 쌀과자와 푸딩을 만들었던 것이다. 그러나 염소 고기 외에는 다른 재료가 없었기 때문에 파이는 만들지 못했다.

이 모든 것을 만들다 보니, 내가 이 섬에 살게 된 지 3년째가 되는 해가 거의 다 갔다. 이처럼 시일이 오래 걸린 것도 당연했다. 왜냐 하면, 이런 기구를 만드는 틈틈이 추수를 다시 하는 등 농사를 지었던 것이다. 추수기에 곡식을 거두어 조심스레 집으로 운반하고 그 이삭을 커다란 바구니에 담았다가, 시간이 나면 비벼서 껍질을 벗겼다. 도리깨질할 마루도 연장도 없었기 때문에 달리 방법이 없었다. 그리고 이제 곡식 재고량도 늘어 정말 더 큰 창고를 지어야 했다. 곡식 수확량이 엄청나게 늘어 그 증가분을 넣어 둘 곳이 필요했던 것이다. 보리가 20부셸, 쌀은 그보다 많았다. 빵은 오래 전부터 다 떨어졌기 때문에 이제는 수확한 곡식으로 빵을 넉넉히 만들어 먹기로 했다. 그리고 1년 동안 내게 필요한 곡식량이 어느 정도 될 것인가를 검토하고 나서 매년 한번씩만 파종하기로 했다.

전반적으로 보아 쌀과 보리 40부셸이면 1년 동안 소모량을 충당하고 남을 것이었다. 그래서 매년 후빈기에 그만한 양만 거둘 만큼 파종할 작정을 세웠다.

이런 일들을 하고 있는 동안, 줄곧 섬 저편 해안에서 보았던 육지의 모습이 자주자주 머리에 떠올랐다. 그 육지에 가서 대륙을 조사하여 사람이 살지 않는다면 좀더 멀리 나가, 어떻게 해서든 여기서 벗어날 수단을 찾아낼 수 있을지도 모른다는 희망을 은근히 갖고 있었다.

그러나 그럴 경우, 있을지도 모를 위험 같은 것을 고려하지 않았다. 예컨대 야만인에게 잡힐지 모른다. 아마도 이 야만인들이야말로 아프리카의 사자나 호랑이보다 더 흉악할 것이라 생각되었다. 내가 이 야만인 속에 들어가기만 하면 죽음을 당하거나 잡혀 먹히기가 십상이고 살아날 가망은 천에 하나의 운에 맡길 수밖에 없게 된다. 이미 카브리 해 연안의 주민들이 식인종이라는 이야기를 들은 바 있었고, 위도로 따져 보아 나는 식인종만이 사는 카리브 연안에서 멀리 떨어져 있지 않은 것이다. 설령 그들이 식인종이 아닐지라도 유럽인들이 그들에게 잡혀 번번이 죽음을 당하듯 나도 죽음을 당할 가능성은 있는 것이다. 유럽인들이 10명, 20명씩 떼지어 가도 죽었는데, 단 혼자서, 게다가 방비할 무기도 거의 없는 나로서는 어림도 없는 얘기였다. 나는 이 모든 점들을 신중히 생각해야 했는데, 나중에야 머리에 떠올라 이 점을 검토했었다. 처음에는 이런 점을 전혀 고려하지 않고 저쪽 육지의 해변에 건너가 보고 싶은 강렬한 욕망에만 잡혀 있었다.

이런 때 심부름꾼 슈리와 아프리카 연안을 1천 마일 이상 항해했던 긴 보트가 있었으면 했지만, 물론 그것은 헛된 생각이었다. 그러자 우리가 탔던 배에 달렸던 보트가 어찌 되었는지 가 보자는 생각이 들었다. 그 보트는 이미 말한 것처럼 처음 조난당할 때 폭풍에 밀려 육지쪽으로 와 있었다. 가서 보니 보트는 처음 밀려온 그 자리에 거의 그대로, 다만 바람과 파도 때문에 잔돌이 많은 거친 모랫벌 가에 바닥이 위로 향한 채 엎어져 있었다. 전처럼 물에 젖지는 않았다.

손을 써서 다시 수선하여 물에 띄우면 제대로 쓸 수도 있고 쉽사리 브라질로 돌아갈 수도 있을 것 같았다. 그러나 배를 젖혀 바로 놓는 것이 이 섬을 떠나는 일보다 더 어려운 일로 보였다. 어쨌든 나는 숲으로 가서 지렛대와 굴림대를 만들어 가지고 와서 할 수 있는껏 보트를 바로 놓아 보기로 했다. 보트를 제대로 엎어 놓기만 하면, 이 배가 입은 상처를 쉽게 보수할 수 있고 그러면 충분히 제 기능을 발휘해서 바다에 띄울 수 있으리라 짐작했다.

이 무익한 일에 정말 전력을 다했고, 시일도 3, 4 주일이나 바쳤다고 생각된다. 마침내 내 작은 힘으로는 이걸 들어 올릴 수 없다는 것을 깨닫고, 보트 밑의 모래를 파서 배가 넘어가도록 새로 일을 시작했다. 배가 밀려 바로 넘어지도록 나무토막을 끼우기도 했다.

이처럼 해서 보트를 구덩이에 넘어뜨리기는 했지만 그러나 이 보트를 움직이거나 도로 꺼내는 일이 바다로 끌고 나가기보다 더 힘이 들었다. 그래서 마침내 단념하지 않을 수 없었다. 그러나 이 보트에 대한 희망은 버렸지만 대륙으로 모험을 하고 싶은 욕망은 그 방법이 없기 때문에 줄어들기보다 오히려 전보다 더욱 강렬해졌다.

혼자서 카누를 만들다

이 일로 말미암아 연장이나 다른 사람의 도움 없이 혼자서 열대 지방의 원주민들처럼 큰 통나무로 카누나 피라과(역주 : 돛대가 둘 있는 평저선) 같은 것을 만들 수 없을까 하는 생각을 하게 되었다. 어렵지 않게 만들 수 있으리라고도 예상되었다. 흑인이나 인디언들보다는 더 쉽게 배를 만들 자신이 있어 기분이 아주 좋았다. 그러나 인디언들보다도 크게 불리한 점도 더 많았다. 곧 배를 다 만들었다 하더라도 바다에 띄울 수 있는 인력이 모자랐다. 이것은 연장이 모자라기 때문에 생기는 불편보다도 극복하기 더 힘든 문제였다.

숲에서 커다란 나무를 찾기만 하면 힘은 굉장히 들겠지만 잘라 넘길 수는 있다. 그리하여 내가 가진 연장으로 잘라내고 평평히 골라 외형을 보트처럼 다듬고 그 안을 태우든가 깎아서 구덩이를 만들 수 있다. 다시 말해서 보트를 완성시켰다 하자. 그러나 그런 다음 이 보트를 움직여서 바다로 진수시키지 못한 채 만든 자리에 그대로 둘 수밖에 없지 않겠는가?

내가 보트를 만들고 있는 동안 이런 어려운 문제는 조금도 생각하지 못했다고 독자들은 곧 짐작할 것이다. 사실 보트를 만든 후 어떻게 바다에 띄울 수 있을 것인가를 처음부터 생각했어야 할 것이다. 그러나 배를 타고 바다로 나갈 생각에만 급급했기 때문에 배

를 어떻게 육지에서 바다로 옮기는가 하는 문제는 한번도 염두에
두지 않았다. 사실 배라는 것은 그것을 만든 자리로부터 그것이 진
수할 바닷가까지 땅 위에서 팔 길이로 45길 가는 것이 바다에서
45마일 가는 것보다 훨씬 어려운 법이다.

아무튼 제정신을 가진 사람으로서는 그렇게 바보처럼 보트 제작
에 착수하지 않았을 것이다. 배를 어떻게 움직일 수 있는가 하는
문제도 결정짓지 않고 우선 배를 만든다는 계획에만 몰두했다. 보
트를 옮겨야 한다는 걱정이 머릿속에 전혀 없었던 것은 아니었다.
그러나 이 문제가 떠오르면 "우선 만들어 놓고 보자. 다 해놓고 보
면 어떻게 길이 생기겠지." 하는 바보 같은 대답으로 미루어 두었
던 것이다.

정말 터무니없는 짓이었다. 그러나 보트를 만들겠다고 열에 들떠
결국 일을 시작했다. 나는 삼나무를 잘라 넘어뜨렸다. 솔로몬 왕이
예루살렘에 궁정을 지을 때 썼음직한 커다란 나무였다. 그루터기
바로 위에 밑둥 지름이 5피트 10인치, 밑으로부터 22피트 되는 곳
의 지름은 4피트 11인치였다. 여기서부터 이 나무는 조금씩 가늘
어지다가 가지로 갈라졌다. 이 나무를 자르는 데 힘깨나 들었다.
밑둥을 깎고 파서 쓰러뜨리는 데 20일이 걸렸다. 또 무성하게 자란
크고 작은 가지를 도끼와 손도끼로 잘라 쳐내는 데 이루 형용할 수
없는 노력과 14일이란 시일이 걸렸다.

이런 후 나무를 다듬고 평평하게 골라 물에 띄우면 바로 설 수
있도록 배 밑창처럼 모양을 만드는 데 한 달이 걸렸다. 다시 나무
안을 파서 깎고 진짜 배 모양으로 만드는 데 거의 석 달이 걸렸다.
이번에는 불을 쓰지 않고 나무로 만든 망치와 끌, 그리고 억센 노
동으로 이룬 것이다. 이러고 보니 나무통은 날씬한 피라과가 되었
고, 26명을 태울 수 있을 만큼 커다란 배가 되었다. 따라서 내 몸
은 물론 내 물건을 다 실어도 충분할 만큼 큰 것이다.

배를 완성시키고 나니 더없이 즐거웠다. 보트는 내가 본 카누나

피라과로서 통나무로 만든 것 중 가장 큰 것이었다. 물론 잔손질이 많이 들었지만 이제 남은 일이라고는 바다에 띄우는 것뿐이었다. 이 배를 바다에 운반하기만 했다면 말할 것도 없이 나는 세상에서 가장 미친 항해에 나서서 가장 무모한 짓을 벌였을 것이다. 그러나 별의별 방법이 모두 실패였다. 무진 애를 썼지만 배를 바다로 옮길 수가 없었다. 배가 있는 자리로부터 바다까지 불과 1백 야드밖에 안 되었다. 그러나 첫째 그 사이가 물굽이 쪽으로 지대가 높아지는 경사였다는 점이 애로였다. 이 장애를 없애기 위해 땅을 파서 내리받이로 만들 생각을 했다. 그리하여 공사를 시작했다.

  굉장히 고생을 했다. 하지만 소생의 길이 보이는데 누가 노고를 아끼겠는가. 마침내 완공하여 장애를 없애 버렸다. 그러나 여전히 난문제가 남아 있었다. 나는 먼젓번 보트처럼 이 카누를 움직일 수 없었던 것이다.

  그리하여 난 지면의 거리를 측정한 결과 카누를 바다에 옮길 수 없다는 판단을 내리고, 대신에 독(dock)이나 운하를 파서 카누 쪽으로 바닷물을 끌어 오기로 했다. 우선 일을 시작했다. 착수하기 전에 먼저 땅을 얼마나 깊게, 얼마나 넓게 파야 하며 흙을 어느 정도 파내야 할지 계산해 보았다. 그러나 내가 가지고 있는 인력이라고는 내 두 손밖에 없었기 때문에, 이 공사를 완료하자면 10년 내지 12년이 소요된다는 것을 깨달았다. 더구나 지대가 높은 해변쪽은 적어도 20피트 깊이로 파야 했다. 결국 이 계획도 만부득이 포기하지 않을 수 없었다.

  이 때문에 나는 무척 실망했다. 너무나 때늦기는 했지만 이제서야 거기에 필요한 대가를 계산도 하지 않고 일을 시작한 어리석음을 깨달았다. 우리는 일을 시작하기 전에 우리 자신의 역량을 올바로 판단해야 하는 것이다.

  이런 일을 하는 가운데, 나는 이 섬에서 만 4년을 보내고 그 기념을 전처럼 경건하게, 전보다 더 편안한 마음으로 지냈다. 하나님의 말씀을 꾸준히 연구하고 성실하게 실천하며 그 은총의 힘으로 전과는 다른 지식을 지니게 되었다. 나는 인생관을 바꾸었다. 이제 세상이란 나와는 아무런 관계도 없고, 세상으로부터 기대할 것도 없는, 머나먼 존재로 바라보게 되었다. 사실 이 세상에 대한 소망이란 아무것도 없었다. 한마디로 말해서 나는 세상과는 아무런 인연도 없고 또 인연이 생길 것 같지도 않았다. 세상이란 내세에서 바라보는 곳, 내가 살았던 곳이며, 벗어나야 할 곳으로 생각되었다. 그리하여 아브라함이 다윗에게 말하듯 "너희와 우리 사이에 큰 구렁이 끼어 있다."고 말할 수 있으리라.

첫째로, 나는 이 사악한 세상으로부터 완전히 떠나 있었다. 육욕도 없고 물욕도 없고 생활의 허영도 없었다. 생활에 필요한 것은 모두 가지고 있으니 더 탐낼 것도 없었다. 나는 장원(莊園)의 주인일 뿐더러, 내키는 대로 하자면 내 소유인 이 나라의 왕이자 황제라고 자칭할 수 있었다. 적도 없었고, 주권이나 통치권을 둘러싸고 내게 도전할 경쟁자도 없었다. 배 한 척에 가득히 실을 만큼 곡식을 많이 키울 수도 있지만 그럴 필요가 없었다. 그래서 나 혼자 쓰기에 족할 양만 농사를 지었다. 거북이도 풍족해서 필요한 대로 한 마리씩 잡기만 하면 되었다. 또한 1개 함대를 건조하기에 충분할 만큼 재목도 많다. 포도도 풍부해서 술을 빚을 수도 있고 말려서 건포도를 만들 수도 있으며, 그 풍부한 재목으로 1개 함대를 짓는다면 거기에 가득 실을 수 있을 만큼 많은 포도주와 건포도를 만들 수도 있었다.

그러나 오직 내가 사용할 수 있는 것만이 값어치가 있었던 것이다. 먹을 것과 생활용품이 풍족한데 그 이상 더 있어 보았자 내게 무슨 소용이 있겠는가? 필요한 양보다 사냥을 많이 해 본들 개가 먹거나 다른 짐승이 물어갈 것이다. 내가 먹을 수 있는 양보다 더 많이 농사를 짓는다 하더라도, 먹지 못하는 곡식은 썩어 버리고 말 것이다. 음식을 조리하는 데 필요한 양보다 더 많은 장작을 마련해 보았자 아무런 쓸모가 없었다.

　요컨대 자연과 사물의 체험을 통해 내가 얻은 교훈은 이 세상에 존재하는 모든 재물이란 우리가 유용하게 쓸 수 있는 한도 안에서 좋은 것이며, 남아서 남에게 줄 만큼 쌓아 놓았자 역시 우리가 쓸 수 있는 만큼만 그걸 즐길 수 있는 것이지 결코 그 이상이 될 수 없다는 점이다. 세상에 아무리 탐욕이 많고 한번 움켜잡으면 놓을 줄 모르는 구두쇠라도 내 입장에 놓이게 되면 탐욕스런 악덕도 치료될 수 있을 것이다. 나는 어떻게 주체할 수 없을 만큼 무한한 재물을 소유하고 있다. 내가 가질 수 있는 물건 외에는 더 욕심부릴 것이 없었다. 내게 없는 것은 물론 내게 상당히 필요한 것이기는 하지만 사실 사소한 것들이다. 나는 전에 말한 것처럼 금화와 은화로 된 36파운드 정도의 돈주머니를 갖고 있다. 아아, 그러나 그 돈은 귀찮고 치사하고 쓸모 없는 것이었다. 그 돈으로 살 수 있는 것은 아무것도 없었다. 때때로 이 돈을 몽땅 주고 파이프 담배 1그로스나 곡식을 빻을 절구를 샀으면 하고 생각했고, 혹은 영국으로부터 순무와 홍당무 씨 반 파운드 어치나 콩 한 줌, 또는 잉크 한 병을 살 수 있었으면 했다.

　물론 내게 유익한 물건이나 쓸모 있는 연장을 얻는 데 이 돈은 전혀 소용 없었다. 오히려 서랍 안에 들어앉아 장마철에는 동굴의 습기로 곰팡이만 슬 뿐이었다. 서랍 안에 다이아몬드가 하나 가득 들었다 하더라도 결과는 마찬가지일 것이다. 이것들은 내게 쓸모가 없기 때문에 가치를 발휘할 방법도 없는 것이다.

　나는 이제 생활 방법도 처음보다 훨씬 편하게 고쳤다. 내 육체가 편할 뿐만 아니라 정신도 훨씬 안정되었다. 나는 식사 때 자주 감사기도를 드리고 이 광야에서 식탁을 마련해 준 하나님의 은혜를 찬양했다. 나는 내 환경에서 밝은 면을 더 많이 보고 어두운 면을 덜 생각하는 법도 배웠다. 그리고 내가 무엇을 원하는가 하는 것보다도 내가 무엇을 누리고 있는가를 생각했다.

이렇게 함으로써 때로는 형용할 수 없을 만큼 은밀한 위안을 얻었다. 그리고 이것저것을 보고 가지지 못한 것을 소유하려고 욕심을 부리기 때문에 하나님이 그들에게 준 것을 누리지 못하는 세상의 불평분자들에게 내 경우를 예로 들어 경고를 주고 싶었다. 우리가 소유하지 못한 데서 생기는 불평은 모두 우리가 소유한 것에 대해서 감사하는 마음을 갖지 못했기 때문에 생겨난 것으로 나는 생각한다.

　또 한 가지 내가 얻은 교훈이 내 마음에 크게 작용했다. 나처럼 절망적인 상태에 빠진 다른 사람도 틀림없이 그러리라 믿는다. 이것은 현재의 내 상태를 당초 내가 예상했던 것과 비교해 보는 것이었다. 만일 자비로운 하나님께서 우리 배를 해변 가까이에서 파선하도록 하시지 않았다면 정말 어떻게 되었을 것인가. 육지 가까이에서 조난을 당했기 때문에, 목숨을 건지고 생활을 편안히 해줄 물건들을 배에서 옮겨 올 수 있었던 것이다. 그렇지 않았더라면 일할 연장도, 자신을 보호할 무기도, 식량을 구해 줄 화약과 총알도 얻지 못했을 것이다.

　내가 배에서 아무것도 가져오지 못했다면 어찌 되었을까. 몇 시간이고 며칠이고 간에 뚜렷이 머릿속에 그려볼 수 있었다. 먹을 양식이라고는 생선이나 거북이밖에 없을 테고, 어쩌면 이것들을 잡아먹기 훨씬 전에 먼저 굶어 죽었을 것이다. 죽지 않았다 치더라도 야만인과 다름없이 살 것이다. 운좋게 염소나 새를 잡았다 하더라도 가죽을 벗기거나 배를 가를 방법도 없고, 가죽에서 살점을 뜯어내지도, 창자를 꺼내지도 자르지도 못해서 짐승처럼 이빨로 물어뜯고 손으로 찢어 먹을 수밖에 없었을 것이다.

　이런 생각을 하다 보면 하나님의 자비로운 은총을 설실하게 느끼게 되고, 고난과 불행 속에 빠져 있기는 하지만 현재의 상태에 대해서 감사스러운 마음을 갖지 않을 수 없다. 자신의 불행에 대해서 "어느 누가 나처럼 고통스럽겠는가?"라고 말하는 사람들에게 나는 이런 이야기도 충고삼아 들려 주고 싶다. 자신들의 처지가 얼마든지 더 불행해질 수 있다는 것을 생각해야 한다.

내가 희망을 갖고 자위하는 또 하나의 교훈이 있다. 그것은 마땅히 내가 받아야 할 상태, 하나님의 손으로부터 당연히 받아야 할 것으로 각오하는 상태와 현재의 내 위치를 비교해 보는 것이다.

나는 신앙이나 하나님에 대한 두려움이 전혀 없는 미욱한 생활을 해 왔다. 아버지나 어머니는 열심히 나를 교육시켰지만 종교적인 경외감이나 의무감, 또는 인생의 의미나 목적이 무엇인가 하는 것들을 일찍부터 주입시키는 것은 피해 왔다. 그러나 슬프게도 나는 누구보다도 하나님의 위협을 몸 가까이 느끼면서 하나님을 가장 두려워할 줄 모르는 선원들의 타성에 일찍 빠져 버린 것이다. 다시 말해서 이런 나이로 선원 생활을 시작하고, 뱃놈과 어울림으로써, 약간이나마 갖고 있던 신앙심마저 모두 잃어버렸던 것이다. 곧 동료들의 비웃음 때문에 항해에 따라 점차 습관화된 위험과 죽음에 대한 고지식한 경멸감 때문에, 그리고 나처럼 비참한 상태에서 벗어나 거룩한 것에 귀를 기울이고, 또 그렇게 되려고 노력하는 사람들과 어울리는 기회를 오랫동안 얻지 못하였기 때문에, 나의 신앙심은 사라져 버린 것이다.

이처럼 선한 것, 또는 적어도 내가 무엇이며 무엇이 될 것인가 하는 데 대한 자각을 애써 피해 왔기 때문에, 살리에서 탈출하고 포르투갈의 선장이 구조해 주고, 영국으로부터 화물을 받고 하는 등의 커다란 구원을 받았을 때에도 마음속으로나 입밖으로나 "하나님, 고맙습니다."라는 말을 하지 않았다. 지독한 불행 속에 빠져서도 하나님께 기도를 하거나 "주여, 자비를 베푸소서."라고 말할 생각이 나질 않았다. 맹세할 때나 신을 모독할 때 외에는 하나님의 이름을 입밖에 내 본 적이 없었던 것이다. 이미 말한 것처럼 사악하고 메말랐던 내 과거의 생활 때문에 몇 달 동안을 심각하게 반성하며 보냈다. 그리고 내 주위를 돌아보고 내가 이 섬에 온 이후 하나님의 은총이 얼마나 나에게 내려졌는지, 내 죄로 보아 마땅히 받아야 할 벌보다 훨씬 적은 벌을 주었을 뿐 아니라, 내게 많은 것을 마련해 주심으로써 얼마나 너그럽게 대하여 주셨는지를 생각하면 하나님은 내 회개를 받아들이고, 내게 자비를 마련하고 계시다는 커다란 희망을 갖게 되는 것이다.

이처럼 반성한 끝에 나는 현재의 상황으로 나를 벌준 하나님의 뜻에 복종하고 내 처지를 진심으로 감사하기로 결심했다. 그리고 아직 살아 있다는 것만으로도 내 죄에 마땅한 벌을 아직 받고 있지 않다는 사실을 깨닫고 불평을 품어서는 안된다고 생각했다. 또한 나와 같은 입장으로는 도저히 받아들일 명분이 없지만, 그래도 내게 수많은 자비를 주시고 누리도록 하여 주시니, 상황에 대한 불평은 고사하고, 오직 기적으로 주시는 나날의 양식을 기뻐하며 매일 감사 기도를 드리기로 마음먹었다. 내가 이처럼 잘 먹고 지낼 수 있는 것은, 엘리야에게 까마귀로 양식을 대 주신 것과 같은 커다란 기적이 계속 일어나고 있다고 생각해야 하며, 무인도에 표착한 사람으로서 나처럼 혜택이 많은 곳에 온 경우도 거의 없다는 것을 염두에 두어야 했다. 이곳은 한편으로 괴로움만 느껴야 할 인간사회도 없고, 생명을 위협하는 잔인한 이리나 호랑이 같은 맹수도 없었다. 자칫하면 목숨을 잃게 할 독초나 독물도 없었고 나를 잡아먹을 식인종도 없었다.

한마디로 말하자면 내 생활은 한편 비애에 차 있지만, 또 한편 자비로 충만해 있는 셈이었다. 나는 안락한 생활은 조금도 탐내지 않았고, 오직 내게 내려주시는 하나님의 은총을 생각하며, 이 상태에서 무사히 생명을 부지하여 하루하루 은혜롭게 살기만을 바랄 뿐이었다. 이처럼 마음을 바로잡자, 나를 괴롭히던 슬픔도 가시었다. 이제 여기에 온 지도 꽤 오래되었다. 배에서 가지고 와, 내게 커다란 도움이 되었던 많은 물건들도 거의 다 없어지거나 닳아버렸거나 또 써 버렸다. 잉크는 이미 말한 것처럼 얼마 후에는 거의 동이 나 조금씩 조금씩 물을 타서 썼고, 나중에는 아주 희미해져서 종이에 검은 글자가 보이지 않을 정도였다. 잉크가 있는 동안에는 중요한 사건들을 매일 매일 기록해 왔다. 그리고 내게 일어난 일들을 차례로 따져 보면 은총받은 내 생활에는 분명히 이상한 우연의 일치가 많았다. 불행한 날이든 다행한 날이든, 그 유별난 날들은 미신가였다면 상당한 호기심을 일으킬 만한 이유가 있을 법도 하다.

우선 내가 아버지와 친구들로부터 벗어나 항해를 해보겠다고 홀로 뛰쳐나오던 날과 바로 같은 날짜에, 나는 살리의 해적선에 붙잡혀 노예가 된 것을 꼽을 수 있었다. 또 야마우스 해로에서 조난당한 배로부터 살아난 지 몇 해 후의 바로 그날, 나는 보트를 타고 살리의 해적으로부터 도망했다. 내가 세상에 태어난 것이 9월 30일이었는데 그로부터 26년 후 바로 그날, 나는 기적적으로 목숨을 건져 이 섬에 표착했다. 그리하여 내 악덕의 생애와 고독한 생애가 같은 날 시작된 것이다.

잉크가 다 없어진 다음에는 빵이 다 떨어졌다. 이 빵은 배에서 가지고 온 비스킷이었다. 이 비스킷을 무척 절약해서 1년 이상 하루에 하나씩 먹었고, 그나마 다 떨어지자 근 1년 동안 빵 없이 지냈다. 그러다가 내가 심은 곡식을 먹게 된 것이다. 먼저 말한 것처럼 거의 기적적으로 곡식을 얻을 수 있었던 일에 대해 내가 감사를 드렸지만 그것은 너무나 당연했다.

의복도 역시 멀지 않아 떨어지기 시작했다. 린네르 옷은 오래 전에 닳아 없어졌고, 다른 선원들의 옷 궤짝에서 찾아낸 바둑무늬의 셔츠 몇 벌만 남아 있었다. 대개의 경우 다른 옷은 입지 않고 셔츠만 걸쳤기 때문에 조심해서 아껴 입지 않을 수 없었다. 배에서 선원들의 옷장을 뒤져 거의 세 다스나 되는 셔츠를 가져온 것이 큰 도움이 되었다. 두툼한 선원용 외투도 여러 벌 남아 있었지만 그러나 너무 더워서 입을 수가 없었다. 사실 날씨가 너무도 지독히 뜨거워 옷 입을 필요는 없었지만, 그러나 아주 벌거벗을 수도 없었다. 벗고 싶기는 했지만 벗을 수도 없었거니와 완전히 혼자 지내면서도 차마 벌거벗고 살 생각은 나지 않았다.

아주 벌거벗고 살 수 없었던 이유는 완전히 벗을 때보다 옷을 좀 입었을 때가 태양열을 견디기 훨씬 쉬웠기 때문이다. 옷을 입지 않으면 그 뜨거운 열 때문에 살갗이 부풀지만 셔츠를 입으면 옷 안에 바람이 슬슬 들어와 벌거벗을 때보다 두 배는 시원했다. 마찬가지로 햇볕이 내리쬐는 바깥에 나갈 때는 반드시 옷을 입거나 모자를 써야 했다. 모자를 쓰지 않으면 햇볕이 정통으로 머리에 내리쪼여 곧 골치가 지끈지끈할 만큼 열이 오른다. 그래서 모자를 쓰지 않을 수 없었다. 모자만 쓰면 그럭저럭 지낼 만했다.

이런 이유로 옷이라 할 수도 없는, 내가 가진 누더기를 보수해야겠다는 생각이 들었다. 조끼도 다 떨어졌다. 그래서 이제 할 일은 배에서 가지고 온 커다란 외투와 그밖의 재료로 자켓을 만들어 볼 수밖에 없었다. 바느질 일을 시작했다. 그러나 워낙 손재주가 없어 정말 만듦새가 흉측했다. 그러나 어떻든 새 조끼 두어 벌을 만들었고 이것으로 오랫동안 지낼 수 있으리라고 생각했다. 바지는 구차한 대로 한 벌을 그럭저럭 나중까지 입을 수 있었다.

나는 잡은 짐승 가죽을 모두 보관해 두었다고 말한 바 있다. 그 가죽은 안에 나뭇가지를 넣어 쫙 펴서 햇볕에 말린 것이다. 뻣뻣해서 약간 불편하긴 했지만 대부분은 아주 쓸모가 많았다. 이 가죽으로 먼저 만든 것은 머리에 쓸 커다란 모자였다. 털을 바깥으로 나오게 해서 모자가 비에 젖지 않도록 했다. 이것은 아주 성공한 셈이어서 그 다음부터는 무릎이 나오는 바지를 모두 가죽으로 만들었다. 그러나 추위를 막으려는 것이 아니라, 시원하게 하기 위해서 입는 것이므로 전부 헐겁게 지었다. 여기서 이 옷들의 만듦새가 엉망이었다는 점을 고백해야겠다.

내가 목수로서는 시원찮은 정도라면 양복공으로서 형편없는 수준이라고 할 수밖에 없다. 그러나 나는 이런 옷으로 잘 지낼 수 있었다. 비오는 날 밖에 나가도 조끼와 모자의 털 때문에 몸은 별로 젖지 않았다.

이 일을 마친 다음 나는 양산을 만드는 데 시간과 노력을 많이 들였다. 나는 양산이 무척 필요했고 또 만들 생각도 많았다. 브라질에서 양산을 만드는 것을 본 적이 있는데 뜨거운 햇볕을 피하는 데 양산이 아주 적격이었다. 그런데 이곳의 햇볕은 춘추분점(春秋分點)에 더욱 가깝기 때문에 브라질보다 훨씬 뜨거웠다. 뿐만 아니라 밖에 자주 나다녀야 하는 나로서는 햇볕과 함께 비를 막는데도 양산이 무척 필요했다. 나는 양산을 만드는데 무진 애를 썼고 비슷하게나마 양산살을 맞추는 데도 시간이 무척 들었다. 한쪽을 맞추다 보면 어느새 다른 살 두어 개가 툭 비어져 나왔다. 그러나 마침내 그럭저럭 양산 하나를 수수하게 만들어냈다. 여기서 가장 어려운 문제는 양산을 펼 수는 있지만 접게 만드는 것인데 접을 수 없다면 머리 위로 쓰고 다닐 수밖에 없고, 들고 다니기에 불편하다는 점이었다. 그래서 지금 만든 정도로는 부적당했다. 그러나 드디어 이 문제도 해결됐다. 그리고 털 있는 쪽을 밖으로 나오도록 덮어 차양처럼 비도 막고 햇볕도 훌륭히 피할 수 있게 되었다. 그리하여 아무리 뜨거운 날이라도 지난날 어느 때보다도 시원하게 걸어다닐 수 있었고, 쓸 필요가 없을 때는 팔에 끼고 다닐 수 있었다.

이리하여 생활은 아주 편안해졌고, 하나님을 의지하고 모든 것을 그분 뜻에 맡김으로써 마음의 평정을 찾게 되었다. 이제 나는 사람들 속에 섞여 사는 것보다 더 훌륭한 생활을 했다.

사람과 접촉을 할 수 없어 외로워지기 시작하면, 나는 나 자신에 대한 생각을 감히 말한다면 성경 말씀과 기도로 하나님과 서로 대화한다는 것이, 이 세상 인간 사회에서 즐길 수 있는 가장 큰 기쁨보다 못할 것이 무엇인가 스스로 묻곤 했다.

이로부터 5년 동안, 전혀 별다른 일이 없었다고는 할 수 없겠지만, 그러나 전과 다름없이 똑같은 과정으로 똑같은 장소에서 똑같은 생활을 하며 살았다. 이 동안 주로 한 것은 물론 보리와 쌀 농사를 계속하고 건포도를 만드는 일이었다. 이렇게 해서 언제나 미리 1년치의 양식을 충분히 예치해 왔다. 그러나 이 늘 하는 노동과 총을 들고 나가 사냥질을 하는 그날그날의 노동 이외에 따로 주력하는 일이 있었다. 그것은 카누를 만드는 것이었고 마침내 그것도 완성했다. 그리고 폭 6피트, 깊이 4피트의 운하를 파서 카누를 거의 반 마일 떨어진 하구로 옮겼다. 처음에는 이 배를 어떻게 진수(進水)시킬 것인가 하는, 마땅히 미리 고려했어야 할 문제를 생각하지 않고, 너무 크게 만들었기 때문에 카누를 바다에 옮겨 놓지도, 물을 배 있는 곳으로 끌어 오지도 못했다. 나는 이 배를 만든 자리에 그대로 놓아 두고 다음에는 보다 현명해야 한다는 교훈의 기념물로 삼았다. 사실 카누를 만들 만큼 적당한 나무를 구하지도 못하고, 아까 말한 대로 반 마일 정도나 물을 끌어 올 수도 없었지만 두번째는 실패하지 않으리라고 보고, 나는 끈질기게 다시 배를 만들었다. 그리하여 거의 2년 동안 어떻게든 배를 바다에 띄워야 한다는 일념으로 몸을 아끼지 않고 일했다.

마침내 조그만 두번째 배가 완성되었다. 그러나, 규모가 너무 작기 때문에 40마일 떨어진 대륙으로 모험하겠다는 처음 계획에는 적당치 않았다. 그리하여 당초의 꿈은 사라지고 이에 대한 미련을 버렸다. 그 대신 새로 만든 배로 이 섬 둘레를 한번 돌아볼 계획을 세우게 되었다.

이미 말한 것처럼 육로로 이 섬을 횡단해서 저쪽 편으로 간 일이 있었고, 그 짧은 여행으로도 많은 발견을 했기 때문에, 나는 저쪽 해안으로 가 보고 싶은 생각이 간절했다. 이제 보트까지 마련되었으니 이 섬 둘레를 항해해 보고 싶은 생각뿐이었다.

여러 모로 세심한 준비와 대책이 필요한 이번 여행을 위해서 나는 보트에 조그만 갑판을 맞추어 붙이고 창고에 보관했던 옛날 배의 돛 조각으로 돛을 새로 만들어 달았다. 돛대 천은 얼마든지 있었다.

돛대와 돛을 달고 항해를 시험해 본 결과 그 성능은 아주 좋았다. 그런 다음 보트 양끝에 찬장과 상자를 조그맣게 만들어 식량과 생활용품, 무기 등을 넣어 두도록 함으로써 비나 파도의 물보라에 젖지 않게 했다. 그리고 보트 안에 좁고 길다랗게 홈을 파서 거기에 총을 넣고 습기가 차지 않도록 뚜껑을 해 달았다.

또한 고물의 계단에 돛대처럼 양산을 꽂아 차일처럼 햇빛을 피하도록 했다. 그런 후 가끔 잠깐씩 배를 타고 바다로 나가 보았다. 그러나 작은 하구를 넘어 멀리 나가지는 않았다. 작은 내 영토의 주위를 돌아보고 싶은 열망이 더욱 간절해져서 마침내 항해에 나서기로 작정했다. 그리하여 배에다 항해할 때 먹을 식량을 실었다. 내가 실은 것은 보리빵덩이 2다스, 내가 상당히 많이 먹는, 바싹 구운 쌀과자를 가득 넣은 항아리 하나, 럼주를 넣은 작은 술병, 염소 반 마리, 그리고 사냥에 필요한 화약과 탄환 및 아까 말한 것처럼 선원들의 옷궤짝에서 가져온 옷 중에서 골라낸 커다란 외투 두 벌 등이었다. 외투는 한 벌은 깔고 또 한 벌은 밤에 덮었다.

이리하여 항해를 떠난 것은 2월 6일, 내가 이 섬을 다스렸다고 할까, 포로로 갇혔다고 할까 한 지 만 6년째 되는 해였다. 출발하고 보니 이 여행이 예상보다 오래 걸릴 것을 깨달았다. 섬 자체는 크지 않지만 동쪽의 해안에 이르자 바다 속으로 길이 약 6마일의 커다란 암초가 수면에 들쑥날쑥 뻗쳐 있었고, 그 너머로 1.5마일 가량의 모랫벌이 깔려 있어 이 지점을 돌아서 가기 위해서는 바다 밖으로 상당히 멀리 나가야 했던 것이다.

나는 이 암초를 처음 발견했을 때는 항해 계획을 중단하고 돌아가려 했다. 바다 밖으로 얼마나 나가야 할지 알 수 없었고, 무엇보다 귀항할 일이 걱정이었다. 그래서 나는 닻을 내렸다. 이 닻은 내가 배에서 가지고 온 부러진 갈고리 닻 조각으로 만든 것이다.

보트를 바위에 매 놓고 총을 들고 해변으로 가서 곶(岬) 전체를 내려다볼 만한 언덕으로 올라갔다. 둘레를 모두 돌아본 후 나는 항해를 계속하기로 했다.

내가 서 있는 언덕에서 바다를 보니 거센 격류가 동쪽을 향해 여기의 곶 가까이 접근해 흐르고 있었다. 이 조류가 위험할 것 같아 더욱 자세히 관찰했다. 내가 이 격류에 들어가게 되면 그 억센 힘에 말려들어 바다 밖으로 밀리게 되고, 그래서 섬으로 다시 돌아올 수 없을지도 모르기 때문이었다. 사실 먼저 이 언덕에서 관찰해 보지 않았더라면 그런 꼴을 당했을 것이다. 이 조류는 곶을 돌아 반대편을 향해 섬으로부터 훨씬 멀리 떨어진 바다로 흐르는데 해변 가까이서는 급격한 소용돌이를 일으키고 있었다. 그리고 이제 소용돌이 속에 들어가야 했다.

그러나 나는 여기서 이틀을 보냈다. 동남풍이 지금 말한 조류와 반대편으로 아주 강하게 불어, 곶 주변의 바다에 심한 파도가 일었다. 따라서 해변에 너무 가까이 붙어 항해하는 것은 파도 때문에 안전치 못하고, 또 너무 멀리 떨어져 가는 것도 조류 때문에 위험했다.

사흘째 되던 날 아침, 바람이 잤기 때문에 바다가 잔잔해져서 나는 항해를 떠났다. 그러나 나는 아직껏 경솔하고 서투른 항해사였다. 내가 곶을 향해 해안으로부터 몇 자 떨어지자마자 바다는 굉장히 깊어지고 물레방아의 수문을 열어 놓은 것처럼 물결이 세차게 흘렀다. 보트는 격류에 말려들어 아무리 애를 써 보아도 도저히 빠져나올 수가 없었다. 마침내 격류에 휩쓸려 왼쪽으로 소용돌이를 지나 아주 멀리 밀려갔다. 내게 유리한 바람도 불지 않았고 노를 아무리 왼쪽으로 저어 봤자 소용이 없었다. 이제 나는 살아날 희망을 잃기 시작했다. 조류는 섬 양쪽으로 흘러 몇 마일 앞에서 서로 합류한다는 것을 알고 있었다. 그래서 나는 별수없이 그리로 밀려가지 않을 수 없었다. 도저히 벗어날 자신이 없었다. 앞에는 죽음 밖에는 보이는 것이 없었다. 그것도 잔잔한 바다에 빠져 죽는 것이 아니라 굶어 죽는 것이다. 해변에서 커다란 거북이 한 마리를 잡아 보트 안에 겨우 던져 두었다. 또 마실 물도 커다란 질항아리에 하나 가득 들어 있었다. 그러나 수천 마일의 거리 안에는 해변도, 대륙도, 섬도 없는 막막한 대양에 흘러 들어간다면 이 정도가 무슨 소용이 있겠는가?

이제사 나는 인간이 빠질 수 있는 가장 비참한 상태를 하나님은 얼마나 쉽게 더 악화시킬 수 있는가를 깨달았다. 나는 내 외떨어진 섬이 가장 좋은 곳이라고 생각하게 되었고 진심으로 소망하는 유일한 행복은 다시 그 섬에 돌아가는 것뿐이었다. 나는 섬을 향해 두 손을 내밀고 간절히 염원했다. "오 즐거운 무인도여, 내 다시는 너에게로 못 돌아가겠구나! 오, 불쌍한 인간이여, 나는 어디로 갈 것인가!" 그리고는 내 무분별한 기질을 자책하고 고독한 처지에 빠졌다고 해서 그 동안 얼마나 불평했던가를 반성하였다. 다시 그 섬에 돌아가기만 한다면 어떻게 달리 처신해야 하겠다고 생각했다.

인간이란 반대의 입장에 닥쳐서 일을 당해보아야 자신이 처한 진정한 사태를 깨닫는 법이며, 우리가 누리던 것이 없어지고 나서야 그것이 얼마나 값진 것인가를 알게 된다. 내 사랑하는 섬(이제 내게 그처럼 보였다)으로부터 2리그 떨어진 바다에 흘러 다시는 그 섬에 되돌아갈 수 없다는 극도의 절망 속에 빠지게 되었을 때, 내가 얼마나 경악했을 것인가는 상상도 못할 것이다.

그렇지만 나는 힘이 다할 때까지 열심히 북쪽으로 노를 저어 소용돌이치는 격류의 변두리로 빠져나가기 위하여 노력했다. 정오쯤 되어 해가 정남을 약간 지나가 남동쪽으로부터 미풍이 불어 내 얼굴에 스치는 것을 느꼈다. 그러자 약간 용기가 생겨났다. 더욱 다행한 것은 반 시간쯤 후부터는 약간 된바람으로 풍세가 강해진 것이다. 이때쯤 나는 섬으로부터 상당히 멀리 떨어져 있었다. 만일 구름이나 안개가 끼어 있었다면 나는 또 다른 위험에 빠졌을 것이다. 나침반이 없었던 것이다. 그러니 섬만 보이지 않게 되면 어떻

게 키를 잡아야 할지 전혀 알 수 없게 된다. 그러나 날씨가 계속 청명했기 때문에 다시 돛대를 세우고 격류를 벗어나기 위해 북쪽으로 나가도록 돛을 폈다. 돛대를 세우고 돛을 펴서 보트가 나가기 시작할 즈음, 바닷물이 맑아지는 것을 보고 조류의 변화가 일어나기 시작한다는 것을 알았다. 조류가 급한 곳은 물이 혼탁한 법이다. 물이 맑아지면 조류가 약해진다는 것을 의미한다.

돛쪽으로 반 마일쯤 떨어진 곳에 암초가 있었다. 바다가 그곳에서 부딪히는 것이 보였다. 이 암초 때문에 조류가 다시 둘로 갈렸다. 조류는 바위에 부딪혀 되돌아 오면서, 심한 소용돌이를 일으켰다가 다시 북서쪽으로 사납게 흐르는 것이었다.

교수대에 오르는 도중 형의 집행유예를 받았거나, 구출을 받았거나, 혹은 이와 비슷한 극한 상황에 빠져 본 사람이라면 내 현재의 기쁨이 얼마나 컸을 것인지, 내가 이 소용돌이를 타고 선선한 바람을 받으며 얼마나 즐겁게 보트를 몰았을 것인지, 아마 짐작할 수 있을 것이다. 나는 세찬 조류를 타고 돛을 펴서 맞바로 바람을 받으며 정말 신나게 달렸다.

이 조류를 타고 섬을 향해 1리그쯤 항해했고, 거기서 2리그 더 북쪽으로 나갔다. 그리하여 섬 가까이에 이르니 섬 북쪽, 다시 말해서 내가 출발했던 곳의 반대편이 되는 섬의 다른쪽 평야가 보였다.

조류의 힘으로 1리그 이상을 더 나가자 조류의 힘도 다해서 내게 아무런 도움이 못되었다. 보트는 이제 두 조류 사이에 놓이게 되었다. 거세게 밀어내던 남쪽 조류와 반대쪽으로 1리그쯤 떨어진 쪽에 흐르는 북쪽 조류 사이, 육지에 연한 바다는 잔잔하고 아무데로도 흐르지 않았다. 바람은 여전히 내게 유리하게 불었다.

그리하여 곧장 섬 쪽으로 계속 노를 저었다. 이처럼 상쾌한 항해를 해 본 적이 없었다.

오후 4시쯤 되어 섬으로부터 1리그 떨어진 곳에 이르렀을 때 내 위기를 모면케 해 준 암초가 아까 말한 것처럼 조류를 가로막아 남쪽으로 흐르게 하기 때문에, 자연히 북쪽에 소용돌이가 생기는 것을 확인할 수 있었다. 이 소용돌이는 무척 거세지만 내 항로를 곧바로 막지는 않았다. 나는 정서쪽으로 가는데 소용돌이는 거의 정북쪽으로 흘렀던 것이다. 보트는 때마침 부는 강풍을 맞아 북쪽으로 흐르는 소용돌이를 넘어 반 시간이 못되어 육지로부터 1마일 안으로 들어왔다. 여기서부터는 물이 잔잔해서 나는 곧 해변에 상륙했다.

육지에 오르자 무릎을 꿇고 하나님에게 나를 구조해 준 은총에 감사를 드리고, 보트로 이 섬을 탈출하려던 생각을 아주 단념하기로 결심했다. 내가 가지고 온 식량으로 기운을 차린 후, 숲속에서 보아 두었던 작은 나루터로 배를 끌어 넣고, 몸을 뉘어 잠을 잤다.

조류에 시달리며 일을 했기 때문에 무척 피로했던 것이다.

이제 배로 귀향하는 일이 난감했다. 이미 커다란 위험을 겪어 그 사정을 잘 알고 있었기 때문에, 내가 온 길로 되돌아갈 생각은 전혀 없었다. 게다가 저쪽편(즉 서편)에서는 어떤 일이 생길지도 알 수 없었고, 또 더 이상 모험하고 싶은 생각도 없었다. 그래서 이튿날 아침 해안을 따라 좀더 서쪽으로 항해해서 배를 안전하게 놓아 둘 곳이 없는가만 찾아보기로 했다. 필요할 때면 언제나 다시 사용할 수 있도록 해 두고 싶었던 것이다. 3마일쯤 해안을 따라 항해하다가 폭이 1마일 가량 되는 아주 좋은 물굽이를 발견했다. 이 물굽이가 점점 좁아져 아주 작은 시내를 이루는 곳에 보트를 넣어 두기 아주 적합한 나루터를 찾아냈다. 이곳은 마치 일부러 만들어 놓은 조그만 독(dock) 같았다.

나는 여기에 배를 안전히 넣어 두고 육지에 올라와 내가 어디쯤 와 있으며 여기가 어떤 곳인지 둘러보았다. 전에 도보로 맞은편 해안에 여행했던 지점을 약간 지나친 곳이었다. 그래서 보트에 다른 물건은 그대로 두고 총과 뜨거운 햇볕을 가려 줄 우산만을 들고 앞으로 나가기 시작했다. 그 어렵던 항해를 한 끝이어서 이 같은 길은 참 편안하게 느껴졌다. 오후에 오두막집에 도착했다. 모든 것은 전과 마찬가지로 깨끗이 정리되어 내가 놓아 둔 그대로 있었다.

나는 담을 넘어 들어가 사지를 펴고 그늘에 눕자 너무 피곤했기 때문에 곧 잠이 들었다. 그런데 "로빈, 로빈, 로빈 크루소, 불쌍한 로빈 크루소야! 너는 어디 있느냐? 로빈 크루소야, 너는 어디 있느냐? 너는 어디 있었느냐?" 몇 차례나 이름을 부르며 나를 찾는 소리에 잠을 깼다. 그때 내가 얼마나 놀랐는가 독자들은 짐작할 수도 없을 것이다.

이날 오전에는 노를 저었고 오후에는 도보 행군을 했기 때문에 몸이 너무 피로해서 처음에는 죽은 듯 잠이 들어 깨어나지도 못했다. 그러다가 잠을 자며 깨며 하는 중에 누군가가 내게 말하는 것처럼 느꼈다. 그러나 "로빈 크루소, 로빈 크루소."라는 소리가 반복되자 마침내 아주 잠에서 깨어났고, 처음에는 무서워 떨다가 극도의 경악으로 벌떡 일어났다. 그러나 눈을 뜨자마자 폴이 나뭇가지에 앉아 있는 것이 보였다. 나를 부른 것이 앵무새 폴임을 곧 깨달았다. 앵무새는 내가 늘 말을 걸고 또 그렇게 가르친 대로 아주 슬프게 나를 불렀다. 폴은 내 가르침에 아주 익숙해져서 내 손등에 앉아서도 내 얼굴에 부리를 바짝 대고 "불쌍한 로빈 크루소야! 너는 어디 있느냐? 너는 어떻게 여기에 왔느냐?" 소리를 지르곤 했다. 이런 말은 내가 가르친 것들이었다. 그러나 나를 잠깨운 부름이 바로 앵무새의 소리였고, 그밖에 다른 누가 있을 리 없다는 것을 알면서도 제정신을 찾는 데는 한참 걸렸다. 첫째로 이 앵무새가 어떻게 여기까지 왔는가 알 수 없었다. 그러나 그것이 다른 누구도 아닌 충실한 폴이라는 데 마음이 흡족해져서 정신을 가다듬고 손을 내밀어 "폴!"하고 이름을 불렀다. 사람과 잘 사귀는 이 앵무새는 내게로 와 전처럼 손등에 앉아서 "불쌍한 로빈 크루소!"라고 부르며 나를 다시 만나 즐거운 듯, 어떻게 여기 왔느냐고 물었다. 나는 이 앵무새를 집으로 데리고 왔다.

기술이 늘다

    얼마 동안 바다에서 방랑했기 때문에 이제는 며칠 동안 가만히 앉아 겪은 위험을 반성해야 했다. 보트를 다시 섬 이편으로 옮겨놓고 싶은 생각이 간절했다. 그러나 어떻게 해야 할지 방법이 없었다. 내가 돌았던 동쪽 해안으로 다시 항해할 수 없다는 것을 잘 알고 있었다. 생각만 해도 가슴이 내려앉고 피가 싸늘해지는 것 같았다. 그 반대편 해안은 어떤는지 알 수 없었다. 그러나 그곳에도 격류가 동쪽 바다처럼 거세게 흐른다고 가정한다면 전과 똑같이 조류에 빠져 죽을 위험에 부딪히게 될 것이다. 또 이 섬으로 표류해 오듯이 섬으로부터 망망대해로 표류할지도 알 수 없는 일이었다. 이런 생각을 하게 되자 만드는 데 몇 달 동안의 노고가 들어갔고, 바다에 띄우기만 하면 쓸모가 굉장히 많을 이 배를 아예 없었던 셈으로 쳤다.

    이처럼 기분을 가라앉히며 근 1년을 지냈다. 그 동안 아주 침착하게 은둔생활을 했다. 그리고 주어진 상황에 마음을 적응시키면서 하나님의 뜻에 몸을 맡기고 충만한 위안을 얻었다. 이웃과 사귈 수 없다는 점만 제외하면 빠진 것 없이 다 갖추어진 큰 행복을 누렸던 것이다.

    이 동안 생활 필수품을 만들어 낼 공작기술을 익혔다. 사실 내가 가진 연장이 매우 적다는 점을 생각한다면, 나야말로 아주 훌륭한 목수라고 자부하지 않을 수 없다.

더욱 상상 외의 능숙한 독장이가 되어 물레를 고안하여 질그릇을 제법 멋있게 만들어낼 수 있었다. 회전 물레를 사용하면 일이 훨씬 편하고 잘 되었다. 전에는 보기에도 조잡했던 질그릇을 이제는 동그랗고 모양있게 만들었다. 그러나 습득한 어떤 기술도, 고안해 낸 어떤 물건도 내가 만들 줄 알게 된 담배 파이프보다 더 자랑스럽고 즐거운 것은 없었다. 이 파이프는 아주 못생기고 투박하게 다른 질그릇처럼 구워 만든 것이긴 하지만, 아주 단단하고 연기도 잘 빨아들여 무척 흡족했다. 나는 전에도 언제나 담배를 피웠고 배 안에도 파이프가 여러 개 있었다. 처음에는 이 섬에 담배가 나는 줄 몰랐기 때문에 파이프 생각은 하지 못했다. 그랬다가 후에 다시 배에 가서 찾아봤지만 하나도 남은 것이 없었다.

버들 세공품을 만드는 기술도 역시 많이 늘었고, 이모저모 연구하여 필요한 바구니를 많이 만들었다. 이들은 보기에는 멋이 별로 없었지만 물건을 넣어두거나 운반하는 데는 편리하며 안성맞춤이었다. 예를 들면 사냥을 나갔다가 염소를 잡게 되면 그 염소를 나무에 걸어 놓고 가죽을 벗기고 몸집을 토막을 내어 바구니에 담아 집으로 가지고 온다. 거북이 같은 것은 배를 가르고 알을 꺼낸 후, 식량으로 충분할 만큼 살점 한두 점을 잘라 바구니에 넣어 집으로 가져오고 나머지는 버렸다. 그리고 깊이가 깊고 큰 바구니는 곡식을 거두는 데 썼다. 곧 곡식이 마르면 손으로 비벼 껍질을 벗긴 뒤 언제나 커다란 바구니에 담아 두었다.

나는 또 화약이 상당히 줄어드는 것을 깨닫게 되었다. 이것이야말로 만들 수 없는 필수품이었다. 그래서 화약이 다 떨어지면 어떻게 해야 할지, 다시 말하면 염소를 어떻게 잡아야 할까 하는 문제를 심각히 생각하게 되었다. 이미 말한 것처럼 이 섬에 온 지 3년이 되는 해에 새끼염소 한 마리를 잡아 길을 들였다. 그래서 숫염소 한 마리를 잡았으면 하고 바랐다. 그러나 이를 실행하지도 못한 채 염소는 나이를 먹어갔고, 나로서는 도저히 그 염소를 죽일 생각이 나지 않았다. 염소는 결국 늙어 죽었다. 이 섬에 살게 된 지 11년이 되었고 화약의 재고량도 아주 줄어들어, 나는 염소를 덫과 올가미에 씌워 잡는 방법을 연구하기 시작했다. 염소를 산 채로, 특히 새끼를 밴 커다란 암염소 한 마리를 잡을 계획이었다. 그러기 위해 족쇄를 끼운 덫을 만들었다. 아마 염소가 여러 차례 이 덫에 걸렸을 것이다. 그러나 줄이 없어 덫의 장치가 제대로 움직이지 않았기 때문에 언제나 덫은 부서지고 미끼만 없어졌다.

마침내 함정을 파 보기로 했다. 그래서 염소가 풀을 뜯으러 잘 다니는 길로 눈익혀 둔 길목 여러 군데에 커다란 함정을 파고 그 위에 올가미를 씌웠다. 이튿날 아침에 가 보니 올가미는 그대로 있고 먹이는 모두 없어졌다. 무척 실망했지만 올가미를 다시 꿰었다. 자세한 설명을 피하고 요점만 이야기하자면, 어느 날 아침 올가미 쪽으로 가 보니 한 군데에는 크고 늙은 숫염소 한 마리가 걸렸고, 다른 한 군데에는 새끼 세 마리가 걸렸는데 수놈 한 마리, 암놈 두 마리였다.

늙은 염소는 어떻게 해야 할지 난처했다. 너무 사나워서 함정에 들어갈 수가 없었다. 내 계획은 산 채로 끌고 가는 것이었다. 이 염소를 죽일 수도 있었지만 그럴 기분이 들지 않았고 또 죽였다 해서 목적을 이루는 것도 아니었다. 그래서 늙은 염소는 놓아주었다. 그 놈은 공포로 미친 듯 도망가 버렸다. 그러나 짐승이란 배만 고프면 사자도 길들일 수 있다는 사실을 그때는 몰랐고 나중에야 깨달았다. 사나흘 동안 음식도 주지 않고 그 자리에 내버려 두었다가, 차츰 마실 물과 먹을 곡식을 조금씩 주면 새끼 염소처럼 순하게 만들 수 있는 법이다. 염소란 잘 다루기만 하면 무척 영리하고 기르기 쉬운 동물이다.

그러나 그때에는 달리 좋은 방법이 없었다. 풀어 놓아 주고는 세 마리의 새끼 쪽으로 가서 한 마리씩 꺼내 새끼줄로 묶었다. 약간 힘이 들긴 했지만 세 마리를 모두 집으로 끌고 올 수 있었다.

염소 새끼는 한참 지나서야 먹이를 먹기 시작했다. 맛있는 곡식을 던져 주었더니, 새끼염소는 그 꾀에 넘어가 차츰 순해지기 시작했다. 이제야 나는 화약이나 총알이 다 떨어지고 난 후에도 염소고기를 식량으로 먹으려면, 집 근처에 양떼처럼 많은 염소를 기르는 길뿐임을 깨달았다.

그러나 길들인 염소는 야생 염소와 따로 두어야 한다는 생각이 들었다. 그렇지 않으면 이 염소가 다 자란 후 틀림없이 산으로 도망갈 것 같았다. 이를 막는 방법은 오직 말뚝을 총총히 박은 울타리를 만들어 안에서 튀어나가지 못하고 밖으로부터 부수고 들어갈 수 없도록 하는 것뿐이었다.

두 손밖에 없는 나로서는 이 일이 벅찬 작업이었다. 그러나 이 작업은 꼭 해야 한다고 생각했다. 우선 급한 일은 풀도 많고 마실 물도 있고 조건에 알맞은 장소를 찾아내는 것이었다. 그러나 이 모든 조건에 알맞은 장소라고 찾아낸 곳을 보면 목장 울타리에 대해 잘 아는 사람은 내가 꽤나 머리가 둔하다고 생각할 것이다.

그곳은 편편한 사바나(서인도제도의 초원을 그렇게 부르지만)로 된 넓은 풀밭의 일부인데 깨끗한 냇물이 두어 줄기 흐르고 한쪽으로는 울창한 숲이 펼쳐져 있었다. 여기에 적어도 2마일 정도의 길이로 나무를 박아 울을 치겠다고 말하면, 이 방면의 전문가들은 필시 웃고 말 것이다. 그러나 내가 이 넓은 곳에 미쳐서 그런 것은 아니었다. 울타리가 10마일쯤 된다 하더라도 그 일을 다 해낼 만큼 시간은 충분했던 것이다. 그러나 산 전체를 목장으로 삼은 듯 그렇게 넓은 면적을 차지할 만큼 염소를 놓아 기를 필요도 없었지만, 염소를 따라다녀야 할 면적이 너무 넓어서 어떻게 잡을 것인가, 이걸 생각지 못했었다.

울타리 작업을 시작해서 50야드, 폭 1백 야드로 줄이기로 작정하였다. 이 정도면 염소를 많이 수용할 수도 있으리라 생각한 것이다. 나는 이 작업을 신중하게 진행했고, 또 원기 왕성하게 일했다. 그리하여 첫 단계로 세운 울타리는 4개월 만에 완성되었다. 울타리를 세우는 동안 나는 새끼 염소 세 마리를 울 안 가장 좋은 곳에 매어 두고 나와 사귈 수 있도록 가까이서 풀을 뜯어 먹게 했다. 그리고 가끔 보리알이나 쌀알을 한 줌씩 갖다 주었다. 울타리를 완성한 다음 염소를 풀어 놓으니 그놈들은 내 뒤를 따라다니면서 곡식 한 줌을 달라고 매앵 하고 울었다.

이리하여 목적은 이루어진 셈이다. 1년 반이 지났을 때는 새끼를 쳐서 모두 열 두 마리 가량 되었고, 그로부터 2년 후에는 그 동안 여러 마리를 잡아 먹었지만 마흔 세 마리나 되었다. 그리고 우리를 5개로 늘였고, 그 안에 작은 우리를 만들어 필요할 때마다 쉽게 잡도록 했다. 한편 서로 통행할 수 있도록 우리 사이에 문을 만들었다.

그리고 염소를 잡아 고기를 먹을 수 있을 뿐 아니라 젖도 짤 수 있었다. 처음에는 별달리 생각하지 않았는데 우연히 이 생각이 머리에 떠오르자 정말 뛸 만큼 기뻤다. 그리하여 착유소(搾乳所)를 짓고 어떤 때는 염소젖을 하루 1, 2갤런씩 짜냈다. 자연이란 모든 생물에게 먹을 것을 줄 뿐만 아니라 먹는 방법도 가르쳐 준다. 나는 염소젖은커녕 암소젖조차 짜 본 일이 없었고, 더욱 버터와 치즈 만드는 광경을 본 일이 없었다. 그러나 여러 차례 실험하고 실패를 거듭한 끝에 아주 쉽고 편한 버터와 치즈 제조법을 익히게 되었다.

그 후 식량은 조금도 모자라지 않았다.

우리가 완전히 파멸했다고 생각되는 상황 속에서도 우리의 위대한 창조자는 그의 피조물을 얼마나 자비롭게 대해 주시는가! 하나님은 극도의 비참 속에서도 위로를 주시고, 감옥 속에서도 주를 찬송하게 하지 않으시던가? 처음에는 굶어 죽는다는 것밖에는 아무것도 생각할 수 없던 이 광야에서, 하나님이 내게 얼마나 풍성한 식탁을 마련해 주셨는가!

내 적은 식구들과 함께 식탁에 앉아 있는 장면을 본다면 틀림없이 쓴미소를 지을 것이다. 나는 이 섬 전체의 왕이자 주인이요, 내 모든 종속물의 생명은 내 절대적인 명령에 달려 있었다. 교수형에 처할 수도, 오장육부를 도려낼 수도 있고, 자유를 줄 수도 있고, 추방도 할 수 있다. 백성들의 반역이란 있을 수 없었다.

그러면 시종을 배석시키고 혼자서 어떻게 제왕처럼 식사를 하는가 구경해 보시라. 앵무새 폴이 총애하는 신하다. 그는 내게 말을 붙일 수 있는 유일한 존재다. 이제는 무척 늙고 병약하여 씨를 남겨 자식을 번식시키지 못한 개도 언제나 내 오른편에 앉아 있다. 두 마리의 고양이는 식탁 양쪽에 마주보고 앉아서 때때로 특별한 총애의 표시로 주는 음식을 기다렸다. 이 고양이는 처음 배에서 데리고 온 고양이는 아니다. 먼저 고양이는 둘 다 죽어 집 근처에 파묻었다. 그러나 그 중 한 마리가 나도 모르는 짐승과 교미해서 새끼를 낳았는데, 그 중 길들인 것은 지금의 두 마리뿐이며, 나머지는 숲속으로 도망가 들짐승이 되었다. 그러나 숲속으로 도망간 것들이 결국 말썽이었다. 이들은 가끔 지붕으로 들어와 양식을 약탈해 갔다. 총을 쏘아 죽이지 않을 수 없었다. 결국 들고양이는 없어졌다. 그리하여 나는 이처럼 풍족하게 생활했다. 이웃과의 사귐 외에는 더 필요한 것이 없었다. 그리고 이후 얼마 뒤에는 사교의 기회도 갖게 되었다.

전에 말한 것처럼 더이상 모험을 하고 싶지는 않았지만 배를 사용하고 싶은 생각은 간절했다. 어떤 때는 배를 귀항시킬 궁리를 하고 어떤 때는 배 없이도 지낼 수 있다고 타이르기도 했다.

그러나 먼저 말한 섬의 곳에 가 보고 싶은 묘한 불안감에 사로잡혔다. 그래서 언덕에 올라 해안이 어떻게 되었고 조류가 어떻게 흐르는가 조사한 후 결정하기로 마음먹었다. 이 욕망은 나날이 커져

마침내 육로로 그곳에 가 보기로 작정했다. 나는 해변을 따라 여행에 나섰다. 그러나 영국에서 이처럼 차리고 나섰더라면 누구든 기절 초풍하거나 폭소를 터뜨릴 것이다. 나는 때때로 걸음을 멈추고 내 모양을 훑어보면서 이런 장비와 옷을 하고 요크셔로 여행하면 어떠했을까, 상상하고는 웃음을 터뜨렸다. 내 모습을 그려 보면 다음과 같다.

머리에는 염소 가죽으로 만든 무척 모양 없는 모자를 썼고, 뒷머리에는 햇볕도 가릴 겸 비가 오면 빗물이 목 뒤로 흐르지 않도록 긴 자락을 댔다. 이런 기후에는 빗물이 옷 안의 살에 스며드는 것처럼 해로운 것이 없었다.

나는 염소 가죽으로 만든 짧은 조끼와 넓적다리 중간쯤 오는 스커트, 그리고 무릎이 나오는 반바지를 입었다. 이 반바지는 늙은 숫염소 가죽으로 만든 것인데, 긴 털이 양쪽으로 붙어 있어 짧은 바지처럼 다리 중간쯤까지 내려왔다. 양말과 구두가 없어 나는 그 비슷한 것을 만들었는데, 그걸 무어라고 불러야 좋을지 모르겠다. 양말은 반장화처럼 내 다리로 흘러내리고 신은 짧은 각반처럼 양쪽을 조여 매었다. 어쨌든 그것은 다른 옷들처럼 가장 야만적인 모습이었다.

허리에는 마른 염소 가죽으로 만든 넓은 띠를 두르고 버클 대신 거기에 달린 두 가닥 가죽끈으로 매었다. 양 옆으로 칼 차는 데가 있었지만, 칼이나 단도 대신 한쪽에는 조그만 톱을, 또 한쪽에는 도끼를 찼다. 또 그리 넓지 않은 혁대를 또 하나 허리에 두르고 어깨에 멜빵을 맸다. 그리고 그 끝 왼쪽 옆구리에는 역시 염소 가죽으로 만든 탄알집 두 개를 달았는데, 그 하나에는 화약을, 또 다른 하나에는 탄환을 넣었다. 등에는 바구니를 짊어지고 어깨에는 총을, 머리 위로는 볼품 없는 커다란 양산을 맸다. 양산은 소지품 중 총 다음으로 가장 필요한 물건이었다. 얼굴에 대해서 말하자면 그 피부색이 위도 8, 10도 내의 춘주분점(春秋分點)에 살면서 자기 얼굴에 무관심한 사람에게서 볼 수 있는 흑백 혼혈종 정도가 아니었다. 수염은 한때 4분의 1야드나 길어 고생한 적이 있었지만, 가위와 면도를 배에서 많이 가져왔기 때문에 깨끗이 깎을 수 있었다. 윗입술에 자라는 수염만은 살리어서 본토 터키인들처럼 마호멧 교도 식으로 커다란 구레나룻으로 다듬었다. 무어인들은 그렇지 않았지만 터키인들은 이런 수염을 길렀는데, 이 구레나룻이 모자에 닿을 정도는 아니었지만 그래도 영국에서 보면 놀랄 만큼 거창했다.

그러나 이런 것은 말이 나왔기에 했을 뿐이지, 아무도 내 몰골을 주의해서 보는 사람이 없으니 어떻게 차렸든 관계 없는 일이었다.

아무튼 이런 모양으로 새로운 여행을 시작했다. 그리하여 5, 6일 동안 집을 떠나게 되었다. 전에 보트를 매고 바위 위로 올라갔던 지점으로 향해, 처음에는 해안을 따라 걷다가, 이제는 신경을 써야 할 보트가 없기 때문에 샛길을 골라 곧장 육지를 가로질러 전에 올라갔던 언덕에 도착했다. 보트로 회항(回航)해야 할 죽 뻗어나간 암초의 끝을 바라보니, 이곳 바다가 어느 다른 곳 못지 않게 극히 잔잔하고 조용하며 잔물결이나 파도, 또는 조류가 전혀 없어서 놀랐다.

이 사실을 도저히 이해할 수 없었다. 그래서 오랫동안 관찰하여 과연 간만조(干滿潮)에 따른 영향이 없을 것인가 알아 보기로 했다. 그러나 이때에도 대강 어째서 그러리라는 것을 짐작할 수는 있었다.

곧, 서쪽에서 생긴 썰물이 바다로 들어오는 한 커다란 강물과 합쳐 그 격류를 이루지 않았는가 싶었다. 그리하여 서쪽이나 북쪽에서 강하게 부는 바람에 따라 틀림없이 이 격류는 해변으로부터 가까워지기도 하고 멀어지기도 하는 것이다. 오후가 되기를 기다려 나는 바위 위로 올라가 보니 이미 썰물이 일어나 전번처럼 격류가 다시 생긴 것을 분명히 볼 수 있었다. 다만 그 격류는 전보다 해변으로부터 1마일 반 정도 멀리 흐르고 있었다.

전에 위험을 겪었을 때는 해변 가까이 격류가 흘렀고 거기에 말려들어 보트가 표류하였지만 이런 경우만 피하면 전과 같이 위험을 겪지 않을 것이다.

이러한 관찰 결과 썰물과 조류의 흐름을 잘 관측하는 것밖에는 별다른 준비는 필요 없고 보트를 섬 이편으로 다시 옮기는 것도 아주 쉬운 일 같았다. 그러나 그것을 막상 실행하려고 하니 전에 내가 겪었던 위험이 회상되어 커다란 공포감이 일어났다. 그래서 감히 그 문제를 더 생각할 수 없었다. 그리하여 나는 정반대로 힘은 더 들겠지만 보다 안전한 방도를 선택하기로 했다. 그것은 카누를 또 한 척 만드는 것이다. 섬 이편과 저편에 각각 한 척씩 비치해 두고 싶었다.

이 섬에 두 개의 농장을 갖고 있다는 사실을 여기서 상기해야 할 것이다. 그 하나는 암벽 아래, 담을 쌓고 뒤에는 굴을 판 작은 요새 부근에 있는 것이다. 이때쯤에는 굴을 연이어 요새를 여러 개의 방으로 확장했었다. 이들 방 중 하나는 가장 크고 건조하며 요새의 담 밖으로 나가는, 그러니까 담과 담벽이 이어진 곳에 출입할 수 있는 문을 만들었는데, 여기에는 이미 내가 설명한 질항아리와 하나에 5, 6부셸은 들어갈 커다란 바구니 열 네댓 개가 가득 들어 있었다. 이 바구니를 곳간으로 사용하여 특히 한쪽에는 탈곡하지 않은 이삭을, 또 다른 한쪽에는 손으로 껍질을 벗긴 곡식을 넣었다.

담은 전에도 말했지만 긴 나뭇가지로 만들었는데, 그 가지가 숲처럼 자랐고 이즈음 굉장히 크고 넓게 퍼져, 누가 보든 숲 뒤로 무슨 살림집 같은 게 있으리라고는 전혀 추측할 수 없을 만했다.

이 집 근처, 섬 안쪽으로 약간 들어간 평지에 두 구간의 경작지가 있고, 적기에는 논을 갈고 씨를 뿌려 수확기가 되면 충분한 곡식을 거두어 들였다. 곡식이 필요하면 그 필요량에 맞추어 경작지를 연이어 넓히기만 하면 되었다.

이것 말고도 골짜기에 적지 않은 농장을 갖고 있었다. 여기에는 맨 먼저 손질해 놓은 작은 집이 있는데 나는 보통 정자라고 불렀다. 이 정자 둘레에 울타리를 치고 키가 더 자라지 않도록 자주 가지를 쳐 주었으며, 그 안에는 늘 사다리를 걸어 놓았다. 처음에는 가지에 불과했던 울타리가 이제는 단단하고 커다란 나무로 자랐다. 그 나무를 자주 쳐 준 때문에 키는 더 자라지 않고 옆으로 퍼지고 줄기가 더 굵어지고 무성해졌다. 그리하여 아주 시원한 그늘이 생겨 마음이 무척 흐뭇했다.

그 가운데에 천막을 쳤다. 이것은 기둥 위로 돛포를 펼친 것인데, 다시 수선하거나 고칠 필요가 없었다. 이 천막 안에 짐승 가죽과 다른 연한 물건들로 만든 두꺼운 요의자와 파선한 배에서 가지고 온 선원들의 침구에 깔려 있던 모포, 그리고 이불로 덮을 커다란 외투를 마련해 놓았다. 나는 본집을 떠나면 으레 이 골짜기에 거처했다.

이 집에 연이어 가축, 그러니까 염소를 기르는 목장이 있었다. 이곳에 울을 치는 데도 굉장한 힘이 들었지만, 염소가 달아날까봐 울 밖에 잔가지를 총총히 심느라고 또 무진 일을 했다. 그리하여 이것은 울이라기보다 담처럼 되어 손 하나 집어넣을 틈이 없이 완전했다. 그 후 한 차례 우기가 지나자 그 가지들이 부쩍 자라 어떤 벽보다 더 튼튼한 벽이 되었다.

내가 게으르지 않았고 생활을 편하게 할 수 있도록 무엇이든 몸을 아끼지 않고 일을 했다는 사실은 다음 이야기로 증명될 것이다. 가축을 기른다는 것은 몇십 년 동안이라도, 이 섬에서 사는 한 계속할 일이라 생각했다. 그건 고기와 우유, 버터와 치즈를 공급해 주는 살아 있는 창고를 갖고 있는 셈이요, 이 가축을 활용하려면 이들이 도망갈 수 없도록 완벽한 울을 만들어야 한다고 생각했다. 그래서 총총히 심어 놓은 잔디까지 자라기 시작하면 그것을 다시 솎아 뿌리를 뽑아내 가면서까지 완벽을 기했다.

이곳에서 포도밭을 가꾸고 겨울 식량으로 저장할 건포도도 주로 여기서 만들어 냈다. 이 포도밭을 늘 정성들여 돌보아 왔는데, 여기서 나오는 건포도는 모든 음식 중 가장 훌륭하고 맛있는 특제품이었다.

　사실 이것은 맛이 있을 뿐 아니라, 극히 영양이 많아서 몸에 이로우며 일종의 청량식품(淸涼食品)이었다.

　이곳은 내 본집과 보트를 둔 곳과는 중간에 위치해 있었다. 오가는 길에 늘 여기서 머물고 숙박했다. 또 자주 보트 있는 곳에 찾아가 배 안의 물건들과 그 근처를 정돈했다. 때때로 기분을 바꾸기 위해 보트를 타고 나가 보긴 했지만, 육지로부터 돌을 던질 만한 거리 이상 위험한 항해는 하지 않았다. 급류나 바람, 또는 어떤 다른 사고로 엄청난 위험에 빠질지도 모른다는 두려움 때문이었다. 그러나 이제부터 나는 생활의 새로운 국면에 이르게 된다.

사람의 발자국을 발견하다

어느 날 점심때쯤 보트 쪽으로 가다가 모래에 뚜렷이 드러난 사람 발자국을 발견하고 나는 몹시 놀랐다. 마치 벼락에 얻어맞은 듯, 귀신에 홀린 듯 멍청하게 서 있었다. 가만히 귀를 기울여 보기도 하고 둘레를 훑어보기도 했지만, 아무 소리도 들리지 않고 아무것도 보이지 않았다. 좀더 멀리 보려고 약간 높은 곳에 올라 보기도 하고, 해변을 위아래로 다녀 보기도 했지만, 그 발자국밖에는 전혀 아무런 것도 발견할 수 없었다.

나는 별다른 것이 더 나타나든가 아니면 혹시 잘못 본 게 아닐까 해서 다시 그곳으로 가 보았지만 조금도 의심할 여지가 없었다. 발바닥, 발가락, 뒤꿈치 등 발자국이 틀림없었다. 어떻게 해서 이런 발자국이 나타났는지 전혀 알 수도 상상할 수도 없었다. 전신이 완전히 혼란해지고 넋이 나간 사람처럼, 만 가지 생각으로 가슴을 설레었다. 가려던 곳에는 전혀 마음이 내키지 않아 요새로 돌아왔다. 오면서도 극도의 공포감에 젖어 두어 걸음마다 뒤돌아보며 덤불과 숲이 헷갈리고 멀리 떨어진 나무 그루터기를 볼 때마다 사람으로 잘못 보았다. 갖가지 보이는 것마다 현혹케 하여 얼마나 놀라야 했던가! 그때마다 머릿속에 얼마나 많은 망상이 떠올랐던가! 집으로 돌아오는 도중에 별의별 변덕스러운 생각들이 얼마나 많이 일어났던가! 이루 말을 다 할 수 없었다.

나는 성(城 : 이 사건 후 나는 요새를 이렇게 부르기로 했다)에 가까이 이르자 마치 쫓기는 사람처럼 급히 들어갔다. 이때 처음 만들어 놓은 대로 사다리를 타고 들어갔는지, 아니면 문이라고 부르는 암벽 사이의 입구로 들어갔는지, 지금은 기억할 수가 없다. 뿐만 아니라, 그 다음날 아침도 어떻게 보냈는지 기억나지 않는다. 집으로 돌아온 후 덮개 위로 뛰어다니는 토끼나 땅으로 다니는 여우 소리가 그처럼 겁을 준 적이 없었다.

밤새 한잠도 못 잤다. 공포의 원인으로부터 멀리 떨어지면 떨어질수록 불안감은 더욱 커갔다. 이러한 일은 보통의 경우 특히 공포에 질린 사람들이 일반적으로 겪는 것과는 다른 것이다. 그러나 그 일이 너무나 놀랍고 당혹스러운 것이어서, 그 사건의 장소로부터 멀리 떨어져 있었지만 불길한 예감이 일어났다. 때로는 그것이 악마가 틀림없으리라고 상상했고, 또 이 가정을 뒷받침할 이유가 떠오르기도 했다.

악마가 아니라면 사람의 모습이 아닌 다른 동물이 어떻게 이곳에 올 수 있단 말인가? 그들이 타고 온 배가 어디 있는가? 다른 발자국이 어디 있는가? 그리고 사람이 어떻게 여기에 올 수 있단 말인가? 그러나 조금도 그럴 만한 장소가 아니어서, 악마가 사람의 탈을 쓰고 발자국을 남겨 두어야 할 일도 없고, 그럴 이유마저 없다고 다시 생각하자 한편 마음이 놓이기도 했다. 악마가 나를 놀라게할 작정이라면, 단 하나의 발자국을 남겨 두는 것보다 달리 얼마든지 좋은 방법이 있을 것이라 생각했다. 나는 섬 이편에 살고 있기 때문에 만에 하나 볼까 말까 하는 곳에, 게다가 큰 바람만 한번 일어 파도가 한번 스치면 완전히 사라져 버릴 모랫벌에 발자국을 남겨둘 만큼 악마가 단순하지 않을 것이다. 그것은 사리에 전혀 맞지 않을 뿐더러, 우리가 흔히 믿어 오는 악마의 간교와도 일치하지 않는 것이다.

이와 같은 여러 가지 반증으로 그것이 악마일지도 모른다는 불안감은 벗어날 수 있었다. 그리하여 이제는 그것이 보다 위험한 동물임에 틀림없다는 결론에 이르렀다. 곧 내게는 적이 될 맞은편 대륙의 야만인이 분명한 것이었다. 그들은 카누를 타고 바다로 나왔다가 조류나 역풍에 밀려 이 섬으로 와서 상륙했을 것이다. 그러나 내가 처음 이 섬에 왔을 때 느꼈던 것처럼, 아마도 이 무인도에 머물고 싶지 않아 바다로 떠나갔을 것이다.

이러한 생각들이 머릿속에 떠오르는 동안, 내가 마침 그 근방에 있지 않았고, 그들도 내 보트를 보지 못했으리라는 생각이 들자 여간 다행스럽고 고맙지 않았다. 그들이 내 보트를 보았다면 이곳에 누군가가 살고 있음을 알아차렸을 것이고, 그러면 더 멀리 나를 찾아 다녔을 것이다. 그러나 또 그들이 내 보트를 혹시 보았을지도 모른다고 상상이 되자 마음이 무척 괴로웠다. 그렇다면 여기에 사람이 살고 있다는 것을 알았을 것이다. 더 많은 사람들이 다시 이리로 와서 나를 잡아먹으려 들 것이다. 그런 일이 일어난다면 나를 잡기까지는 못할망정 목장을 찾아내고 곡식을 모두 망쳐 놓고 길들인 염소떼들을 모두 잡아 갈 것이다. 그러면 나는 먹을 것을 잃고 망한다.

그러자 이런 공포감 때문에 모든 종교적 소망과 하나님에 대한 신앙심이 사라져 버렸다. 이제까지 기적적으로 먹여 살려 주신 하나님이 그 선의로 만들어 주신 식량을 그의 권능으로도 보호해 줄 수 없을 것인가 하고 생각했다. 그분의 선의로 갖게 되었던 놀라운 체험을 통해 내 마음에 뿌리박아 온 신앙심이 사라졌던 것이다. 아무런 사고도 없을 것이고, 땅에서 곡식을 풍족하게 거두기만 하면 된다. 다음 철까지 먹을 만큼만 양식을 마련하면 족하다 했던 안이한 생각을 후회했다. 그래서 이제는 깊이 자책하고 앞으로는 2, 3년치의 식량을 미리 준비하여, 어떤 사고가 일어나더라도 굶어 죽지 않도록 하리라 결심했다.

인생살이란 얼마나 기기묘묘하게 짜여진 것인가! 환경의 변화에 따라 사람의 감정은 얼마나 형형색색으로 바뀌는가! 오늘 사랑하는 것을 내일 미워하고, 오늘 원하는 것을 내일 싫어한다. 오늘 바라는 것을 내일 두려워한다. 아니 그걸 생각만 해도 몸이 떨린다. 이러한 현상이 지금 내게 가장 생생한 모습으로 여실히 나타났다. 나의 오직 하나의 고통은 끝없는 바다에 둘러싸여 사회와 차단되고 침묵의 생활을 하도록 저주받았고 인간 사회로부터 추방되어 천애 고아가 되었다는 사실이다.

나는 하나님에게 버림받고 살아 있는 한 사람으로서 동료들 사이에 끼어 살 가치가 없는 자가 된 것이다. 만일 그렇다고 하면, 나와 같은 사람을 한번 본다는 것은 내게는 죽음에서 생명의 세계로 되살아나는 느낌이요, 그것은 하나님이 주시는 구원이란 가장 큰 축복 다음가는 축복이었다.

그러던 내가 이제 사람을 본다는 생각만으로 몸을 떨어야 했고, 섬에 발자국을 남긴 사람의 그림자나 말없는 모습만 보고도 마치 땅 속에 가라앉는 느낌 아닌가?

이 인생이란 정상이 아닌 거다. 처음 겪는 놀라움으로부터 좀 회복된 후 이 일은 갖가지 기묘한 생각을 일으켰다. 이것이 무한히 지혜롭고 자비로운 하나님이 예정해 주신 삶의 상태라고 생각했다. 이 모든 일을 통해 하나님이 어떤 일을 할 것인지 예측할 수 없는 한, 하나님의 주권에 대해 왈가왈부할 수는 없었다. 나는 하나님의 피조물이 아닌가? 그분은 지배하고 처리하는 절대의 권리를 가지고 계시다. 그분은 마땅히 내게 형벌을 내릴 심판권을 가지고 계시다. 그런데 나는 그분께 죄를 지었으니 그의 분노를 달갑게 받을 수밖에 없었다.

나는 반성했다. 벌을 주고 괴롭히는 것이 마땅하시지만 외롭고 전능하신 하나님이 똑같이 날 구원해 주실 수도 있으실 것이다.

설령 주께서 나를 구원해 주실 뜻이 없다 할지라도, 전적으로 그리고 완전히 하나님 뜻에 맡기는 것이 내 의무였다. 그리하여 하나님에게 희망을 걸고 기도드리며, 조용히 그날 그날 주님 뜻이 지시하고 가르치시는 대로 따라가는 것이 내 의무였다.

이러한 생각들이 몇 시간, 며칠, 아니 몇 주, 몇 달 동안 나를 사로잡았다. 이런 사색과 기도 중에 겪은 유다른 체험을 이야기하지 않을 수 없다. 어느 날 아침 일찍 침대에 누운 채 야만인의 출현으로 겪게 될 위험에 고민하여 무척 괴로워하고 있었다.

이때 "환난날에 나를 부르라. 내가 너를 건지리니 네가 나를 영화롭게 하리로다."(역주 : 시편 50장 15절)란 성경말씀이 머릿속에 떠올랐다. 이 구절이 떠오르자 마음이 편안해질 뿐 아니라, 새로운 계시와 용기를 얻었고 하나님께 구원해 주소서 하고 열심히 기도를 올릴 수 있었다.

기도를 마치자 성경을 펴서 읽기 시작했는데, 펴놓은 첫 구절은 "너는 여호와를 바랄지어다. 강하고 대담하며 여호와를 바랄지어다."(역주 : 시편 27장 14절)라는 말씀이었다. 이 말씀이 얼마나 안도감을 주었는지 이루 표현할 수 없다.

이 말씀에 답하듯 감사하는 마음으로 성서를 내려놓았다. 이젠 슬프지 않았다. 적어도 이때만은 조금도 슬퍼하지 않았다.

이처럼 명상과 사색과 반성을 하는 가운데, 어느 날 그 모든 것이 망상일지도 모른다, 그것은 보트를 놓은 곳으로부터 해변으로 올 때 남겨 놓은 내 발자국일지도 모른다는 생각이 들었다.

이 생각이 들자 다소 원기를 얻었다. 그리고 그것은 하나의 망상이며 다만 자신의 발자국이라고 스스로를 설득하기 시작했다.

내가 보트로 갈 때 그 길로 간 것처럼 보트를 놓고 올 때도 그 길로 올 수도 있다는 것을 왜 생각하지 못하였는가? 하지만 나는 걸어다닌 곳과 그렇지 않은 곳을 명백하게 기억할 수는 없다는 생각이 들었다. 결국 이 발자국이 내 것이었다면 귀신 이야기를 나 자신 열심히 만들고, 누구보다 나 자신이 그 이야기에 깜짝 놀라는 어릿광대 구실을 한 셈이었다.

이제 용기를 내어 다시 밖으로 슬슬 나가 보기 시작했다. 집안에는 보리로 만든 약간의 과자와 물 외에 아무것도 없었다. 그렇게 사흘 밤낮을 꼼짝 않고 틀어박혀 있었으니 굶어 죽을 지경이었다. 게다가 염소 젖도 짜 주어야 했다. 이 일은 저녁때 하는 일과였지만 젖을 짜내주지 못했으니, 짐승들은 무척 고생스럽고 불편하리란 생각이 들었다. 과연 어떤 염소는 젖이 상했고, 어떤 놈의 젖은 거의 말랐다.

그건 내 발자국이었다, 그러니 자기 그림자에 놀란 셈이다, 라는 신념으로 마음을 가다듬고 다시 밖으로 나가기 시작했다. 우선 가축의 젖을 짜러 산골짜기의 집으로 갔다. 그러나 공포감이 채 가시지 않아 미리 앞뒤를 조심스레 둘러보고 바라보면서 언제 어디서든 바구니를 팽개치고 도망칠 준비를 했다. 누가 보면 마치 양심의 가책을 느끼는 사람이 쫓겨 다니듯, 혹은 금방 무슨 큰일에 놀랐던 사람처럼 이상하게 보였을 것이다. 사실 그랬다.

그러나 2, 3일 동안 들락거렸지만 아무것도 보이지 않았다. 점점 더 용기가 생겨 그건 공상이었고 사실은 아무것도 없었다고 생각하기 시작했다. 그렇다고 아주 안심할 수도 없었다. 마침내 그 해변으로 가서 내 발과 맞추어 보아 내 발자국인지 아닌지 확인해 보기로 했다. 그러나 그곳에 가 보고, 우선 첫째로 보트를 타고 갈 때, 그 근처 해변을 걸어다닐 수 없다는 사실이 명백히 드러났다. 둘째로 그 발자국에 내 발을 맞추어 보았는데, 내 발이 그처럼 클 수도 없다는 것이 뚜렷이 나타났다. 이러한 두 가지 사실이 드러나자 새로운 공상이 머리에 가득히 일어나고 극도로 우울감에 잠겼다. 나는 학질에 걸린 사람처럼 공포로 몸을 떨면서 다시 집으로 돌아왔다. 적어도 한 사람이나 그보다 많은 사람이 해변에 다녀갔다고 굳게 믿었다. 요컨대 이 섬은 무인도로 아무도 살지 않는다. 그런데 사람 발자국이 있다는 것은 차분히 생각해 보기에 앞서 우선 놀라지 않을 수 없는 것이다. 어떻게 안전을 도모해야 할지 방도가 없었다. 아, 사람이란 공포에 질리면 얼마나 엉뚱한 결심을 하게 되는가! 이성에 비추어 보면 자신의 구원에 전혀 쓸모가 없는 방법만을 궁리하기 마련이다. 먼저 생각한 것은 목장의 울타리를 부수고 길들인 가축을 숲속으로 쫓아 버리는 것이다. 그러면 적들은 염소를 보지 못하고 따라서 염소나 그 비슷한 짐승을 잡으러 이 섬에 자주 올 생각을 하지 않을 것이다. 다음에는 오두막과 천막을 헐어 사람이 살고 있는 흔적을 감추는 것이다. 그러면 산 사람을 찾기 위해 더 이상 조사하지 않을 것이다.

다시 집으로 돌아온 첫날 밤 그런 궁리만 했다. 이런 생각을 하는 동안 마음을 휩쓸었던 불안감이 새롭게 엄습해 왔고, 머릿속은 아까 말한 것처럼 우울감으로 가득찼다. 이처럼 보이지 않는 위험에 대한 공포감은 눈앞에 나타난 위험보다 천만 배 큰 것이다. 걱정하고 있는 재앙보다 훨씬 더 큰 불안의 짐을 지게 된다. 나는 이것을 깨달았다. 그리고 이보다 더 나쁜 것은 지금 꼭 그래야 할 터인데, 전에도 늘 그러했던 것처럼 하나님께 맡김으로써 얻는 구원을 생각지 못했다는 점이다. 나는 마치 블레셋 사람이 공격해 올 뿐 아니라 하나님이 날 버렸다고 원망하던 사울(역주 : 사무엘서 28장 15절)처럼 생각되었다. 옛날처럼 자신을 방어하고 지키기 위해 환난을 하나님께 호소하고, 그분 은총에 몸을 맡겨 마음의 안정을 찾을 수가 없었다. 그렇게 했더라면 적어도 이 새로운 상황에서 용기를 얻을 수가 있었을 것이고, 그리고 아마도 보다 결단성 있게 일을 해나갈 수 있었을 것이다.

이런 생각들로 뒤얽혀 밤을 꼬박 새웠다. 아침에야 잠이 들었다. 마음이 복잡하게 얽히고 그 때문에 정신이 피곤하고, 원기도 빠져 깊이 잠들었다. 깨어나 보니 전에 없이 정신이 맑았다. 그래서 이제는 침착하게 생각할 수 있었다. 진지하게 숙고한 끝에, 이 섬은 극히 살기 좋고 비옥하며 내 짐작으로는 대륙으로부터 멀리 떨어져 있지 않기 때문에, 그들은 이 섬을 그처럼 쉽게 포기하지 않으리란 결론을 내렸다. 그러므로 이 지역에는 정주하는 주민이 살고 있지는 않지만, 이 섬을 찾아서, 때로는 바람에 밀려 보트를 타고 이곳으로 오는 일이 가끔 있을 것이다.

나는 지금까지 여기서 15년을 살아 왔고, 그 동안 아직 사람의 모습이나 흔적을 본 일이 없었다. 그 동안 사람들이 어느 땐가 혹이 섬으로 밀려 왔을 것이다. 그때마다 여기서 살 뜻이 없기 때문에 가능한 한 급히 되돌아갔으리라, 이렇게 추측하였다.

위험을 줄 가능성이 가장 큰 경우란 대륙으로부터 낙오된 사람들이 우연히 이 섬에 상륙할 때다. 그들이 육지에서 밀려났다고 하면, 좋아서 이곳에 온 건 아닐 것이다. 그렇다면 그들은 여기에서 한시도 머물러 있지 않을 것이다. 조류와 밝은 대낮을 이용해서 되돌아가기 위해 하룻밤도 해변에서 지체하지 않고, 가능한 한 빠른 속력으로 떠났을 것이다. 그러므로 야만인들이 이 섬에 상륙하는 경우에 대비하여, 다만 물러갈 때까지 안전하게 몸만 숨기면 되는 것이다.

이제 깊이 후회되는 일은, 굴을 너무 넓게 파서 요새와 암벽이 맞닿은 곳 너머로 출입할 수 있는 입구를 만들어 놓은 것이었다. 이 문제를 깊이 생각한 끝에 이미 설명한 것처럼 12년 전 두 줄로 나무를 심어 만든 담벽으로부터 얼마쯤 떨어진 바깥에 똑같은 반원형 모양으로 또 하나의 담을 쌓기로 결심했다. 먼저 담으로 심은 나무는 너무 총총해서 사이사이를 쳐 주어야 했는데, 그걸 쳐 주면 담은 더 총총하고 튼튼해질 뿐 아니라, 여기서 쳐 준 나무를 심으면 담공사도 곧 완성될 것이다.

마침내 이중 울타리를 완성했다. 그리고 외벽에는 목재며 낡은 밧줄을 비롯해서 담을 더 튼튼하게 해줄 것이면 무엇이든 쌓아, 발로 단단히 다졌다. 두께를 10피트나 두껍게 했다. 일곱 개의 구멍에는 배에서 가지고 온 구식 보병총 일곱 자루를 걸어 놓았다. 마치 대포처럼 포가(砲架)를 만들어 총을 장비함으로써 2분 이내에 총 7자루를 모두 쏠 수 있도록 했다. 이 담벽을 만드는 데 한 달 동안의 노력이 들었는데, 완공될 때까지 안심이 되지 않았다. 이 일을 마치자 나는 벽 바깥쪽 공지에 사방으로 적당한 곳마다 나뭇가지며, 여기서 잘 자라는 실버들 같은 나무를 심었다. 그 숫자가 근 2만 주는 될 것이다. 나는 담벽과 나무를 심은 곳 사이에 공간을 두어 적을 잘 볼 수 있도록 했다. 한편 적들이 내 외벽으로 접근하려 해도 어린 나무로는 몸을 숨길 수 없게 했다.

이렇게 2년을 지나자 이곳은 총총한 작은 숲이 되었고, 3, 4년 후에는 울창한 숲이 되었다. 정말 몸 하나 빠져나갈 수도 없을 만큼 무성하고 빽빽해졌다. 그러므로 어떤 사람이 보든 그 너머에 무엇이 있는지, 더구나 사람이 살고 있는지는 상상도 할 수 없을 정도였다. 숲으로 길을 내지 않은 대신 두 개의 사다리를 놓아 출입할 수 있게 했다. 하나는 낮은 바위 한쪽에 걸어 놓고 그 위로 또 하나의 사다리를 걸어 놓을 여유를 두었다. 그리하여 이 두 개의 사다리를 걷기만 하면, 사람이 내 쪽으로 뛰어 내린다 하더라도 몸을 다치게 되고, 설령 내려왔다 치더라도 내 외벽의 바깥쪽으로 막혀 버리는 것이다.

이처럼 나 자신을 보호하기 위해 할 수 있는 한 신중을 기해 모든 대책을 다 세웠다. 이런 장담이 전혀 근거 없는 것이 아님을 후에 보게 될 것이다. 게다가 그 당시는 아무것도 예상할 수 없고 다만 막연한 불안감만이 지배할 때였다. 이렇게 작업을 하는 동안이라 해서 다른 일에 전혀 무관심하지 않았다. 적으나마 염소떼를 돌봐 주어야 했다. 염소는 어느 때나 당장 식육을 제공해 준다. 탄약을 쓰지 않고도 양식을 충분히 얻을 수 있다. 야생의 염소를 쫓아 고된 사냥질을 할 필요가 없었다.

그러니 이 편리한 가축을 버릴 수도 없었다. 그것을 처음부터 다시 길들이기도 귀찮았던 것이다.

이 목적을 위해 오랫동안 궁리한 끝에 그들을 보존할 두 가지 방책을 생각했다. 한 가지 방법은 다른 적당한 곳을 찾아 지하 동굴을 파서 저녁때마다 염소떼를 굴 안에 몰아넣는 것이다. 또 한 가지 방법은 두어 군데로 가축을 분산시키되 서로 멀리 떼어 숨겨 두고, 울마다 염소를 여섯 마리쯤 나누어 놓는 것이다. 그러면 울 하나가 몽땅 화를 당한다 하더라도, 다른 울의 염소로 짧은 시간에 노력도 덜 들이고 쉽게 다시 복구할 수 있을 것이다. 이 방법은 시간과 노력이 상당히 들겠지만 가장 합리적인 계획이라고 생각되었다.

그래서 많은 시간을 들여 이 섬의 가장 으슥한 지역을 찾았다. 그리하여 정말 마음에 드는 마땅한 곳 한 군데를 골랐다. 그곳은 지대가 낮고 숲이 울창한 지대 가운데 습기 찬 작은 땅이었다. 전에 한번 이곳에서 길을 잃어 한참 고생한 끝에 섬 동쪽으로부터 겨우 돌아온 적이 있었다. 여기에 넓이 약 3에이커 정도의 깨끗한 땅이 있었는데, 주위가 숲으로 둘러싸여 자연 그대로가 하나의 가축 울이었다. 적어도 다른 울을 만들 때 들인 노력만큼은 들지 않을 것이었다.

나는 곧 여기서 작업을 시작했다. 한 달도 걸리지 않을 만큼 빨리 울을 쳤다. 처음 예상했던 정도보다 길든 가축을 더 안전하게 보호할 수 있게 되었다. 조금도 지체하지 않고 어린 암염소 열 마리와 숫염소 두 마리를 이곳에 옮겼다. 이들 염소를 옮겨 놓은 뒤에도 작업을 계속해서 다른 울처럼 안전하고 완벽한 울타리를 만들었다. 그러나 이러는 동안 상당한 시간이 소요되었다.

이 모든 노력은 오직 우연히 사람의 발자국을 봄으로써 생긴 불안감 때문에 소모한 것이었다. 실은 아직까지 이 섬 가까이 오는 사람을 본 적이 없었다. 그리고 2년 동안을 이러한 불안감 속에 살았고, 사실 이 때문에 내 생활은 전보다 편안하지 못했다. 사람이 공포라는 함정 속에 빠져 산다는 것이 어떻다는 것을 아는 사람이라면, 이런 상태를 잘 이해할 수 있을 것이다. 게다가 유감스런 이야기지만 정신적 불안감이 종교심에도 커다란 영향을 주었다.

야만인과 식인종의 수중에 떨어진다는 두려움과 공포감이 마음을 무겁게 눌러, 하나님에게 정성을 다할 기분이 되지 못했다. 적어도 전에 누리던 것과 같은 영혼의 평안과 귀의를 얻을 수는 없었다. 그러니 위험에 둘러 싸여 밤마다 날이 새기 전에 잡혀 죽으리라는 두려움에 젖고 정신적인 고통과 압박감을 참으면서 하나님에게 기도를 하는 격이었다.

내 체험에 따르면 기도하는 사람은 공포와 불안감보다는 평화와 감사, 사랑과 감동의 마음으로 하는 것이 훨씬 마땅하다고 고백해야겠다. 그리고 병석에서 회개하는 사람이 임박한 환난을 걱정하는 사람보다 하나님에게 더 열심히 기도할 수 있다. 마치 신체의 불구가 육신에 영향을 주듯 불안감이 정신에 영향을 주고, 정신의 불안은 육체의 경우처럼 반드시 커다란 장해를 준다. 더구나 하나님에게 기도를 드리는 것은 오로지 정신의 행위이지 육체의 행위가 아니기 때문에, 그 장해는 육체적 경우보다 더 큰 것이다.

해변에 흩어진 뼈를 보다

　이야기를 계속하자. 나는 이처럼 적으나마 가축의 일부분을 안전하게 옮겨 둔 후, 또 다른 축사를 세우기 위해 더 깊은 장소를 찾느라고 섬 전체를 돌아다녔다. 이제껏 가본 곳마다 더 멀리 섬의 서쪽을 헤매며 바다를 바라보는 동안, 아주 멀리 바다 가운데 보트 한 척이 떠 있는 것처럼 보였다 배의 선원 궤짝에서 가지고 온 망원경이 한두 개 있었지만 그것을 가지고 다니지는 않았다. 나는 눈이 캄캄해서 더 볼 수 없을 만큼 열심히 바다를 바라보았지만, 너무 멀리 떨어져 있어서 그게 무언가 분간할 수가 없었다. 그것이 보트였는지 아닌지 지금도 알 수 없다. 그러나 언덕에서 내려오자 보트는 더 이상 보이지 않았다. 그래서 단념해 버렸다. 다만 앞으로 외출할 때는 반드시 주머니에 망원경을 가지고 다니기로 결심했다.

　언덕을 내려와 한번도 가 본 적이 없는 섬 끝에 이르자, 비로소 사람 발자국이 내가 상상했던 것처럼 이 섬에서 그리 희귀한 것이 아님을 확인했다. 야만인들이 전혀 오지 않는 섬 이쪽에 내가 상륙한 게 천만 다행이었다. 야만인들이 카누를 타고 대륙을 떠나 좀 멀리 바다 가운데로 나오게 되면, 쉴 곳을 찾아 이 섬 저쪽에 이르게 되는 것은 흔한 일임을 벌써 알았어야 할 것이었다. 그들은 서로 자주 싸움을 벌여, 승자는 패자를 포로로 잡아 카누에 태워 이 해변으로 끌고 와서 식인종의 무시무시한 풍속에 따라 포로를 잡아 먹는 모양이었다. 이런 이야기는 다음에 하겠다.

해변을 향해 언덕을 내려와 아까 말한 것처럼 섬의 서쪽 끝에 이르렀을 때, 나는 완전히 경악하고 말았다. 해변에는 해골이며 손과 발이며 사람의 뼈들이 흩어져 있었다. 이것을 보고 내가 얼마나 놀랐던가를 어떻게 표현할 도리가 없다. 더구나 불을 피웠던 자리가 있고 땅을 동그랗게 투기장처럼 파 놓은 것을 보았을 때는 더했다. 이곳은 야만인들이 둘러앉아 같은 사람의 몸뚱이로 극악무도한 잔치를 벌였던 곳으로 추측된다.

이 광경에 너무나 놀라, 그것이 내게 어떤 위험이 될 것인가를 얼마 동안 생각도 못했다. 이처럼 비인간적이고 지옥과 같은 잔학과 인간 본성의 타락이란 공포감 속에 모든 불안감이 묻혀 버렸던 것이다. 이런 일은 가끔 들어본 적이 있기는 하지만 이처럼 눈앞에 가까이 놓고 본 적은 없었다. 결국 이 처참한 광경으로부터 얼굴을 돌리지 않을 수 없었다. 내장이 뒤틀렸다. 나는 거의 실신할 지경이었고, 자연의 무질서가 위장을 뒤집어 놓은 것이다.

전에 없이 혹독하게 구역질을 하고 난 후 안정이 되긴 하였지만, 그곳에서 한시도 더 머물러 있을 수 없었다. 할 수 있는 대로 모든 힘을 다해 다시 언덕 위로 올라와 집으로 도망쳤다. 섬의 그쪽 지역에서 얼마쯤 벗어난 후에도 한동안 여전히 얼떨떨한 상태였다. 얼마 후 정신을 차리자 두 눈에서 눈물이 흐르고 영혼에서 샘솟는 깊은 감동을 느끼며, 하늘을 우러러, 이처럼 무서운 인간들로부터 떨어진 곳에 운명을 점지해 주신 하나님께 감사를 드렸다. 나는 지금의 처지를 몹시 비참하다고 생각했지만 하나님은 그 상태 속에서도 여러 가지 안식을 주셨고, 불평할 만한 것보다 감사해야 할 것을 더 많이 주셨다. 무엇보다도 이처럼 불행한 처지에서도 하나님에 대한 지식과 그의 축복에 대한 소망으로 나 자신을 위로할 수

있게 해 주셨다.

그의 축복을 이제껏 괴로워했고 또 괴로워할 수 있는 모든 불행에 충분히 맞먹을 수 있을 만큼 하늘이 내린 커다란 축복이었던 것이다.

이처럼 감사하는 마음을 가지고 집으로 돌아온 후, 이제는 내 몸의 안전에 대해서는 전보다 훨씬 더 편안하게 느끼기 시작했다. 이 야만인들이 무엇인가를 얻기 위해 섬 이편으로 오지 않음을 알았기 때문이다. 그들은 여기서 무얼 찾지도, 원하지도, 기대하지도 않는다. 숲으로 싸인 지역까지는 왔겠지만 그들의 마음에 흡족할 만한 것은 전혀 얻지 못했을 것이다.

내가 이 섬에서 살아온 지도 거의 18년이 되었지만 아직껏 저 야만인들의 발자국조차 본 적이 없었다. 그리고 그들에게 들키지만 않는다면, 지금까지 그랬지만 앞으로 18년 동안은 더 숨어서 살 수 있을 것이다. 물론 발각되는 사태가 일어나지 않기를 바라고 있었다. 식인종이 아닌, 자신의 존재를 밝혀도 괜찮을 보다 선량한 사람을 만나기까지, 내가 해야 할 하나의 과제는 내가 있는 곳을 숨기는 일이었다.

그러나 금방 말한 그 잔인한 야만족과 서로 잡아먹는 추악하고 흉칙한 짐승 같은 풍습에 대한 극도의 증오감이 가슴에 깃들어 있어서 기억을 씻지 못하고 우울한 기분을 벗어날 수 없었다. 이로부터 거의 2년 동안 활동 무대는 내 구역으로만 국한시켰다. 여기서 내 구역이라 한 곳은 세 군데의 근거지, 곧 집과 별장이라고 부르는 골짜기의 땅과 숲속에 있는 가축 우리를 말한다. 나는 염소 우리를 돌봐 주기 위해서만 숲을 나다녔다.

그 잔인한 야만 족속을 증오하는 심정이 워낙 컸기 때문에 그들을 만난다는 것은 바로 악마를 만나는 것처럼 무섭게 느껴졌다. 이 동안에 보트를 보러 나가지도 않았다. 그 대신 다른 보트를 만들어 볼까 하는 생각을 하기 시작했다. 바다에서 야만인들을 만날까 두려웠다. 그래서 섬 저편을 돌아 보트를 이쪽으로 가져올 계획을 더 생각할 수 없었다. 그들에게 잡히면 내 운명이 어찌될 것인가, 불문가지인 것이다.

그러나 시간이 흐르면서 야만인들에게 발각될 위험이 없음을 알게 되었다. 야만인에 대한 불안감도 서서히 사라지기 시작했다. 마침내 전과 똑같이 안정된 마음을 되찾았다. 다만 다른 것은 야만인에게 마주치지 않도록 더 조심하고 주위를 돌보는 점이었다. 특히 이 섬에 와 있는 그들에게 혹시 들킬까 두려워서 총을 더 조심했다.

그러나 염소떼를 기르고 있기 때문에 숲속에서 사냥을 하거나 총으로 염소를 쏠 필요가 없었는데, 그것은 무척 다행한 일이었다. 그 사건 이후 염소를 잡긴 했지만 전처럼 함정과 덫을 썼다. 그 후 2년 동안 나갈 때마다 반드시 총을 가지고 다녔지만 한번도 쏘아 본 것 같지 않다. 이밖에도 배에서 가지고 온 권총 세 자루를 언제나 가지고 다녔다. 곧 권총 두 자루는 염소 가죽으로 만든 허리띠에 차고 다녔다. 또한 배에서 얻은 커다란 선원용 단도 한 자루를 잘 갈아 역시 허리띠에 꽂고 다녔다. 전에 설명한 내 몰골에다 권총 두 자루와 칼집도 없이 폭 넓은 칼을 옆구리에 찬 내 꼬락서니가 얼마나 무서웠을 것인가를 상상할 수 있을 것이다.

이리하여 아까 말한 것처럼 별일없이 얼마 동안을 그럭저럭 보냈다. 조심한다는 점만을 빼면 옛날의 조용하고 침착한 생활 방식으로 되돌아간 셈이다. 이 모든 일들은 내 처지가 하나님의 뜻에 따라 내 운명이 되었을는지 모르는 다른 몇몇 경우에 비하여 얼마나 다행스러웠던가를 뚜렷이 보여 주었다. 세상에는 사람들이 자기 처지보다 더 비참한 남의 경우와 비교를 하고 감사하게 되면 어떤 생활을 하든 불평이 없는 법인데, 사람은 언제나 자기보다 더 나은 사람들과 비교하고 투덜거리며 불만을 말한다. 나도 이걸 깊이 반성했다.

현재의 상태로서는 부족한 물건들이 그리 많지도 않았지만, 한편 야만인들을 무척 걱정하고 안전에 신경을 쓰느라고, 생활을 편리하게 하기 위한 연장들을 만들어내는 창작력은 그만큼 무디어졌다. 그리고 한때 무척 열의를 일으켰던 멋진 계획도 중단했었다.

이 계획은 보리로 엿기름을 만들어 맥주를 만들어 보자는 것이었다. 이것은 사실 우연히 떠오른 생각이었다. 그 계획은 너무 단순하다고 스스로 자책하기도 했다. 맥주를 만드는 데 꼭 필요한 몇 가지가 없었다. 첫째, 저장할 통이 없었다. 이미 말한 것처럼 통은 며칠 정도가 아니라 몇 주, 몇 달을 보내며 애써 보았지만 헛수고만 하고 끝내 만들지 못했던 것이다.

둘째, 맥주가 되게 촉매작용을 하는 호프가 없었다. 발효시키는 누룩도 그걸 끓일 솥도 없었다. 그러나 다른 일들만 없었더라면, 다시 말해서 야만인들 때문에 생긴 경악과 공포가 없었더라면, 어떻게든 맥주를 만드는 데 성공하고야 말았을 것으로 믿는다. 한번 머리에 떠오르고 시작만 하게 되면, 거의 어떤 일이든 성사를 시켜 끝장을 보는 성격이니 말이다.

그러나 창조력은 이제 엉뚱한 방향으로 돌았다. 밤낮으로 궁리하는 것은 야만인들의 잔인한 식인(食人) 잔치를 어떻게 깨뜨릴 수 있는가, 잡아먹기 위해 데려 오는 제물들을 어떻게 구할 수 있는가, 하는 문제뿐이었다. 야만인들을 섬멸하거나, 적어도 이 섬으로 다시는 오지 못할 만큼 공포감을 주기 위해 궁리한 방법이나, 머리 속에 떠오른 생각들을 모두 기록한다면, 지금 쓰고 있는 이 책보다 훨씬 더 긴 원고가 될 것이다. 아무튼 이 계획은 모두 실패했는데, 사실 내가 현장에 가지 않는 한 아무런 효과도 거둘 수 없는 것이었다. 게다가 그들은 내가 총을 사용하는 정도로 활과 창을 백발백중 쏠 수 있고 또 2, 30명씩 떼지어 다니는데 혼자서 그 많은 숫자를 어떻게 당해낼 수 있겠는가?

때로는 그들이 모닥불을 피우는 자리에 구덩이를 파 거기에 5, 6

파운드의 화약을 설치하고, 그들이 불을 피우면 점화되어 그 全치가 몽땅 폭발하도록 궁리도 했다. 그러나 첫째, 화약 재고량이 한 통도 되지 않았고 야만인들에게 그처럼 많은 화약을 낭비하고 싶지 않았다. 또한 그들에게 불의의 기습 효과를 충분히 거둘 만한 시간에 제대로 폭발할는지 자신도 없었다. 잘해 봤자 그들 귓가에 폭음을 내서 놀라게 하는 성과는 얻을 수 있겠지만, 그것으로 그들을 이 섬에서 쫓아낼 수는 없을 것이다. 그래서 그 방법을 포기했다. 다음으로는 이중 장진한 총 세 자루를 가지고 적당한 장소에 매복했다가, 피의 향연을 한창 벌일 때 발사하여 한방에 2, 3명을 사살 내지 부상시킨 후, 권총 세 자루와 칼을 가지고 뛰어드는 방법을 생각했다. 20명쯤은 모두 죽일 수 있을 것이다.

이 방법은 몇 주일 동안이나 날 지배하고, 내 마음에 가득 차서 가끔 꿈에서까지 나타나기도 했다. 때로는 잠을 자다가도 그들에게 덤벼들려고 했다. 나는 이 방법을 상당히 깊이 생각한 끝에 며칠을 소비하며 아까 말한 대로 그들을 정탐할 적당한 매복 장소를 찾았다. 그리고 그 지역을 여러 차례 답사하였는데 이제는 이곳 지리에 아주 익숙해졌다. 더구나 내 정신은 복수심으로 2, 30명을 칼로 찔러 죽이는 유혈의 통쾌감을 느꼈다. 나는 사람을 잡아먹는 야만인들이 놀던 장소와 흔적을 볼 때마다 공포감에 떨었는데 그만큼 내 원한도 더욱 깊어졌다.

마침내 언덕의 경사진 곳에 만족할 만한 장소를 발견했다. 여기서 그들 보트가 오는 것을 안전하게 숨어 볼 수 있다. 또 육지에 상륙하기 전에 울창한 숲 속으로 보지 못하게 자리를 옮길 수 있다. 그리고 숲 안에는 몸을 안전히 숨길 수 있는 커다란 구덩이가 있있다. 여기에 앉아 그들의 유혈 행사를 구경하며 그들의 머리를 정통으로 겨눌 수 있다. 또한 그들과의 거리가 무척 가까워 총을 쏘기만 하면 틀림없이 명중하고 한 방에 3, 4명은 부상시킬 수 있으리라.

이렇게 하여 이곳에서 계획을 실행하기로 작정했다. 따라서 머스킷 총 두 자루와 보통 엽총 한 자루를 갖추어 놓았다. 두 자루의 머스킷 총에는 각각 한 줄의 산탄과 권총 탄환만큼 작은 탄환 너댓 개를 장전하고, 엽총에는 새를 쏘는 탄알 중 제일 큰 것으로 한 줌 가까이 장전했다. 또한 권총 한 자루마다 탄환 네 발씩을 장전했다. 이렇게 태세를 갖춘 다음 2차, 3차로 장전할 수 있는 화약을 더 예비함으로써 출격 준비를 마쳤다.

이처럼 계획을 구체적으로 마련하고 나서 상상으로 실천해 본 뒤, 매일 아침 계속 성으로부터 3마일이나 떨어진 산꼭대기에 올라가 섬 쪽으로 다가오거나 혹은 이쪽으로 올 듯한 배가 있는가 살펴보았다. 이렇게 두어 달 동안 쉬지 않고 감시를 계속한 뒤에는 이 고된 일과에 싫증이 나기 시작했다. 그 동안 육안이나 망원경이 미치는 한, 섬의 해변이나 그 근처는 물론 망망대해를 살폈으나 전혀 아무것도 보이지 않았다. 아무런 소득도 없이 도로 내려와야 했다.

감시를 하기 위해 매일 봉우리에 오르는 일과를 계속하는 동안 계획을 실천할 힘이 여전히 솟았고, 벌거벗은 2, 30명의 야만인들을 죄악에 대한 업보로서 혹독하게 처형할 마음의 준비도 갖추고 있었다. 그러나 이 지방 사람들의 괴상한 풍습을 보고 공포로 말미암아 처음엔 타오르는 격정만 느꼈지만, 사실 그들 죄에 대해서는 전혀 깊이 검토해 보지 않았다. 생각해보면 그런 방법으로만 그들의 잔인하고 타락한 야망을 불태우게 된 것은 세계를 지배하는 하나님이 묵인해 주는 것 아닌가? 그래서 악습은 없어지지 않고 대를 거쳐 내려오지 않는가? 또 하나님으로부터 완전히 버림받고 지옥에 떨어질 만큼 타락한 자연의 본성에 쫓겨 이처럼 잔인한 일을 행하고 무서운 풍습을 이어받은 것이 아닌가? 나는 이런 점까지는 생각을 못했던 것이다.

그러나 이제 아까 말한 것처럼 오랫동안, 그리고 매일 아침마다 아무런 소득없이 멀리 순찰하는 일과에 진력이 나기 시작하자, 내 행위 자체에 대한 견해가 바뀌면서, 보다 냉정하고 침착하게 벌어지고 있는 일이 정말 무엇인가를 생각하기 시작했다.

　내가 무슨 권한과 사명감이 있다고 그들을 심판하고 처형할 수 있겠는가? 그들의 죄는 하나님이 그럴 만하다고 생각하기 때문에 아무런 처벌도 주지 않고 몇 세대 동안 내려온 게 아닌가? 또 어떻게 보면 그들 스스로를 통해 하나님의 심판이 집행되도록 한 것이라 여겨지지 않는가? 그들은 내게 어떤 피해를 입혔는가? 나는 무슨 권리로 그들끼리 하는 무차별한 피의 분쟁에 가담하려는가? 혼자서 이 문제를 다음과 같이 심사숙고했다. 이 특별한 경우를 하나님 자신이 어떻게 심판하는가에 대해 어떻게 무엇을 알 수 있겠는가? 이 사람들은 확실히 이런 행위를 죄로 여기지 않는다. 그것을 비난할 수 없을 뿐 아니라, 그들의 양심에 어긋나는 것도 아니고 자신을 책할 기준도 없다. 그들은 그것이 죄인 줄 모른다. 그러므로 우리가 죄를 범할 때 느끼듯 그들은 하나님의 정의를 공공연히 거슬러 죄를 짓고 있다고 느끼지 않는다. 우리가 소를 죽이는 경우처럼, 그들은 전쟁의 목표를 죽이는 걸 조금도 죄라고 생각하지 않는다. 우리가 양고기를 먹듯, 그들이 사람 고기를 먹고도 범죄라고 생각하지 않는다.

　이 문제를 좀더 심사숙고할수록 이 일에 대한 내 생각은 확실히 잘못이었다. 전날 내가 머릿속으로 정한 기준으로 보면 야만인들은 살인범이 될 수 없었다. 마치 전투에서 잡은 포로를 곧잘 사형에 처하고, 때로는 무기를 던지고 항복하는 적을 아무런 유예 없이 그 부대 전원을 죽이는 기독교인들이 살인자가 아닌 것과 같다.

　그 다음으로, 그들이 서로 가하는 방법이 잔인하고 비인도적이기는 하지만 나와는 전혀 아무런 관계가 없다는 생각이 들었다. 이 사람들은 내게 아무런 해를 준 적이 없었다.

　그들이 해를 가하려 하거나 혹은 자신을 지키기 위해 그들에게 뛰어드는 것이 필요하게 된다면, 그때는 따로 할 말이 있을 것이다. 그러나 나는 아직 그들의 힘이 미치지 못하는 데 있다. 또 나에 대해서 아는 바도 없다. 따라서 나를 해칠 어떤 음모가 있을 리 없다. 그러므로 내가 개입한다는 것은 정당하지 못하다. 만일 내 행위가 옳다고 한다면 아메리카의 야만인들에게 행한 스페인 사람들의 행위도 옳았다고 정당화시켜 주는 셈이다. 아메리카의 야만인들은 우상을 숭배하고 야만적이며, 그 풍속에는 사람의 육체를 우상에게 제물로 바치는 그런 피냄새 나는 야만스런 의식도 갖고 있지만, 그러나 스페인 사람들에게는 아무런 해도 끼치지 않은 사람들이었다.

그러나 스페인 사람들은 그들을 아메리카로부터 절멸시키려 했다. 그 당시 스페인 사람뿐 아니라, 유럽의 모든 기독교국으로부터 그것은 단순한 도살행위이며, 하나님에게나 사람에게 정당화될 수 없는 혹독한 처사요, 자연법을 위배한 잔학행위라고 증오와 비난을 샀던 것이다. 그리하여 스페인 사람이라고 하면 모든 인도주의자나 기독교 정신을 가진 사람에게는 두렵고 잔인한 존재라 생각되었다. 스페인 왕국이 고상한 도덕률이나 관대한 사람의 표적으로 생각되는 약자에 대한 인간 본연의 동정심이 없는 종족의 본고장으로 유달리 악명을 샀는데, 그것은 이 때문이었다.

이러한 생각 때문에 계획을 잠시 중단했다. 어찌 보면 그것은 완전히 중단한 셈이기도 했다. 조금씩 계획을 버리기 시작했고, 마침내 야만인을 공격하겠다는 결심이 잘못이란 결론에 이르렀다. 그들이 먼저 나를 습격하지 않는 한, 그들 사이로 개입한다는 것은 내할 짓이 아니고, 될 수 있으면 방어에만 치중하기로 했다. 곧 그들에게 들켜 공격을 받게 되면 그땐 내가 해야 할 일을 다할 것이다.

다른 한편, 이것이 나를 구하기보다 오히려 완전히 파멸시키는 것이 아닐까 하는 생각도 들었다. 한번뿐 아니고 계속 이 섬에 상륙하는 야만인을 죽여 없애지 않는다면, 그 중 살아 도망간 놈이 제 고장 사람들에게 그 동안 일어난 일을 보고하고 수천 명이 떼지어 와서 자기 종족의 죽음에 대한 복수를 하게 될지도 모른다. 그러면 나는 속수무책으로 죽고 말 것이다.

결국 나는 원칙적으로나 실질적으로 이 일에 관여하지 않기로 결정했다. 될 수 있는 대로 몸을 숨겨서, 이 섬에 사람이 살고 있다는 기미를 눈치채지 않도록 하기로 했다.

이처럼 신중한 결정을 내린 데는 종교의 영향도 컸다. 이제는 가만히 앉아서 죄 없는 사람들, 내게 아무런 잘못이 없는 야만인들을 공격하려 한 피비린내나는 계획을 완전히 포기하게 되었다. 그들이 서로 행하는 죄는 관여할 것이 아니었다. 하나님만이 종족을 주관하는 분이며, 그들 종족의 죄를 마땅한 징계로 벌 주실 줄 아는 분이다. 공공연히 죄짓는 사람들에게 당신이 선택하는 방법으로 공공연한 심판을 내리실 분이다.

이렇게 생각한 결과, 저지르기만 하면 틀림없이 고의적인 살인행위가 되는 일을 가지고 더 고민하지 않아도 되었다. 그러자 마음이 흐뭇해졌다. 나는 겸허한 마음으로 하나님께 감사를 드리고 그분 은총으로 보호해 주시기를 기도했다. 나는 야만인에게 잡히지 않도록, 또 생명의 방어를 위해 그들을 죽여야 할 사태가 일어나지 않도록 하나님께 간절히 기도했다.

집안에 거의 들어앉다

　그 후 1년 가까이 이런 기분으로 살았다. 곧, 야만족에게 붙잡히는 일이 일어나지 않도록 조심을 다하였지만, 해변에 그들이 나타날까 감시하기 위해 산에 올라가지 않았다. 자칫하면 내 방침이 흔들리어 다시 생각한 끝에 그들을 습격하고 싶은 마음이 일어날지도 모르기 때문이었다. 내가 한 일이라고는 섬 저편으로 가서 섬 동쪽 끝, 전에 보아 두었던 높은 바위 밑, 작은 물굽이에 보트를 감춰 둔 것뿐이다. 배를 둔 곳은 해류 때문에 야만인들이 감히 상륙할 수 없을 뿐더러, 그리로 올 이유도 없다고 생각된 곳이다.

　보트를 옮기면서 목적지까지 항해하는데 그다지 필요하지는 않았지만, 돛, 돛대, 닻 같은 장비까지 싣고 왔다. 닻은 실상 닻도 아니고 오히려 갈퀴 같지만 딴은 열심히 만든 것이다. 이렇게 모두 옮긴 것은 이 섬에 보트가 있다거나 사람이 산다는 흔적을 말끔히 씻기 위해서였다.

　이런 일을 한 것 외에는 아까 말했듯이 전에 없이 집에 박혀 거의 밖에 나가지 않고, 염소 젖을 짜고 숲에서 염소떼들의 뒷바라지를 해주는 일과에만 매달려 있었다. 이런 일은 야만족이 나타나는 쪽과 정반대 지역에서 이루어지기 때문에 전혀 위험이 없었다. 가끔 이 섬에 야만인들이 오겠지만 이쪽을 조사해 보겠다는 생각을 할 리도 없고, 따라서 자기들이 상륙한 해변에서 육지로 더 깊이 들어오지 않을 것이다. 물론 내가 걱정하듯, 야만족들은 전처럼 몇 차례 이 섬을 다녀 갔을 것이다. 나는 사방을 돌아다니며 섬 이 구석 저 구석을 조사할 때, 총 한 자루와 작은 탄환 약간을 장전했을 뿐 별다른 무장도 갖추지 않았었다. 만일 갑자기 야만족들과 맞닥 뜨려 발각되었다면 어찌 됐을 것인가? 생각만 해도 소름이 끼쳤다. 사람의 발자국을 보지 못한 내가 스무 명 가량의 야만족과 맞닥뜨 려 끈질긴 추격을 받았다면, 더 이상 도망갈 수 없었을 것이니, 얼 마나 놀랐을 것인가.

가끔 이런 생각이 떠오르면 가슴이 철렁 내려앉고, 마음이 우울 해지고, 얼마 동안 두려움이 떠나지 않았다. 야만족과 그렇게 갑자 기 맞닥뜨렸다면 나는 어떻게 했을까? 반항을 해보기는커녕 얼이 빠져 무얼 어떻게 해야 할지 정신이 없었을 것 아닌가? 지금처럼 오랫동안 생각하고 준비한 끝에도 갈피를 잡지 못하고 있지 않은 가. 이런 상념들을 씻어 버릴 수가 없었다. 정말 이런 일을 심각하 게 생각하고 나면, 마음이 아주 약해지고 때로는 우울증이 꽤 오래 계속되었다. 그러나 마침내 보이지 않는 위험으로부터 나를 구해 주시고 그 불행을 겪지 않도록 도와 주신 하나님의 은총에 깊은 감 사를 드리기로 했다. 사실 이런 위험과 불행이 있을 것이라고는 생 각할 수도, 상상할 수도 없었고, 따라서 그 불행을 피할 방도도 내 게는 전혀 없었다.

이런 일로 하여 전날 우리가 이 세상을 살아 오는 동안 겪어야 했던 위험 가운데에도 하나님의 자비로운 뜻이 숨어 있었음을 깨달 았다. 그러자 새로 반성하기 시작했다.

우리 자신은 전혀 깨닫지 못하지만 하나님은 그 얼마나 신비스럽 게 갖가지 위기를 모면하게 해주셨을 것인가? 이리 갈까 저리 갈까 주저하며 진퇴양난에 빠졌을 때, 우리에게 이리로 가라고 은밀하게 지시해 주셨으리라. 고집이나 이해 타산으로 말미암아 다른 길로 가려 할 때 어디서 솟아나는지 무슨 힘으로 그렇게 되는지는 알 수 없지만, 이상한 예감이 들어 다른 길을 버리고 이 길로 가게 하신다. 우리가 가야 할 길을 가지 않고 영감의 지시에 따르지 않을 때에는 뒤에 가서야 길을 잘못 들어 파멸케 된 줄을 알게 된다. 이런 숨은 지시가 내리거나 마음을 누르는 무엇이 있다면, 반드시 이 은밀한 지시에 따르겠다는 원칙을 세웠다. 이러한 정신적 압력이나 암시가 어떻게 마음속에서 생겨나는지 전혀 알 수 없지만, 내 생애를 통해 그 지시를 따름으로써 성공한 예는 많이 들 수 있다.

이 섬에서 불행하게 사는 동안에 보낸 후반은 특히 그렇다. 게다가 그때에는 지금처럼 확실한 것을 보는 눈이 없었기 때문에, 깨달아야 할 것을 놓친 경우도 많았으리라. 그러나 어리석음을 고치고 지혜로워지는데 늑장을 부릴 까닭은 없다. 분별력이 있는 사람들에게 나처럼 특별한 사건을 겪는 사람이나 혹은 비슷한 사정에 사는 이들에게는 같은 말을 충고하고 싶다. 곧 눈에 보이지 않는 영감에서 오는 그 어떤 것이든 하나님의 은밀한 알림에 충실하라. 그것이 무엇인가 토론을 벌일 생각도 없고 또 설명할 수도 없지만, 그건 틀림없이 영혼과 영혼의 사귐이요, 육신을 가진 자와 육체를 가지지 않은 자가 사귄다는, 부정할 수 없는 뚜렷한 증거다. 이 증거가 되는 예를 이 괴로운 섬에서 외롭게 사는 동안 뚜렷이 나타난 것으로 뒤에 설명할 기회가 있을 것이다.

이 동안, 나를 괴롭혀 온 불안과 끊임없는 위험, 현재 겪는 우려 때문에, 앞으로 생활을 편리하게 하고 여유롭게 해줄 생활 필수품을 만들고 시설하는 작업이 중단되었다. 그러나 독자들은 이상히 여기지 않으리라 믿는다. 나는 식량보다도 생명의 안전을 위해 더 손을 써야 했다. 소리 때문에 들킬까봐 못을 박거나 나무를 자르는 일을 할 수 없었다. 더구나 총은 쏠 수도 없었다. 그리고 무엇보다도 불을 피우는 것이 두려웠다. 대낮에 멀리서도 보이는 연기 때문에 발각될까 무서웠던 것이다. 이런 이유로 항아리나 파이프를 구울 때처럼 불을 피워야 할 작업장을 얼마 전에 발견한 숲속의 새 동굴로 옮겼다. 이곳은 단순한 자연굴이지만 다행하게도 입구의 길이가 꽤 길어 야만인이 바로 굴 문 앞에까지 왔다 하더라도 감히 안으로 들어올 엄두도 못 낼 곳이었다. 도대체 나 같은 사람 아니고는 안전한 피난처로 삼지도 못할 장소였다.

이 동굴의 입구는 커다란 암석의 밑둥에 있었는데, 숯을 구울 굵직한 나뭇가지를 자르다가 우연히(이 모든 일을 이제는 하나님의 은총으로 돌려야겠지만) 발견한 곳이었다. 여기서 우선 왜 숯을 만들어야 했는가를 설명해야 하겠다.

아까 말한 것처럼 집 근처에서 연기가 날까 두려워했지만, 그러나 빵을 굽고 고기를 요리하지 않고는 살 수가 없다. 그래서 영국에서처럼 숲속에서 나무를 태워 숯을 만들 궁리를 했다. 숯을 쓰면 연기를 내지 않고도 집 안에서 불을 사용할 수 있는 것이다.

그래서 굴을 찾게 된 말미가 생긴 것이다. 나는 나무를 베다가 무성한 덤불 뒤로 움푹 패인 장소를 발견했다. 그곳을 들여다보고 싶은 호기심이 생겼다. 가지를 헤치며 간신히 입구에 이르렀다. 그곳은 똑바로 서고도 거의 내 키 정도가 남을 만큼 컸다. 그러나 안으로 들어가다 후다닥 도로 뛰어나왔다. 아주 깜깜한 굴 안에 귀신인지 사람인지도 모를 무슨 짐승의 눈 두 개가 반짝이는 두 개의 별처럼 불을 켜고 있었다. 그것은 굴의 입구로부터 희미한 불꽃처럼 반사되고 있었다.

그러나 얼마 후 다시 정신을 차리고 자신을 어리석은 놈이라고 일깨웠다. 귀신이라 두려워하다니, 이 외로운 섬에서 어찌 혼자 20년 동안을 살아 왔단 말인가. 이 굴 안에는 나 자신보다도 더 두려워할 것이 없다고 꾸짖었다. 이리하여 용기를 웬만큼 회복한 나는 커다란 횃불가지를 들고 다시 들어갔다. 그러나 세 발자국도 못 가서 전번처럼 다시 깜짝 놀랐다. 어디선가 고통에 빠진 사람의 비명처럼 커다란 신음 소리가 나더니, 반쯤은 무슨 말을 하는 듯 갈라지는 소리가 들렸다. 다시 깊은 한숨이 나왔다. 나는 주춤 뒷걸음 쳤고 공포로 식은땀이 쭉 솟았다. 만일 그때 모자를 썼다면 머리칼이 쭈뼛 서는 바람에 저절로 벗겨졌을는지도 모른다. 그러나 다시 정신을 가다듬어 하나님의 권능과 존재가 어디에든 계시고, 그리하여 나를 보호해 주실 것이라고 생각하고 용기를 북돋웠다. 그리고 다시 굴 안으로 몇 걸음 나아가 횃불을 머리 위로 쳐들자, 땅바닥에 굉장히 크고 늙은 숫염소가 누워 있는 것이 보였다. 그것은 너무 늙어 죽어가면서 살려고 버둥대는, 말하자면 임종을 기다리고 있는 셈이었다.

염소를 밖으로 끌어낼까 해서 좀 흔들어 보았다. 염소도 일어서려고 했지만 그래도 몸을 일으킬 수 없었다. 그래서 그대로 거기 내버려 두는 게 좋으리라 생각했다. 그놈이 나를 놀라게 했다면 역시 목숨이 붙어 있는 한 야만족도 놀라게 하고 굴 안으로 쉽사리 들어오지 못하도록 방패가 되어 줄 것 아닌가. 그제서야 공포를 벗어나 주위를 살펴볼 수 있었다. 굴은 12피트 남짓한 아주 작은 것이고 둥글지도 모나지도 않은 어중간한 모양이지만 누가 일부러 만든 것이 아니고 저절로 이루어진 자연 동굴이었다. 그리고 굴 안쪽은 천장이 너무 낮아 손과 무릎으로 기어가야 할 정도였다. 그 굴 안으로 얼마나 더 들어가야 할지도 모르겠고, 초도 없었기 때문에 더이상 가기를 단념했다. 다음날 초와 부싯돌을 가지고 다시 오기로 했다. 이 부싯돌은 보병총의 방아틀 뭉치를 이용하고 불 접시에 인화물을 넣어 만든 것이었다.

이리하여 다음날 염소 기름으로 만든 커다란 초 여섯 자루를 가지고 다시 왔다. 전에 말한 천장이 낮은 굴 안으로 약 10야드쯤 기어갔다. 이렇게 기어가는 동안은 굉장한 모험이나 하는 기분이었다. 이 굴이 얼마나 길 것인가, 그 너머에는 무엇이 있을 것인가, 전혀 알 수 없기 때문이다. 그 낮은 굴을 지나자 높이가 20피트쯤 될 만큼 큰 천장이 나타났다. 이 동굴의 천장과 벽에 반사되어 수만 가지 빛으로 번쩍이는데, 그것이 무엇인지는 모르지만 다이아몬드나 금, 아니면 무슨 귀금속처럼 찬란했다.

내가 이른 곳은 아주 깜깜하긴 하지만 상상보다 쾌적한 동굴 방이었다. 땅바닥은 건조하고 평평하며 작은 자갈이 알맞게 깔려 있다. 징그러운 독벌레도 보이지 않고 벽이나 천장에도 습기나 물기가 없었다. 한 가지 곤란한 점이 있다면 입구가 낮은 것인데, 그러나 그 때문에 이곳이 안전할 수 있고, 또 내가 바라는 피난처로 될 수 있으니 오히려 편리하다고 생각했다. 그래서 이 발견이 무척 대견스러웠고 가장 시급한 물건들을 지체 없이 이리로 옮기기로 결정했다. 무엇보다 화약통과 새총 두 자루(모두 세 자루 있었다)와 보병총 세 자루(모두 여덟 자루 있었다) 등 여분 있는 무기를 옮겨오기로 했다. 집에는 외벽에 대포처럼 설치해 놓은 다섯 자루만 남겨 두고, 밖에 나갈 때는 그 총을 가지고 다니기로 했다.

무기를 옮기는 기회에, 오래 전 바다에서 건져 온 화약통을 열어보게 되었다. 그때는 물에 젖어 있었는데 이번에 보니 물기가 겉으로부터 3, 4인치쯤 스며들어 그 부분은 과자처럼 딱딱하게 굳어 있었지만, 내부는 조개의 속살처럼 싱싱했다. 그래서 그 화약통에서 훌륭히 쓸 수 있는 화약 60파운드를 건져낼 수 있었는데, 이것은 그 당시 가장 귀중한 소득이었다. 나는 만일의 사태를 생각해서 집에다가 2, 3파운드만 남겨 두고 나머지 화약은 모두 새 동굴로 옮겼다. 그리고 탄환에 쓸 납도 함께 옮겼다.

이제는 나 자신이, 누구도 가까이 접근할 수 없게 하려고 동굴이나 바위 구멍에서 살았다는 옛날의 거인처럼 느껴졌다. 여기에서 살고 있는 한, 야만족 5백 명이 나를 잡으러 온다 해도 나를 찾아내지 못할 뿐 아니라, 설령 알아냈다 하더라도 감히 공격해 오지 못할 것이라고 생각했다.

숨이 끊어질 것처럼 보이던 늙은 염소는 동굴을 발견한 그 다음날 죽어 버리고 말았다. 이 시체를 끌어내느니보다 그 자리에 땅을 파서 흙으로 묻어 버리는 게 훨씬 쉬운 일 같아서 썩어 냄새가 나기 전에 그대로 묻어 버렸다.

이제 이 섬에서 산 지 23년이 되었다. 이곳과 이 외로운 생활에도 몹시 익숙해졌다. 만일 야만인들이 나를 공격해 오지 않는다는 것만 분명해지면, 동굴 속의 늙은 염소처럼 땅에 쓰러져 죽는 마지막 순간까지, 여생을 조용히 보내는 것으로 만족할 수 있었다. 또한 시간을 전보다 훨씬 즐겁게 보낼 수 있는 약간의 오락과 취미도 생겼다.

첫째로, 전에도 말하였지만 앵무새 폴에게 말을 가르치는 것이 하나의 즐거움이었다. 폴과는 아주 친해졌을 뿐 아니라, 그의 발음이 똑똑하고 말을 분명하게 했기 때문에 마음이 아주 기꺼웠다. 그는 이미 나와 함께 26년이나 살아 왔다. 앞으로 얼마나 더 살는지는 알 수 없지만, 브라질에서는 앵무새가 백 년을 산다고 생각했다. 어쩌면 폴은 불쌍하게도 그날까지 살아서 "불쌍한 로빈슨 크루소"라고 부르게 될는지 모른다. 되도록이면 영국 사람이 그 섬에 와서 폴이 말하는 소리를 듣는 불행이 없었으면 싶다. 폴의 소리를 듣고는 틀림없이 무슨 악마의 소리라고 생각할 것 아닌가. 내가 기르던 개는 16년 동안이나 정답고 사랑스런 친구가 되어 왔는데 벌써 나이가 차 죽었다. 고양이는 전에도 말한 것처럼 굉장한 속도로 불어났다. 그래서 양식 도둑질을 막기 위해 여러 마리를 쏘아 죽여야 했다. 그리고 배에서 데리고 온 두 마리의 고양이도 결국 늙어 죽었다. 얼마 후 고양이떼는 내가 계속 쫓아내기도 했고 또 먹을 것도 주지 않았기 때문에 모두 숲으로 달아나 버렸다. 길들인 고양이 두어 마리는 남아 있었지만, 새끼를 낳기만 하면 모두 물속에 넣어 죽여 버렸다. 이상이 내 식구였다. 이밖에 두어 마리의 새끼 염소를 늘 애완용으로 키웠다. 앵무새도 두 마리가 더 있었다. 말도 곧잘 익혀 "로빈슨 크루소"라고 소리를 질렀다. 그러나 폴만은 못했고 또 나도 그렇게 열심히 가르치려 하지 않았다.

그리고 이름도 모를 바닷새 몇 마리를 길렀다. 이 새들은 해변에서 잡아 깃을 잘라 버리고 지금처럼 울창한 숲으로 자라기 전의 울타리 앞 덤불에 둥우리를 만들어 주었다. 이 새들은 모두 낮은 나무 덤불에 살면서 나와 아주 즐겁게 놀았다. 이리하여 아까 말한 것처럼 야만인들의 위험으로부터 안전할 수만 있다면 내 삶은 극히 만족할 정도로 되어 가기 시작했다.

그러나 여기서 사태가 바뀌었다. 내 이야기를 차근차근히 관찰하면 다음과 같은 훌륭한 교훈을 얻게 될 것이다. 곧, 우리가 살아가는 도중에 그처럼 애써서 피하려고 한 악, 우리가 한번 빠지면 가장 무서운 것으로 나타나는 악이, 때로는 우리가 구원을 받을 수 있는 바로 수단이나 관문이 될 수도 있으며, 그를 통해서만이 우리가 빠졌던 고통으로부터 다시 일어날 수 있다는 것이다. 나는 수없이 많은 생활 체험에서 이 점을 얼마든지 증명할 수 있다. 특히 이 섬에서 외롭게 살던 시기 중 마지막 몇 해 동안에 일어났던 사건에서 가장 뚜렷한 예를 찾을 수 있을 것이다.

그러니까 이 섬에서 23년째 되던 해 12월, 겨울이랄 수도 없지만 동지쯤 되어서 나는 곡식의 수확으로 한창 바빠 들판에 나가 있는 시간이 많을 때였다. 이른 새벽, 날도 밝기 전에 밖으로 나가다가 해변에서 빛나는 불빛을 보고 깜짝 놀랐다. 그 불빛은 이곳으로부터 섬 끝쪽으로 2마일쯤 떨어진 데서 일어났는데, 전처럼 야만족이 있던 쪽이 아니고 전혀 반대쪽, 그러니까 심히 불행스럽게도 내가 있는 쪽이었다.

이 광경에 너무 놀라 얼른 숲속으로 몸을 숨겼다. 들킬까봐 감히 나갈 엄두를 못 냈다. 야만인들이 섬 이쪽에까지 어슬렁대다가 서 있는 곡식이나 또 잘라 놓은 곡식을 보든지 내가 만든 시설이나 기구를 보면, 곧 이곳에 사람이 산다는 결론을 내릴 것이고, 따라서 끝내 나를 수색하여 찾아내려 들 것이라고 생각하자, 도저히 마음의 안정을 이룰 수가 없었다. 궁지에 빠진 나는 곧장 성으로 돌아

와 사다리를 끌어 올리고 모든 것을 되도록 자연스럽게 보이게 만들었다.

　그런 후 마음을 가라앉히고, 방어의 태세를 갖추었다. 내가 대포라고 부르는, 그러니까 새로 만든 요새에 걸어 놓은 보병총마다 모두 탄환을 재 놓고 권총도 장전했다. 그리고는 온전히 하나님의 보호에 맡기고 하나님께 식인종의 손으로부터 구해 달라고 열심히 기도하고 최후까지 버틸 결심을 했다. 이런 태세로 두 시간이 지나갔다. 그러나 밖에 내보낼 염탐꾼이 없었기 때문에 주위의 동정이 무척 궁금해서 견딜 수 없었다.

　오랜 동안 책상 앞에 앉아서 이런 경우에 어떻게 대처해야 할 것인가 생각하다가, 이 이상 바깥 동정을 모르고 앉아서 보낼 수 없게 되었다. 그래서 나는 전에도 말한 것처럼 평지가 있는 언덕 쪽으로 사다리를 놓고 올라가 사다리를 걷어 올려 다시 위로 걸쳐 놓고 해서 언덕꼭대기로 올라갔다. 일부러 가지고 온 쌍안경을 꺼내 땅바닥에 배를 깔고 불빛이 나던 쪽을 보기 시작했다. 그러자 발가벗은 야만족 아홉 명이 조그만 불을 가운데 두고 빙 둘러앉아 있는 모습이 보였다. 이곳은 날씨가 뜨겁기 때문에 불을 피웠다면 추위를 없애려고 피운 것은 아니었다. 추측컨대 살았는지 죽었는지 모르지만 자기들이 가지고 온 사람 고기를 굽는 불인 것 같았다.

바닷가에는 그들이 여기까지 타고 온 카누 두 척이 있는데, 마침 썰물 때여서 짐작으로는 다시 돌아가기 위해 만조를 기다리는 것 같았다. 이런 광경을 보고 얼마나 마음이 산란했을까, 쉽게 상상할 수 없으리라. 더구나 그들은 섬 아래쪽에 이처럼 나와 지척지간에 와 있지 않은가. 그러나 그들의 내왕이 틀림없이 언제나 썰물 때일 것이라고 판단이 가자, 차츰 마음이 안정되기 시작했다. 곧, 만조 동안에는 그 전에 그들이 해변에 상륙하지 않은 한 안심하고 밖에서 일을 해도 괜찮을 것이라 짐작되었다. 이렇게 관찰을 한 후, 더욱 침착하게 곡식을 거두어 들일 수 있었다.

내 추측은 들어맞았다. 조류가 서쪽으로 흐르기 시작하자, 그들은 모두 배를 타고 노를 저어 떠나 버렸다. 그들이 떠나기 전 한 시간 이상 쌍안경으로 일거수 일투족을 자세히 살펴보았다. 이처럼 열심히 살펴본 끝에 야만인은 아주 벌거벗고 전혀 아무것도 걸치지 않은 것까지는 알아낼 수 있었지만, 그들이 남자인지 여자인지는 구별할 수 없었다.

그들이 배를 타고 떠나는 걸 보자 어깨에 두 자루의 총을 메고 허리띠에 권총 두 자루를, 옆구리에는 칼집도 없는 커다란 칼을 차고 야만인을 맨 처음 보았던 언덕 위로 전속력으로 달려가 보았다. 두 시간 이상 걸려(중무장을 했기 때문에 빨리 갈 수가 없었다) 도착해 보니, 그쪽 해안에 더 많은 야만인들이 카누 세 척에 타고 있었다. 좀더 멀리 바다를 보니 그들은 모두 본토를 향해 배를 저어 가고 있었다.

이 광경은 정말 무시무시했다. 더구나 해안으로 내려가 보니 이들이 한창 벌여놓았다가 남기고 간 흔적이 흩어져 있었다. 그것은 저 흉악한 인간들이, 환락과 여흥을 즐기며 사람의 몸뚱이를 먹다 버린 뼈다귀와 살점, 흘린 피 등 섬뜩한 공포의 상징이었다. 나는 이 광경을 보고 너무나 분개하여, 이들을 다시 보게 되면 그들이 누구든, 그 수가 얼마나 많든 몰살시킬 생각을 하기 시작했다.

그들이 이처럼 이 섬에 대거 출몰한 것은 분명히 몹시 드문 일인 것 같았다. 그들이 이 섬에 다시 온 것은 15개월 후의 일이었던 것이다. 정확히 말하면 그 동안 나는 야만인들을 보지도 못했고 발자국이나 어떤 흔적도 발견하지 못했다. 장마철이면 그들은 육지를 떠나지 않았다. 그러나 그 동안 그들이 갑자기 들이닥칠 것 같은 끊임없는 두려움 때문에 불안하게 지냈다. 이 경험을 통해 나는 올 재앙을 예상하는 것은, 특히 그 공포감을 떨쳐버릴 수 없을 경우에는, 그 재앙으로부터 당하는 괴로움보다 더 고통스러움을 깨달았다.

이 동안 나는 계속 살의(殺意)를 품고 있었다. 그리하여 달리 더 유용하게 보낼 수 있는 시간을, 야만인이 다시 건너오면 어떻게 습격해서 죽여 버릴까 궁리하는 데 거의 보냈다. 특히 전번처럼 두 무리로 나누어 올 경우에는 어떻게 할 것인가가 문제였다. 내가 열 명이나 열 두 명쯤 한 무리를 죽여 버린다면 다음날, 다음주, 혹은 다음달에라도 다른 한 떼를 죽여야 하고, 그리하여 영원히 살육을 계속함으로써 식인종보다 덜하지 않은, 아니 그보다 더한 살인자가 되어야 한다는 점을 생각하지 않았다.

그 즈음의 나날을 극심한 정신적 당혹과 두려움 속에서 보냈다. 저 잔인한 인종의 수중에 떨어질 때가 저 날일까 이 날일까 떨어야 했다. 어느 때든 밖에 나다닐 때면 조심성을 최대한으로 발휘하여 주위를 돌아보곤 했다. 이제 와서 천만 다행인 것은 길들인 새와 염소떼를 가축으로 기르고 있다는 점이었다. 야만족들에게 들킬 총소리를, 특히 그들이 자주 출몰하는 섬 저편 쪽에서 총소리를 낼 수가 없기 때문이었다. 야만족들이 총소리를 들으면 처음에는 놀라 도망칠지도 모르지만, 며칠 안되어 틀림없이 2, 3백 명이 카누를 타고 다시 습격해 올 것이다. 그리 되면 나는 끝장이었다.

그러나 1년 3개월이 지나서야 다시 야만족들을 볼 수 있었다. 그 이야기는 후에 할 것이다. 그 동안 한두 차례 왔다 갔을는지는 모르겠지만, 그들이 상륙하였다가도 지체하지 않았을 것이고, 적어도 나는 그들의 소리를 듣지 못했던 것이다. 그러던 중 이 섬에 온 지 24년째 되는 3월경 나는 참으로 이상하게 그들과 만나게 되었다. 그것은 그때 가서 말하겠다.

난파선을 보다

이 15, 6개월 동안 마음속의 불안은 굉장히 컸다. 잠을 자도 편안하지 못했고 늘 악몽만 꾸었다. 한밤중에 깜짝 놀라 깨기도 했다. 낮에는 심한 고민으로 마음이 시달렸고, 밤에는 자주 야만족을 죽이고 또 왜 죽여야 했던가에 대해 변명하는 꿈을 꾸었다. 그러나 이 모든 일이 잠시 중단되었다. 그것은 3월 중순, 내가 나무에 새긴 달력대로 계산한다면 16일이었다. 그때까지 기둥에 날짜를 표시하고 있었다. 그러니까 하루 종일 폭풍우가 쏟아지며 천둥과 번개가 무섭게 치고, 밤에도 일기가 사납던 날이 3월 16일이었다. 나는 별다른 사태가 일어나는 줄은 알지도 못한 채, 성경을 읽으면서 현재의 내 처지를 심각하게 생각하고 있다가, 바다에서 쏘는 듯한 대포 소리를 듣고 깜짝 놀랐다.

이것은 확실히 전에 느껴 보지 못한 놀라움이었다. 나는 자리에서 벌떡 일어나 순식간에 사다리를 타고 바위 중턱에 올라, 다시 사다리를 걸고 다음 층으로 올라갔다. 언덕 꼭대기에 오른 순간 불빛이 번쩍하더니 다음번 대포 소리가 들렸다. 그 사이가 30초도 못되었고, 또 그 소리로 판단해서 내가 전에 보트를 탄 채 조류에 떠내려가던 그 바다 쪽에서 나는 것임을 알았다.

나는 즉각 배가 조난을 당하고 있고 동행하던 다른 배가 조난을 알리며 구조를 요청하는 신호라고 판단했다. 이 순간 내가 그들을 구할 수 있으리라는 생각이 들었다. 그래서 힘 자라는껏, 마른 장작을 많이 가지고 와 언덕 위에 커다란 나무 더미를 쌓고 불을 붙였다. 나무는 말라서 활활 타올랐다. 바람이 심하게 불었지만 나무는 잘 탔고, 그래서 배가 있으면 틀림없이 그 불빛을 보리라 믿었다. 그들이 불빛을 본 것이 확실했다. 곧 불꽃이 타오르자 또 한번 대포 소리가 들렸고, 그 후에도 여러 번 났는데 모두가 같은 방향에서 들려 왔다.

나는 날이 밝을 때까지 밤새도록 불을 피웠다. 날이 아주 밝아 날씨도 개이자 섬의 정동쪽으로 바다 한가운데 무엇인가 떠 있는 것이 보였다. 쌍안경을 가지고 나오지 않은 데다가 거리가 너무 멀고 아직 안개가 약간 끼어 있어서 돌인지 선체인지는 확실히 알 수 없지만, 바다에 무엇인가 떠 있는 것만은 분명했다. 나는 그날 종일 그쪽을 자주 보았지만, 그 물체는 움직이지 않고 있었다. 그래서 그것은 닻을 내린 배라고 판단했다. 나는 격한 충동에 못이겨 총을 들고 섬의 동남쪽 바위로 달려갔다. 그 바위는 전에 내가 조류에 떠내려가다가 상륙하여 오른 적이 있는 곳이다. 이제는 날씨가 아주 청명해져서 난파선이 불행하게 밤새 물 속의 암초에 걸린 것을 똑똑히 볼 수 있었다. 내가 보트를 타고 갈 때 발견한 이 암초는 급한 조류를 막음으로써 반대 방향으로 흐르는 역류를 형성하기 때문에, 생애에 가장 절망적인 위기로부터 나를 건져낼 수 있었던 것이다.

이처럼 어떤 사람에게는 안전을 주던 것이 다른 사람에게는 파멸의 구실을 하기도 했다. 이 배의 선원이 누구든 간에 암초가 전혀 물 밖에 나타나 있지 않았기 때문에 암초가 있다는 사실도 알 수 없는 데다가 바람이 동쪽과 동북쪽으로 불어 배가 밤중에 이 암초에 걸린 것 같았다. 그들이 이 섬을 보았더라면, 생각컨대 보트를 타고 해변으로 와서 목숨을 건지려고 했을 것이다. 그러나 그들은 틀림없이 이 섬을 보지 못한 것 같았다. 그런데도 내가 피운 불을 보고(그렇게 상상된다) 구조해 달라고 대포를 쏜 것은 내게 여러 가지 생각을 일으켰다. 먼저 상상되는 것은 그들이 내 불빛을 보고 보트에 몸을 옮겨 해변으로 가려고 애를 썼으나, 파도가 너무 심해 바다에 빠졌을지도 모른다는 것이었다. 아니면 그 전에 보트를 잃어버렸을지도 모른다고 추측된다. 이런 경우는 흔히 있어서 파도가 배를 때려 보트를 부수어 버릴 경우도 있고, 때로는 선원 자신의 손으로 내버릴 경우도 있고, 그렇지 않으면 그들이 보낸 조난 신호를 받고, 다른 배가 그들을 태워 갔을 가능성도 생각되었다. 혹은 그들이 모두 보트를 타고 바다로 나섰지만 전에 내가 당했던 경우처럼 대양으로 밀려갔을지도 모른다고 상상되기도 했다. 그렇다면 그들에겐 파멸밖에 없다. 아마 지금 시간에 그들은 굶어 죽어가면서 서로를 잡아먹을 처지를 생각하고 있을지도 모른다.

이 모든 것은 지금의 내 입장에서 해볼 수 있는 추측에 불과한 것이지만, 나는 그 불쌍한 사람들의 조난을 바라보고 그들을 동정함으로써 나 자신을 자위할 수밖에 없었다. 이 때문에 고통스런 상태 속에서나마 나를 그토록 행복하고 편안하게 마련해준 하나님께 더욱 감사를 드려야 했다. 두 척의 배가 파선하여 이 외딴 세상에 떨어진 선원 중에 목숨을 건진 사람은 오직 나 하나뿐이었다. 하나님은 우리를 그처럼 삶의 밑바닥으로, 거대한 불행 속으로 던져 놓기는 하지만, 그래도 우리가 감사를 드려야 할 것이 있음을 나는 여기서 다시 한번 배웠다. 우리는 우리보다 더 비참한 상태에 빠진 사람을 보아야 하는 것이다.

이 난파선의 선원들이 그런 셈이다. 그들 중 누구도 살아났으리라고 추측할 여지가 없으며 동행하던 다른 배에 구조받았을지도 모른다는 단 하나의 가능성 외에는, 그들이 모두 죽지 않기를 기원하거나, 또는 그렇게 추측하기에는 사리(事理)가 전혀 맞지 않았다. 다른 배에 구조를 받는다는 것도 단순한 가능성일 뿐이지 그렇게 됐으리란 어떤 흔적이나 표시도 찾아볼 수 없었다.

이 광경을 보고 나는 기묘한 소망이랄까 동경심이 일어나는 것을 억제할 수 없었다. 때때로 나도 모르는 새 이런 말이 나왔다.

"아! 한두 사람, 아니 단 한 사람이라도 이 배에서 살아나 내 쪽으로 피신할 수 있었다면! 내가 말을 걸고 함께 얘기를 할 수 있는 사람이 단 하나라도 생길 텐데!"

외로운 생활 속에서 이때처럼 이웃이 있는 사회를 열망해 본 적도 없고 그것이 없는 게 이때처럼 섭섭한 적도 없었다.

인간의 감정 속에는 어떤 신비한 힘이 숨어 있어서, 무얼 보거나 또는 보이지는 않는다 하더라도 상상력으로 무언가가 존재한다는 것을 알게 될 때, 힘이 솟아나고 그 물건을 갖고 싶다는 욕망이 열렬해지고, 그것이 없다는 사실을 견딜 수 없이 안타깝게 여긴다.

한 사람만이라도 살아날 수 있다면! "아! 한 사람만이라도!" 하는 외침은 바로 그와 같은 뜨거운 열망이었다. "아! 한 사람만이라도!" 하는 소리를 천 번은 되뇌었으리라. 그 소망은 너무나 강렬했다. 그 말을 되뇌일 때마다 나는 손을 너무 꽉 움켜쥐었기 때문에, 손가락이 손바닥을 파들어가는 것처럼 아프고, 손 안에 무슨 물건이 있었다면 다 부서졌을 것이었다. 너무나 심하게 이를 악물었기 때문에 잇몸이 아플 지경이었다.

자연론자(自然論者)들이 이러한 열망, 그 열망의 원인과 진행 과정을 뭐라고 설명하든 내 알 바 아니다. 오직 내 나름대로 말하라면 내가 실제로 겪을 때 나 자신 깜짝 놀라지 않을 수 없었던 사실을 이야기할 수밖에 없는 것이다. 그것이 어디서 온 것인지 나 자신도 모르지만, 나와 같은 기독교 신자 한 사람과 이야기하고 싶다는 소망과 간절한 생각으로 말미암아 생겨났으리란 것은 의심의 여지가 없다.

그러나 나의 소망은 이루어지지 않았다. 그들의 운명 때문이거나 또는 내 운명 탓이리라. 아니면 그들의 운명이 서로 맞지 않은 때문일 것이다. 내가 이 섬에서 보낸 생활의 마지막 해에 이르기까지, 그 배에서 구조된 사람이 있었는지 어쨌는지 알 수 없었다. 다만 며칠 후 배가 파선된 곳으로부터 가까운 섬 끝에 익사한 소년의 시체가 해변으로 떠오르는 것을 보고 비통한 생각에 젖을 뿐이었다. 그 소년은 선원들이 입는 조끼와 무릎이 나오는 린네르 반바지, 그리고 푸른 린네르 셔츠만을 입었을 뿐, 어떤 사람인지를 짐작케 해줄 물건은 하나도 없었다. 주머니에는 은화 두 닢과 담배 파이프가 들어 있었는데, 내게는 돈보다 파이프가 열 배 더 귀중했다.

이제 바다도 조용해졌다. 나는 보트를 타고 그 난파선에 가 보고 싶은 생각이 강렬하게 일어났다. 내게 필요한 물건이 배에 남아 있을지 모른다는 추측도 했거니와, 배에 혹시 사람이 아직 살아 있을지도 모른다는 가능성에 유혹되었다. 배에 생존자가 있다면 나는 그 사람을 구할 수 있을 뿐 아니라, 그로 인해 종내에는 내 생활이 외롭지 않을 수도 있을 것이었다. 이 생각이 한번 일어나자 밤낮으로 마음이 들떠 있어, 보트를 타고 난파선에 가야 한다는 생각뿐이었다. 모든 일은 하나님의 뜻에 맡기고 배에 가 봐야 되겠다는 충동이 너무나 컸기 때문에, 이를 억제할 수도 없었고 마치 어떤 보이지 않는 방향으로부터 지시하는 일이어서 이를 실행하지 않으면 크게 후회할 것 같았다.

이 충동에 끌려, 나는 급히 집으로 달려가 항해에 필요한 모든 것을 준비했다. 상당량의 빵과 물 한 항아리, 배의 방향을 잡아 줄 나침반, 럼주 한 병(아직 많이 남아 있었다), 건포도 한 상자를 갖추었다. 이 필요한 물건들을 모두 짊어지고 보트 있는 데로 갔다. 보트에 괸 물을 퍼내고 물에 띄운 다음, 내 짐들을 모두 옮겨놓고 다시 집으로 돌아왔다. 두번째 짐은 커다란 자루에 담은 쌀과 머리 위로 햇볕을 가릴 양산, 물 항아리, 보리과자 두 다스에 염소젖 한 병과 치즈가 들어 있었다. 땀을 뻘뻘 흘리며 간신히 이 짐들을 모두 보트로 가지고 왔다. 그리고 하나님께 내 항해를 길잡아 주시도록 기도한 후 육지를 떠나 노를 저었다. 해안을 따라, 마침내 이 섬의 북동쪽 끝에 이르렀다. 이제부터 대양 속으로 들어가게 되는데, 여기서 나아갈 것인가, 그만둘 것인가 고민했다. 멀리 섬 양쪽편으로 끊임없이 흐르는 급류를 보자 옛날에 당했던 위험이 회상되어 공포심이 일어나고 용기가 사라졌다.

이 양쪽 급류 중 어느 하나에라도 휩쓸리기만 하면 나는 망망한 대해로 밀려나가, 도저히 다시 이 섬에 돌아올 수 없으리란 예상이 들었다. 내 보트는 한 점의 나무토막 같아서 바람만 한번 불면 흔적도 없이 사라질 것이다.

이 생각에 눌려 나는 항해를 단념하고, 보트를 해안의 작은 갯가로 가져다 댔다. 보트에서 내려 약간 높은 언덕에 앉아 항해에의 공포와 열망 사이에 끼어 고민했다. 내가 이처럼 고민하고 있는 동안 조류가 바뀌어 만조가 오는 것이 보였다. 이 몇 시간 동안 항해는 불가능해진다. 뿐만 아니라 나는 될 수 있는 대로 높은 곳에 올라가, 만조를 이룰 경우 조류나 해류가 어떻게 흐르는가를 조사하고, 거기에 휩쓸릴 경우, 그처럼 급격한 조류를 타고 다시 섬으로 돌아올 길은 없을까 하는 것을 관찰해야 했다. 이 생각이 머리에 떠오르자 나는 작은 언덕에 올라갔다. 이 정도의 높이에서는 섬 양쪽의 바다를 한눈에 볼 수 있고, 따라서 조류의 흐름을 명백히 관찰하여 돌아올 길을 찾을 수 있었다. 여기서 보니 조류의 흐름이 섬 남쪽의 해안 가까이부터 흐르고 만조는 섬의 북쪽 해안 가까이부터 흘렀으며, 내가 돌아올 때는 섬의 북쪽을 통할 수밖에 없었다. 잘 하면 될 것 같았다.

이렇게 관찰하자 나는 용기를 얻어 다음날 아침 첫 조류를 타고 떠나기로 작정했다. 보트에서 전에 말한 커다란 외투를 뒤집어쓴 채 밤을 지낸 후 이튿날 출범했다. 처음에 바다 정북쪽으로 나갔는데, 해류가 내가 바라는 대로 흐르는 것을 깨닫자, 그 해류를 타고 동쪽으로 멀찍이 나갔다. 전의 남쪽 해류처럼 이것도 내 마음대로 조종할 수 있었다. 힘껏 노를 저어 곧바로 난파선에 다가갔다. 두 시간도 못되어 나는 그곳에 이르렀다. 그것은 보기에도 참혹한 광경이었다. 생김새로 보아 이 배는 스페인에서 만든 것인데, 두 암초 사이에 꽉 끼어 찌그러들었다. 선미와 배 뒷부분은 파도로 산산조각이 났고, 앞 갑판이 암초에 충돌하면서 걸렸기 때문에 큰 돛대와 앞 돛대가 갑판으로 넘어져 있었다. 다시 말하자면 돛대가 부러진 것이다. 그러나 첫번째 비스듬한 돛대는 생생했고, 이물과 배 앞머리도 튼튼해 보였다. 배 가까이 이르자 배에서 개 한 마리가 나타나더니 내가 오는 것을 보고 짖어댔다. 내가 소리내어 부르자 개는 바다에 뛰어들어 내게로 왔다. 나는 개를 건져 보트에 태웠다. 개는 먹지도 마시지도 못했기에 거의 죽을 지경이었다. 빵과 과자를 주자 눈 속에서 2주일 동안이나 굶주린 이리처럼 게걸스럽게 먹어치웠다. 그런 후 이 불쌍한 짐승에게 마실 물을 주었다. 마시고 싶은 대로 내버려 두었더라면, 개는 배가 터질 만큼 한없이 마셔댔을 것이다.

이런 후 나는 배에 올라갔다. 첫눈에 띈 것은 앞 갑판 식당에 익사한 두 시체였다. 아마 틀림없이 배가 부딪칠 때 폭풍이 치고, 엄청나게 거센 파도가 끊임없이 몰아쳐, 두 사람은 이것을 당하지 못하고 물 속에서 이리저리 휩쓸려 다녔을 것이다. 개 외에는 배 안에 살아 있는 것이란 아무것도 없었고, 눈에 보이는 물건이라고는 모두 물에 젖어 쓸 만한 것이 없었다. 물을 빼내자 낮은 선반에 포도주인지 브랜디인지 모르겠지만 술통이 놓여 있는 것이 보였다. 그러나 너무 커서 움직일 수가 없었다. 선원들 것으로 보이는 옷장이 여러 개 있었는데, 그 안에 무엇이 들었는지 보지도 않고 그 중 두 개를 배에 실었다.

배의 전반부가 부서지고 후반부가 다치지 않았더라면 이번 항해는 훌륭한 성과를 거두었으리라. 두 개의 선원 옷장에서 발견된 물건으로 보아 이 배는 상당히 많은 재산을 실었었고 침로로 추측컨대 부에노스아이레스나 아메리카 대륙의 남부, 브라질보다 먼 리오텔 라플라타로부터 멕시코 만의 아바나를 거쳐 스페인으로 갈 배였던 것 같다. 의심할 여지없이 배는 굉장한 재산을 실었지만, 그 당시에는 아무에게도 전혀 소용이 없었고, 또 선원들이 어떻게 되었는지 알 수도 없었다.

이 옷장 외에 약 20갤런쯤 되는 커다란 술통을 찾아내어 간신히 보트에 옮겨 실었다. 선실에는 머스킷 보병총 7자루와 화약이 4파운드쯤 든 커다란 화약통이 있었다. 보병총은 내가 별로 쓸모가 없으므로 그대로 남겨 두고 화약통만 실었다. 내게 극히 필요한 부삽과 화젓가락, 그리고 작은 놋주전자 두 개, 초콜릿을 만드는 구리 남비, 석쇠 따위도 실었다. 조류가 다시 흐르기 시작하자 나는 집으로 돌아가기 위해 짐과 개를 싣고 떠났다. 그날 저녁 해가 진 지 한 시간 후에 극도로 피로한 몸을 이끌고 섬에 다시 도착했다.

보트에서 그날 밤을 지내고 다음날 아침, 나는 이 짐을 집으로 가져가기보다 새로 발견한 굴로 옮기기로 했다. 원기를 회복한 후 나는 짐을 해변에 내려놓고 다시 자세히 조사하기 시작했다. 술통에 든 술은 일종의 럼주로, 우리가 브라질에서 마시던 것과는 다른 종류였고 한마디로 말해 맛도 아주 나빴다. 그러나 옷장을 열어 보니 내게 필요한 물건이 많이 나왔다. 옷장 하나엔 굉장히 멋진 병이 든 훌륭한 상자가 있었는데, 그 병에 가득 찬 것은 아주 훌륭한 감로주였다. 병 하나가 3파인트 들이였고 은딱지가 붙어 있었다. 옷장에는 설탕에 절인 훌륭한 당과(糖菓)가 두 항아리 있었는데, 뚜껑을 꼭 막은 데가 약간 물에 젖었을 뿐 조금도 상하지 않았다. 당과는 두 항아리가 더 있었지만 물에 젖어 쓸 수 없었다. 내게 아주 필요한 셔츠도 여러 벌 나왔고, 린네르로 만든 흰 손수건과 여러 가지 색깔의 목도리가 한 다스 반이 있었다. 손수건 역시 내게 무척 쓸모가 있고, 더운 날 얼굴을 닦으면 기분이 여간 개운하지 않았다. 그리고 옷장 안의 서랍을 열어 보았다. 거기서는 스페인 은화가 세 주머니 나왔는데 모두 1천 1백 닢쯤 되어 보였다. 그 중 하나는 종이로 싼 '더블룬' 금화(金貨) 6개와 작은 금막대 몇 개가 있었는데, 그 무게는 모두 1파운드 가까이 될 것 같았다.

다른 옷장에는 옷이 좀 들어 있었지만, 별 가치가 없었다. 여러 가지로 미루어 포수의 조수것임이 틀림없었다. 대포 화약은 없었지만, 작은 화약통 세 개에는 경우에 따라 세 총에 쓸 셈이었던지 반짝거리는 화약 가루가 2파운드쯤 들어 있었다. 전반적으로 보아 이번 항해는 내게 커다란 도움을 줄 것은 별로 없었다. 돈이란 있어 봤자 쓸 길이 없는 것이다. 그건 발에 밟히는 흙과도 같을 뿐이다. 이것으로 영국제 구두와 양말 서너 켤레를 주겠다면 쾌히 바꾸었을 것이다. 구두와 양말은 지극히 필요한데도 지난 몇 해 동안 구경도 하지 못했다. 실은, 난파선에서 본 두 개의 시체에서 구두 두 켤레를 벗겨내었고, 어떤 상자에서 두 켤레를 찾아낸 것이 매우 다행스러웠다. 그러나 이 구두들은 영국제와 달라, 투박하고 불편하여 구두라기보다 오히려 나막신 같았다. 두번째 옷장에는 스페인 은화가 50닢쯤 들어 있었는데, 이 상자의 주인은 어쩌면 고급 선원일지도 모를 다른 상자의 주인보다 훨씬 가난한 모양이었다.

어떻든, 전에 내가 탔던 배에서 돈을 꺼내 왔을 때처럼, 이번에 생긴 돈도 동굴 속의 창고로 가지고 가 보관해 두었다. 이 배의 재산을 더 찾아내어 내 것으로 만들지 않았던 것을 뒤에 무척 후회했다. 배에 하나 가득 돈을 실어다 잘 보관했더라면 영국으로 돌아간 후에라도 다시 와서 찾아갈 수도 있었을테니 말이다.

해변에 쌓아 둔 짐을 옮겨 잘 정리해 둔 후 다시 보트로 돌아가 노를 저어 해안을 따라 갯가로 돌아왔다. 배를 잘 매어 두고 옛날 집으로 서둘러 돌아가자, 모든 것은 여전히 안전하고 평온했다. 그래서 나는 편히 쉰 후 먼저처럼 생활하며 집안일을 보살피기 시작했다. 그리고 얼마 동안 안이하게 살았다. 다만 전보다 좀더 주의를 게을리하지 않으며 자주 돌아보고 멀리 나가지 않았다. 제법 멀리 나간다 하더라도 그것은 언제나 섬의 동쪽, 곧 야만인들이 나타나지 않는 지역 안으로 그쳤다. 이 지역 안에서는 그처럼 많은 무기며 화약 같은 짐을 가지고 다닐 필요가 없었다. 섬 저편이라면 그러지 못할 것이다.

처음으로 사람 소리를 듣다

　　이런 상태로 2년 가까이 살았다. 나는 언제나 내 몸이 불행한 운명으로 태어났다고 믿어왔지만 이 즈음에는 별의별 계획과 구상을 다 해보았다. 어떻게 이 섬을 떠날 수 없을까 궁리하기도 하고, 때로는 이제 내게 소용될 것이 더 없을 줄 번연히 알면서도 소풍삼아 난파선에 다시 가 보기도 했는데, 한번은 이쪽 해로로 갔다가 다음에는 다른 쪽 해로로 가 보곤 했다. 옛날 살리에서 돌아올 때 탔던 그 정도의 배가 있었다면 틀림없이 대해 속 어디로든지 항해를 나서고야 말았을 것이다.

　　지금까지의 생활은 인간의 질병(疾病)에 고민하는 사람들에게 경고가 될 것이다. 그 질병이 무엇이든, 불행하게도 반은 하나님과 자연이 정해 준 자리에 만족하지 않는 데에서 생기는 것이다. 내가 태어난 당초의 상태가 내 식대로 원죄(原罪)라 한다면, 그와 반대로 아버지의 훌륭한 충고를 따르지 않고, 그 후에도 그와 비슷한 잘못을 저질러 온 것이 이 불행한 처지로 이르게 된 길이었다. 하나님의 은총에 따라 브라질에서 농장 경영자로 행복하게 정착하여 욕망의 한계를 깨닫고 착실하게 발전하는 것으로 만족했다면, 지금쯤은 그러니까 내가 이 섬에서 보낸 시간을 바친 지금에 이르러서는, 브라질에서 가장 부유한 농장 경영주가 되었을 것이다. 내가 브라질에서 잠깐 동안 살면서 이룩한 성과와 그 후 계속 그대로 살았을 경우, 벌어들였을 수입은 아마 10만 모이도레(역주 : 포르투갈의 옛금화) 어치는 되었을 것이다. 내가 도대체 한창 잘 되어가는 농장과 안정된 재산을 버리고 흑인을 사러 기니행 배의 관리인이 된 것은 무슨 연고였던가? 조금만 참고 기다리면 집 재산이 늘어 가만히 앉아서 흑인을 데리고 온 장사치들로부터 일꾼을 살 수 있지 않았는가? 값을 약간 바싸게 치르긴 하겠지만 그 가격 차이는 거기에 딸린 커다란 위험에 비하면 아무것도 아니었다.

그러나 이것이 젊은 사람들이 흔히 빠지기 쉬운 운명인 듯 그 어리석음을 반성하는 것이, 나이 들고 값진 경험을 한 사람이 흔히 말하는 교훈이기도 하다. 그리고 지금의 내 경우도 그렇다. 그러나 내 기질 속에 그 잘못이 너무 깊이 뿌리박고 있기 때문에, 나는 현재의 상태에 만족할 수 없어 이곳을 탈출해 보려는 수단과 가능성을 끊임없이 찾고 있었다. 이 이야기의 나머지를 계속하겠지만, 내가 어떻게 이 섬을 탈출하려 했으며, 이 어리석은 계획이 처음 어떻게 해서 생겨났는가를 설명하는 것도 나쁘지는 않을 것이다.

전에 난파선을 다녀와 늘 그렇듯, 내 쾌속선을 물 밑에 넣어 숨겨 두고 옛날과 다름없는 생활로 돌아간 이후, 나는 집 안에 들어앉아 있을 셈이었다. 실상 전보다 재산이 더 늘긴 했지만, 마치 스페인 사람들이 침입하기 전에는 페루의 인디언들이 자기 재산을 쓸 줄 몰랐듯 나도 그 재산을 쓸 곳이 없었기 때문에 실은 조금도 부자라고 할 수 없었다.

내가 이 외로운 섬에 발을 들여 놓은 지 24년째 되던 해 3월 장마철이 계속되던 어느 날 밤이었다. 나는 잠에서 깬 채 그물 침대에 누워 있었다. 건강도 좋았고 고통도 없었으며, 불안감이나 육체적인 병도, 평소와 별다른 정신적 괴로움도 없었다. 그러나 도저히 눈을 붙이고 잠들 수가 없었다. 밤새도록 눈 한번 붙일 수 없었는데 이날 밤 이야기를 하면 이렇다.

그날 밤 동안 머릿속에 지나간 수만 가지 생각과 회상들을 모두 기록하는 것은 쓸데없는 일일 뿐더러, 그렇게 할 수도 없는 일이다. 나는 이 섬에 오기까지, 그리고 이 섬에 온 이후의 내 처지를 회상하면서, 처음 여기서 살 때의 행복한 상태와 모래 위에 사람의 발자국을 본 이후의 불안과 공포의 조심스런 생활을 비교해 보았다. 야만인들이 언제나 이 섬에 출몰한다거나 한꺼번에 수백 명이 상륙한다고는 믿지 않지만, 그 전에는 야만인에 대해 조금도 알지 못했고, 전혀 예상할 수도 없었다. 나를 둘러싼 위험은 그 전이나 후나 마찬가지였지만, 전에는 마음 턱 놓고 안심하고 있었고 위험이란 전혀 없다는 듯, 위험을 모르면서 행복할 수 있었다. 이러한 사실로부터 나는 극히 유익한 반성을 할 수 있었다. 특히 사람이 사물을 볼 수 있고, 알 수 있는 능력의 한계를 하나님이 좁게 정함으로써, 인간을 통치하는 데 있어 얼마나 무궁한 선(善)을 드러냈는가 깨달았다. 그리하여 사람이 수많은 위험 가운데를 지나더라도 그리고 그 위험의 모습들이 사람들에게 보인다 하더라도, 그 위험을 깨닫지 못함으로써 앞의 위험을 보지 못하고, 그를 둘러싼 위험을 알지 못하기 때문에 여전히 평온한 마음을 유지하는 것이다.

　　얼마 동안 이런 생각 속에 빠져 있다가, 나는 수년 동안 이 섬에서 처해 왔던 진정한 위험을 반성하게 되었다. 그 동안 얼마나 안전하게 그리고 마음 편하게 돌아다녔던가? 언덕의 절벽이나 커다란 나무 또는 무시무시한 범이 올 때에도 그랬고, 비참한 파멸을, 마치 내가 염소나 거북이를 잡아먹듯, 나를 잡아먹을 식인종의 손에 빠질 위험을 모면해 왔다. 그들은 내가 비둘기를 잡아먹을 때처럼 나를 죽여서 먹고도 아무런 죄의식을 느끼지 않을 것이다. 내가 위대한 수호자인 하나님께 진심으로 감사를 드리지 않는다고 말하면 내 명예를 부당하게 훼손하는 셈이 될 것이다. 하나님은 나의 유일한 보호자라고 겸허하게 고백하지 않을 수 없다. 그가 없었더라면 나는 틀림없이 저 무자비한 손아귀에 떨어졌을 것이다.

이러한 생각들이 지나자, 이번에는 그 불쌍한 인간들, 다시 말해 야만족의 성격에 관해 얼마 동안 마음이 쏠렸다. 만물의 통치자이신 어지신 하나님이 자신의 인간들을 어떻게 이처럼 비인간적 상태에 버려두는 것일까. 이들은 동족을 잡아먹을 정도로 타락해 버린 것이다. 그러나 이 명상(당시는 아무런 결론도 없었지만)이 끝나자, 이 야만족들이 살고 있는 세계가 어떤 곳인가에 생각이 미쳤다. 그들이 사는 곳은 해변으로부터 얼마나 떨어졌을까? 그들은 무엇 때문에 제 고장을 떠나 멀리 나올까? 무슨 배를 타는가? 그들이 내 섬으로 오듯이 왜 나는 그들 땅에 가 볼 수 없을까?

　내가 그쪽에 가면 어떻게 할 것인가, 야만인들의 수중에 떨어지면 어떻게 될 것인가, 그들이 나를 잡으려 들면 어떻게 도망갈 것인가 하는 생각들은 별로 하지 않았다. 한번 잡히기만 하면 구출될 가능성도 없는데, 어떻게 하면 습격을 피해 저쪽 해안에 이를 수 있는가, 그들에게 잡히지 않으려면 무엇을 준비해야 하고 어떤 길로 가야 할 것인가 하는 문제도 머리에 전혀 떠오르지 않았다. 오직 내 정신은 보트를 타고 대륙으로 건너가 보겠다는 데 빠져 있었다. 나는 현재의 상태가 가장 비참하다고 생각했다. 이보다 더 불행하다고 해봤자 죽음밖에 없었다. 내가 대륙의 해안에 이르면, 다행히 구조를 받거나, 아니면 아프리카 해안에서 그랬듯이 해안을 따라가다가 사람들이 살고 있는 곳에 가게 될지도 모르고, 거기서 구조될지도 모른다. 잘못되어 사태가 더 악화된다고 해봤자 죽음밖에 없고, 그 죽음은 이 모든 불행을 일시에 종결지어 주는 것이다. 독자들은 주의해 주기 바란다. 이 모든 생각들은 마음이 혼란하고 참을 수 없는 기분 때문에 생긴 것이다. 그것은 내가 난파선에 올랐을 때 맛보았던 고통과 실의가 오랫동안 계속됨으로써 절망적으로 느낀 기분 때문이었다. 그때 나는 그처럼 열망하던 것을, 곧 내가 지금 처해 있는 곳으로부터 어떻게 구출될 수 있는가에 대해서 이야기하고 상의할 수 있는 사람을 얻을 뻔하다가 놓쳐 버린 것이다. 요컨대 이런 생각들로 나는 마음이 몹시 동요되었다. 하나님의 섭리에 조용히 내 마음을 의탁하고 그의 처리를 기다리는 것을 보류한 셈이었다. 나는 대륙으로 항해해 보겠다는 마음을 달리 고쳐먹을 힘이 없었다. 그 유혹은 그처럼 강한 힘으로, 격렬한 소망으로 몰아왔기 때문에 어떻게 거역할 수가 없었다.

피가 끓어오르고, 생각만 해도 열병에 걸린 듯 맥박이 급히 뛸 만큼 두어 시간 동안 고통스레 마음이 뒤흔들린 끝에, 생각 그 자체만으로도 심신을 무척 피곤하게 만든 듯, 나는 깊은 잠 속에 떨어졌다. 그리고 아주 이상한 꿈을 꾸었다. 내가 좀 전에 생각했던 것이 꿈으로 나타났다고 추측할지도 모른다. 하나 그런 꿈은커녕 거기에 관계되는 꿈조차 꾸지 않았다.

내가 꾼 꿈은 이렇다. 여느 때처럼 아침에 집에서 나오자, 해변에 카누가 두 척 보이고 11명의 야만인이 섬에 상륙했다. 그들은 또 한 명의 야만인을 끌고 왔는데 죽여서 먹을 참이었다. 그런데, 갑자기 그들이 죽이려던 야만인이 훌쩍 뛰더니 살려고 도망쳤다. 나는 꿈속에서도 그가 몸을 숨기기 위해 내 요새 앞의 울창한 숲으로 도망해 오리라고 생각했다. 나는 그가 혼자이고 다른 식인종들이 그 뒤를 쫓아오지 않는 것을 보고 그에게 내 몸을 나타내어 미소를 지어 보이면서 격려해 주었다. 그는 내게 무릎을 꿇고 자기를 도와 달라고 비는 것 같았다. 나는 사다리를 내려 그가 올라오도록 하여 굴로 데리고 들어갔다. 그는 내 종이 되었다. 나는 이 사람을 얻자, 곧 혼자 말했다.

"이제 정말 저 대륙으로 모험할 수 있게 됐다. 이 녀석이 내 길잡이가 되어, 무엇을 해야 할지, 어디로 가야 할지, 잡혀 먹히지 않으려면 어딜 가지 말아야 하는지, 어디로 모험하고 어디로 도망해야 하는지를 설명해 줄 거다."

이 생각을 하자, 꿈속에서도 탈출할 전망이 보여 어떻게 표현할 수 없는 기쁨이 솟아올랐다. 그러나 잠에서 깨어나 그것이 한갓 꿈이라는 것을 깨닫자 그만큼 실망이 컸고, 내 마음은 허전해지고 말았다.

그러나, 이 꿈으로 말미암아 나는 탈출을 시도하는 유일한 길은 야만인 하나를 내 손에 넣는 것이며, 또 할 수 있다면 그 야만인은 죄수여서 야만족들이 잡아먹게 되었고, 그래서 죽이러 데리고 오는 놈이어야 한다는 결론을 얻었다. 그러나 이 생각에는 한 떼의 야만족들을 습격하여 그들을 모두 죽여 버려야 한다는 난점이 있었다. 이것은 상당히 위험한 데다가 가능성이 없을 뿐더러, 그것이 내게 이로운 일이 못된다는 점에서 무척 주저하게 되었다. 아무리 내가 살기 위한 방편이라고는 하지만, 그처럼 많은 피를 본다는 사실은 끔찍한 일이 아닌가 했다. 이런 이야기는 전에도 한 적이 있기 때문에 여기서 설명을 반복할 필요는 없다. 하나 이 경우 나대로 변명은 있다. 곧 그들은 내 생명의 적이요, 기회만 있으면 나를 잡아먹을 것이다. 이 죽음의 위험으로부터 벗어나는 것이 가장 좋은 자기 보존이며, 그들이 실제로 나를 공격해 오는 만큼 나도 나 자신의 방어를 위해 행동해야 한다는 것이다. 이런 변명이 서면서 내 생명을 구하기 위해 사람의 피를 보아야 한다는 것은 생각만 해도 무서웠고 그래서 오랫동안 이 문제에 용단을 내릴 수 없었다.

어쨌든 내 머릿속에서 이 논쟁은 무척 오랫동안 계속되었다.

그러나, 결국 나 자신과 수없이 토론하고 심각하게 고민한 끝에, 탈출하겠다는 뜨거운 욕망이 마침내 다른 주장을 압도해 버렸다. 가능하다면 어떤 대가를 치르고라도 야만인 하나를 내 수중에 넣기로 결심했다. 다음 할 일은 어떻게 잡는가 하는 궁리였다.

이것은 사실 무척 결정하기 어려운 문제였다. 그러나 별다른 방법이 없었기 때문에, 내가 파수가 되어서 그들이 상륙할 때를 기다려 추세에 따라 임기응변으로 대처하기로 했다.

이렇게 결정을 한 후부터 나는 자주 정찰에 나섰다. 나중에는 정말 싫증이 날 정도였다. 1년 반 이상을 기다리는 동안, 그 시간 거의를, 섬의 남쪽 끝과 남서쪽 모퉁이로 매일 다니면서 카누가 오는가 보았으나 한 척도 나타나지 않았다. 이래서 나는 실망했고 속이 상하기 시작했다. 그러나 늦어지면 늦어질수록 그에 대한 열망도는 더 강해졌다. 한 마디로 말해서, 처음에는 야만인들을 그처럼 멀리하고 또 그들에게서 숨으려고 조심했지만, 지금은 내가 그들을 만나려고 극성을 부리게 되었다.

게다가 나는 한두 명쯤의 야만인을 내 손 안에 넣기만 하면 충복을 만들 수 있고, 또 내 지시에 복종하여 내게 이로운 일이면 할 수 있게 조종할 자신이 있었다. 이런 자신 때문에 오랫동안 기분이 유쾌했지만 여전히 아무런 일도 일어나지 않았다. 내 모든 상상과 계획은 야만인들이 오랫동안 내게 나타나지 않음으로 해서 실패로 돌아갔다.

계획에 몰두하면서 마음이 오랫동안 들떠 있던 나는 1년 반이 지나도 그것을 실현할 기회가 없었다. 그래서 모든 것을 포기하려던 참에, 어느 날 아침 일찍 섬 이쪽으로 한꺼번에 상륙하는 카누 다섯 척을 발견했다. 배에 탄 사람들은 모두 육지에 내려 어딘가로 사라졌다. 나는 그 숫자에 깜짝 놀랐다. 흔히는 배 한 척에 네 명 내지 여섯 명, 어떤 때는 그보다 많은 사람이 타는데, 이번에 그처럼 많은 배가 온 것을 보고, 내 홀몸으로 2, 30명을 공격하자면 어떻게 계획을 짜야 할지, 어떻게 태도를 취해야 할지 당황했다. 그래서 어리둥절하여 우울한 기분으로 집 안에 숨어 있었다. 그러나 처음 계획했던 대로 공격을 할 태세를 갖추고, 일만 벌어지면 즉시 행동할 준비를 했다. 무슨 소리가 나는가 귀를 기울였다. 한참 기다린 끝에 마침내 더 참을 수 없어, 사다리 밑에 총을 두고 올라가 전처럼 두 계단을 거쳐 언덕 꼭대기에 올라갔다. 몸은 똑바로 서 있었지만 머리를 감추었기 때문에 그들은 나를 알아볼 수 없었다. 나는 쌍안경으로 그들이 30명 정도이며, 벌써 불을 피워 고기를 굽고 있는 것을 볼 수 있었다. 어떻게 요리를 하는지, 그것이 무엇인지는 모르겠지만, 아무튼 그들은 야만스런 몸짓 손짓을 하며 불을 둘러싸고 자기들 식대로 춤을 추고 있었다.

이처럼, 그들을 보고 있는 동안 나는 쌍안경을 통해 비참한 꼴을 한 두 사내가 보트에서 끌려오는 것을 보았다. 그들은 배에 붙들려 있었는데 이제 도살당하기 위해 끌려온 모양이었다. 그 중 하나가 그들 식대로 방망이나 나무칼 같은 것에 맞아 곧 쓰러졌다. 다른 두어 명이 즉각 작업을 시작해서 요리를 하려고 그의 몸을 잘랐다. 그 동안 또 하나의 제물은 자기 차례가 올 때까지 그 옆에 서 있었다. 바로 그 순간, 그 불쌍한 야만인은 약간 몸이 자유스러운 것을 깨닫고 본능적으로 살 욕망에 사로잡혀, 그들로부터 믿을 수 없을 만큼 빠른 속력으로 곧장 내 쪽으로, 그러니까 내 집이 위치한 해안 쪽으로 모랫벌을 따라 달려왔다.

내 쪽으로 달려오는 그를 보자, 솔직히 말해 나는 깜짝 놀랐다. 더구나, 모두 그를 쫓아오는 게 보였다.

이제 내 꿈의 일부가 현실이 되고, 내 손에 그가 피신해 올 것을 기대했다. 그러나 그렇다고 해서 꿈처럼 야만인들이 추격을 단념하고 그래서 내가 무사히 그를 만나리라고 믿을 수는 없었다. 그래서 나는 꼼짝 않고 지켜보고 있었다. 다행히 그를 추격하는 사람은 세 사람밖에 되지 않았으므로 희망을 걸었다. 더구나 도망하는 사내의 달음박질이 쫓아오는 사람들보다 훨씬 빨라서, 멀찍이 떨어뜨리는 것을 보고 더욱 용기가 솟았다. 이대로 30분만 달리면 그는 완전히 저들의 손아귀를 벗어날 수 있으리라고 판단되었다.

그들과 내 집 사이에는 작은 강이 있었는데, 이 강에 대해서는 이야기 첫부분에서, 배에서 짐을 나를 때 설명한 바 있다. 그는 이 강을 헤엄쳐 건너야 한다. 그렇지 않으면 거기서 비참하게 붙잡히고 말 것이다. 도망치는 야만인은 강에 이르자 조수는 만조였지만 주저하지 않고 물 속에 뛰어들었다. 서른 번쯤 팔을 저어 헤엄치더니, 이쪽 둑에 올라와 다시 놀랄 만큼 빠르고 원기 왕성하게 뛰었다. 쫓아오던 세 사람도 강에 이르자 두 사람은 헤엄을 칠 수 있었지만 나머지 한 사람은 헤엄을 치지 못하고 저쪽 둑에 서서 다른 두 사람을 보다가 순순히 되돌아갔다. 이리하여 야만인의 도망은 비교적 순조로웠다.

쫓아오는 두 명은 도망가는 사람보다 강을 건너는 시간이 두 배나 걸렸다. 지금이 내 하인이자 동료며 소수가 될 야만인을 손에 넣을 순간이다. 명백히 하나님의 섭리로 이 불쌍한 인생의 목숨을 구해 주어야 한다. 이런 생각 때문에 참을 수 없을 만큼 흥분했다. 나는 후닥닥 사다리를 내려가 앞에서 말한 대로 사다리 밑에 둔 총 두 자루를 가지고 왔다. 역시 서둘러서 언덕 위로 올라온 나는 바다로 달려갔다. 지름길을 통해서 언덕 아래로 내려가 재빨리 쫓기는 자와 쫓는 자 사이로 가서 도망치는 야만인에게 소리를 질렀다. 그는 돌아보더니 처음에는 쫓는 자로 잘못 알았는지 나를 보고 놀랐다. 내가 그에게 이리 오라고 손짓을 했다. 그러면서 나는 앞으로 나아갔다. 그리고 오는 놈에게 곧장 달려들어 총대로 한 대 갈겼다. 원대와 거리가 멀리 떨어져 있으니 총소리도 잘 들리지 않을 것이고, 연기도 보이지 않을 것이고, 따라서 야만인들이 무슨 일이 벌어지는가 알지도 못하겠지만, 여하튼 나는 그들 일행이 총소리를 듣지 못하도록 사격을 피했다. 이렇게 첫째 놈을 쓰러뜨리자 뒤따라 오던 놈이 깜짝 놀란 듯 멈칫 섰다. 나는 그쪽으로 다가갔다. 그러나 가까이 가자 나는 알아챘다. 그는 활과 화살을 가지고 나를 쏘려고 하고 있었다. 그래서 총을 쏘지 않을 수 없었다. 나는 총을 쏘아 한 방에 그를 죽여 버렸다.

도망가던 야만인은 자기를 쫓던 적 두 명이 쓰러져 죽는 것을 보고 그 자리에 멈추어 선 채 내 총소리와 불꽃에 깜짝 놀란 모양이었다. 나가지도 도망치지도 못하고 짐승처럼 멀뚱히 서 있는 꼴이 하늘에라도 둥둥 떠나가는 기분인 모양이었다.

나는 다시 그에게 오라는 시능을 했다. 그는 그 신호를 쉽게 알

아 보고 몇 걸음 오다가 다시 멈추고 또 몇 걸음 오다가 다시 멈추었다. 나는 그제서야 그가 벌벌 떨면서 다른 두 사람이 당한 것처럼 자기도 내 포로가 되어 곧 죽임을 당하리라고 생각하고 있음을 깨달았다. 나는 다시 내 쪽으로 오라고 손짓하면서 생각나는 대로 갖가지 시늉을 다해 그에게 용기를 갖도록 했다.

그는 그제야 내가 자기 생명의 은인임을 알았다는 표시로 열 걸음마다 무릎을 꿇으면서 내게 가까이 다가왔다. 나는 그에게 미소를 지으며 유쾌한 표정으로 내게 더 가까이 오라고 손짓했다. 마침내 바짝 다가온 그는 다시 무릎을 꿇고 땅에 입을 맞추더니 머리를 땅에 조아렸다. 그리고는 내 발을 잡더니 자기 머리 위로 얹었다. 이것은 아마 영원히 내 노예가 되겠다는 맹세의 표시인 모양이었다. 나는 그를 일으켜 할 수 있는껏 용기를 주었다.

그러나 나는 아직 할 일이 많이 남아 있다. 추격자 중에서 첫째 놈은 내가 총대로 쓰러뜨린 것이 아니라 얻어맞고 기절했기 때문에 이제 차츰 정신이 들기 시작하는 모양이었다. 그래서 나는 그를 가리키며, 노예에게 그가 죽지 않았다고 알려 주었다. 노예는 나에게 몇 마디 말을 했는데, 전혀 무슨 말인지 이해할 수 없었지만 그 소리를 들은 것이 무척 흐뭇하게 생각되었다. 내 목소리 말고는 실로 25년 만에 처음으로 들어 보는 사람의 목소리였던 것이다. 그러나 지금 그런 생각을 할 때가 아니었다. 쓰러졌던 야만인이 땅에 앉을 만큼 회복되어 있었고, 내 노예는 다시 무서워하기 시작했다. 그 모습을 보자, 나는 그를 쏠 것처럼 총을 겨누었다. 이것을 보자 내 야만인(지금은 그렇게 부를 수밖에 없다)이 내 옆구리에 칼집도 없이 혁대에 찬 칼을 빌려 달라는 시늉을 했다. 그래서 칼을 받자마자 대뜸 야만인에게 덤벼들어 한칼에 목을 댕강 잘라 버렸다. 독일의 어떤 처형인도 그처럼 빨리, 그리고 멋있게 해낼 수는 없을 것이다. 일생에 나무칼 외에는 손에 한 번 쥐어 본 적이 없으리라고 믿을 수밖에 없던 나에게는 여간 이상하지 않았다. 그러나 후에

들은 얘기지만 그들은 매우 단단한 나무로 아주 날카롭고 묵직하게 칼을 만들기 때문에 그들은 그 나무칼로 머리나 판자까지, 그것도 단 한칼에 자른다는 것이었다. 이렇게 목을 자른 뒤 그는 승리했다는 표정으로 웃으면서 내게 와서는 칼을 다시 돌려 주고 이해할 수 없는 갖가지 몸짓으로 자신이 죽여 버린 야만인의 머리를 바로 내 앞에 내려놓았다.

그러나 그에게 가장 큰 놀라움은 내가 그렇게 멀리 떨어져서 어떻게 다른 야만인을 죽일 수 있느냐는 것이었다. 그는 총에 맞아 죽은 시체를 가리키며 그리로 가 보게 해 달라는 시늉을 했다. 나는 허락했다. 그는 시체 앞으로 가더니 놀란 사람처럼 멍청하게 바라보며 서 있다가 시체를 이리저리 굴려 총알 맞은 상처를 보았다. 맞은 가슴은 구멍이 나 있었고 피는 많이 흘리지 않았지만 내출혈(內出血)이어서 아주 숨이 끊어져 있었다. 그는 죽은 사나이의 활과 화살을 집어 가지고 돌아왔다. 그래서 나는 몸을 돌려 걸음을 옮기면서 더 많은 사람들이 쫓아온다는 시늉을 해보이고 따라오라고 손짓했다.

내 시늉을 알아들은 그는 그들이 쫓아오더라도 들키지 않도록 시체를 모래로 묻겠다고 표시했다. 그래서 나는 승낙하는 시늉을 했다.

그는 일을 시작한 지 얼마 안되어 손만으로 시체 하나를 묻을 만큼 커다란 구덩이를 팠다. 구덩이에 시체 하나를 묻더니 다시 다른 구덩이를 파 나머지 시체를 묻었다. 두 시체를 묻는 시간이 15분밖에 안 걸렸던 것이다.

나는 그를 불러 집이 아니라 보다 육지 깊숙히 위치한 동굴로 데리고 갔다. 그리하여 그가 내 숲으로 도망친다는 꿈의 마지막 부분은 현실에서 그대로 실현되지 않았다.

동굴에 와서 보니 그는 달음박질로 도망치느라 무척 피곤해 있었다. 그래서 빵과 건포도 한 줌, 그리고 물을 먹으라고 주었다. 원기

를 회복하는 그를 보자 나는 잠자리를 가리키며 누워 자라고 지시
했다. 그것은 내가 볏짚을 깔고 그 위에 모포로 덮어 만든 것인데,
나 자신 곧잘 거기에서 자곤 했다. 그러자 그 불쌍한 야만인은 깊
은 잠에 빠져 갔다.

프라이데이란 이름을 붙이다

그는 늘씬하고 잘생긴 사내였다. 사지가 튼튼하며, 체구는 크지 않지만 키는 컸고, 내 추측으로 나이가 26살쯤 되었다. 외모도 사납거나 심술궂지 않고 유럽인처럼 부드럽고 상냥했다. 머리칼은 길고 검은 빛이었으나 양모처럼 곱슬거리는 머리는 아니었다. 이마는 시원하게 넓고 눈에는 활기가 넘치며 반짝반짝 빛났다. 피부 색깔은 새까만 것이 아니라 짙은 갈색으로 브라질이나 버지니아 등 아메리카 토인들처럼 추하게 노랗거나 기분 나쁜 다색과는 달라, 마땅한 비유는 없지만 비슷한 색으로 비교하자면, 일종의 밝은 암갈색 올리브 빛이었다. 얼굴은 둥글고 토실토실하며 코는 보통 판판한 흑인과는 달리 조그마했다. 입도 잘생겼으며 입술은 얇고 가지런한 이가 상아처럼 희었다. 그는 30분 동안 얕은 잠으로 몸을 쉰 후 잠자리에서 일어나 동굴 밖으로 나왔다. 그때 나는 바로 옆 염소 울에서 염소 젖을 짜고 있었다. 그는 나를 찾아내더니 뛰어나와 다시 땅에 엎드려서는 갖가지 우스꽝스런 몸짓으로 겸손하게 감사하다는 뜻을 보여 주었다. 마침내 머리를 땅바닥에 대고 내 발 가까이 오더니 아까 한 것처럼 내 발을 자기 머리 위로 올려놓았다. 그런 후 복종과 봉사와 예속의 표시를 보이면서 자기가 살아 있는 한 나를 섬기겠다고 의사를 나타내었다. 나는 그 뜻을 이해하고 기꺼이 그를 받아들일 것을 알려 주었다. 잠시 후 그에게 말을 걸어 내게 말하는 법을 가르치기 시작했다. 처음 내가 가르친 것은 내가 붙여 준 프라이데이란 이름이었는데, 이는 이 날을 기념하기 위해서였다. 그 다음 그에게 '주인님'이란 말을 배우게 해서 내 이름이라고 가르쳤다. 이처럼 해서 '예스'와 '노'를 가르치고 그 의미를 알게 해주었다. 나는 그에게 토기에 담은 우유를 주고 그 앞에서 우유를 마시는 법과 빵을 우유에 찍어 먹는 법을 가르쳤다. 다시 그에게 빵과자를 주고 같은 방법으로 먹게 했다. 그는 빨리 익혔고 아주 맛있다는 표정을 보였다.

그날 밤 거기서 밤을 지낸 뒤 날이 밝자 그를 데리고 가서 옷을 주겠다는 뜻을 보였다. 그는 아주 벌거벗었기 때문에 무척 좋아하는 것 같았다. 우리가 전날 두 사람을 묻은 곳을 지날 때, 그는 그 무덤을 정확하게 가리켰다. 그는 다시 찾아낼 수 있도록 해 놓은 표지를 가리킨 후, 시체를 다시 파내어 먹자는 시늉을 했다. 나는 굉장히 화를 냈다. 생각만 해도 구역질이 난다는 시늉을 하며 증오의 표정을 지었다. 그리고는 손으로 어서 가자고 했다. 그는 곧 복종했다. 나는 언덕 꼭대기로 그를 데리고 가서 야만족들이 가버렸는가 보았다. 쌍안경을 꺼내 그들이 있던 곳을 보니 야만족이나 그들의 카누가 하나도 보이지 않았다. 그들은 더 찾아보지도 않고, 두 동료를 남겨둔 채 떠나가 버린 것이 분명했다.

그러나 나는 이 정도의 확인으로 만족하지 않고, 좀더 용기를, 아니 더 강한 호기심을 갖게 되었다. 나는 프라이데이에게 칼을 들게 하고 등에는 활과 화살을 메게 했다. 그는 칼과 활을 잘 썼다. 그리고 내 총 한 자루를 들게 하고 나는 두 자루를 들었다. 이렇게 무장한 후 우리는 야만족들이 있던 자리로 가 보았다. 나는 그들에 대해 좀더 자세히 알고 싶었던 것이다. 그곳에 이르자 그 무시무시한 광경에 그만 기가 질리고 피가 얼어붙는 것 같았다. 사실 그것은 무서운 장면이었다. 프라이데이는 아무렇지도 않았지만 적어도 내게는 그랬다. 그곳은 사람의 뼈다귀투성이였고, 땅은 그 피로 물들어 있었다. 여기저기 사람 고기가 어떤 것은 먹다 만 채로, 어떤 것은 갈기갈기 찢어진 채로, 어떤 것은 불에 탄 채로 흩어져 있었다. 요컨대 그들이 적에게 승리를 거둔 후 여기서 하나 가득 벌여 놓은 개선의 축하 잔치가 남긴 흔적이었다. 내가 본 것만 해도 해골이 세 개, 손이 다섯, 다리와 발의 뼈가 서넛에 몸뚱이 부분 부분이 꽤 많았다. 프라이데이는 시늉으로 내게 전후 사정을 말했다. 곧 그들이 잔치에 쓸 포로 네 명을 데리고 왔는데, 그 중 세 명은 먹어 버리고 자신을 가리키며 네번째가 자기라는 것이었다. 그들과 이웃나라 왕 사이에 굉장한 전쟁이 벌어졌는데, 그는 이웃나라 왕 편에 속한 신하였다. 그들은 포로를 많이 잡았는데, 포로를 노획한 사람들은 여기에 끌려온 불쌍한 사람들처럼 포로를 여러 곳으로 데리고 가 잔칫거리로 쓴다는 것이었다.

나는 프라이데이를 시켜 해골과 뼈, 살덩이 등 남아 있는 것을 모두 주워 한 자리에 쌓아 놓고 불을 질러 태워 버렸다. 프라이데이는 여전히 사람 고기를 먹고 싶어하였고, 식인종으로 태어난 습성이 남아 있는 것을 알았다. 그러나 내가 생각만 해도 혐오감이 솟는다는 표정을 보이자, 사람 고기를 먹고 싶다는 욕망을 나타내지 못했다. 어떻게 해서든 사람 고기에 만일 손을 댄다면 당장 죽여 버리겠다는 뜻을 알려 주었던 것이다.

이 일을 마친 후 우리는 집으로 돌아왔다. 집에서 나는 노예 프라이데이를 위해 일을 시작했다. 우선 린네르 바지 한 벌을 맞춰 주었다. 이것은 전에 말한 것처럼 파선한 배의 포수 옷장에서 꺼낸 것인데, 조금 고쳤더니 그에게 아주 꼭 맞았다. 그런 다음 염소 가죽으로 기술껏 조끼를 만들어 주었다. 이제 나는 상당히 기술 있는 양복공이 되어 있었다. 토끼 가죽으로 만든 모자도 주었는데 아주 편리하고 멋있었다. 그는 이제 이처럼 웬만큼 잘 차려 입자 자기도 주인처럼 옷을 입는 게 기분이 좋은 모양이었다. 사실 처음에는 이런 옷들을 오히려 거북히 여겼다. 바지를 입는 것이 그에게는 아주 불편했고, 윗도리의 소매가 어깨와 팔 안쪽을 쓰라리게 했다. 그러나 그가 불편하다고 불평한 부분을 고쳐 더 편하게 만들고, 또 자기 몸이 옷에 익숙해지자 마침내 그도 옷을 아주 좋아했다.

그를 데리고 집으로 온 이튿날부터 나는 생각하기 시작했다. 그를 잘 대우해 주기도 해야겠지만, 나 자신도 자유스러워야 하기 때문에, 나는 첫째 담 밖, 둘째 담 안의 공지에 작은 텐트를 쳐 주었다. 그리고 거기서 내 굴로 들어오는 입구가 있기 때문에 나는 문짝을 만들고 판자를 붙여 입구 좀 안쪽에 문을 세웠다. 이 문은 안쪽에서만 열리도록 하여 밤에 문을 잠그고 사다리를 걷어 치우면 프라이데이가 큰 소리를 쳐서 나를 깨우기 전에는 절대로 내가 있는 방 안으로 들어올 수 없게 했다. 처음에 쌓은 벽 위로는 긴 나무로 완전히 지붕을 만들었고 텐트와 경사진 언덕 사이를 비스듬히 덮어 버렸다. 언덕 쪽으로는 다시 창살 대신 작은 나무를 가로지르고 갈대처럼 튼튼한 볏짚으로 두껍게 쌓았다. 사다리로 들락거리게 된 곳엔 치켜올려 여는 문을 해 달았다. 그리하여 밖에서 이 문을 열려고 해봤자 열리지도 않을 뿐더러, 비명을 지르며 밑으로 떨어지기 십상이었다. 밤이 되면 무기는 모두 내 방 안으로 들여다 놓았다.

그러나 내가 이처럼 조심할 필요는 없었다. 프라이데이처럼 믿음직하고 사랑스러우며 충실한 사내는 달리 있을 수 없었던 것이다. 화를 내지도 않고 퉁명스럽지도 않으며, 딴 생각도 없이 절대 복종했다. 내게 대한 그의 애정은 마치 아버지에 대한 자식의 그것과 같았다. 감히 말하건대 어떤 경우에나 내 목숨을 구하기 위해 자기 목숨까지 희생할 정도였다. 이러한 점에 대해서 그는 여러 차례 실증해 보였으며, 그리하여 그 때문에 내 안전을 위한 대책을 세울 필요가 없다는 확신이 섰다.

그리하여 나는 기회가 있을 때마다 여러 차례 깊은 감동을 가지고 다음과 같이 생각했다. 곧 이 세계에 속한 수많은 사람들은 그 영혼의 재능과 힘을 가지면서 그것을 살려서 쓸 길을 빼앗기게 된 것은, 주재하시는 하나님의 뜻일지도 모른다. 한편 하나님은 동시에 우리 사람에게 똑같은 능력과 똑같은 이성을, 똑같은 애정과 똑같은 친절 및 의무감을, 똑같은 열정과 불의에 대한 분노를, 똑같은 감사, 충성, 신뢰감을, 그리고 하나님이 우리에게 주신 선을 행하고 또 선을 받아들이는 능력을 똑같이 주셨다. 그리하여 이러한 미덕을 발휘해 주기를 하나님이 바라실 때에는 그들도 자신들을 바칠 준비가 되어 있는 것이다. 그런 준비는 오히려 우리들보다 더 철저하다. 때때로 이런 생각이 일어나자 기분이 우울해졌다. 즉 우리는 성령의 빛이 가리키는 지시를 받고 우리의 이해력 외에도 하나님의 말씀에 대한 지식을 가지고 있는데 우리는 그 힘을 비열한 목적에 쓰고 있지 않은가 통절히 느끼게 된 것이다. 그리고 이 값은 내 노예로 판단해 보면 오히려 우리보다 유용하게 쓰고 있는 것이 아닌가 하고 생각된다. 수백만의 사람들에게 왜 하나님은 이런 지식을 감추는 것일까?

이렇게 생각하니 더 나아가 어떤 사람에게는 성령의 빛을 감추고 또 다른 사람에게는 나타내면서 양쪽에 똑같은 의무를 지우는 것은 사리에 어긋난 부당한 처사가 아닌가, 이렇게 비판하며 하나님의 권한까지 침범하더라도 따져보고 싶은 느낌이 들었다. 그러나 이런 생각을 억제하고 다음과 같은 결론을 내렸다. 첫째, 이들이 어떤 빛과 율법으로 벌을 받는지 우리는 알 수 없다. 하나님은 필연적으로 본성이 한없이 성스럽고 의로우시다. 이 야만족들이 벌을 받아 하나님을 모른다고 하면 그것은 성서의 말씀처럼 우리에게 밝혀지지 않았지만, 그 근거는 그들의 양심에 따라 법이 되는 규율을 어긴 때문이라고 할 수밖에 없을 것이다. 그리고 둘째로 우리는 모두 도공의 손 안에 든 진흙 아닌가, 만들어진 그릇이 도공에게 "어찌 나를 이같이 만들었느냐"고 말할 수 없다는 점이다.

어쨌든 내 새로운 동료에게 화제를 돌리자. 나는 그가 무척 마음에 들었다. 쓸모가 있고 도움이 되도록 하려고 무엇이든 그에게 가르쳤다. 특히 말하는 법과 말을 알아듣게 하는 데 주력했다. 그는 내가 아는 한 가장 똑똑한 제자였다. 특히 무척 명랑하고 부지런했다. 내 말을 알아들을 때나 자기가 한 말을 내가 알아들었을 때에는 무던히 좋아했다. 그래서 나는 그와 대화하는 것이 몹시 즐거웠다. 따라서 내 생활도 편안해지기 시작했다. 나는 더 이상 야만인으로부터 위협을 받지만 않는다면, 지금 살고 있는 곳을 떠나지 않아도 괜찮다는 생각이 들기 시작했다.

집으로 돌아온 지 2, 3일 후 나는 프라이데이가 사람 고기를 먹는 무서운 풍습을 버리고 그 맛을 잊어버리도록 하기 위해서 다른 고기맛을 보여줘야겠다고 생각했다. 그래서 어느 날 아침 나는 그를 숲으로 데리고 갔다. 사실은 염소 울에 가서 새끼 한 마리를 잡아 가지고 돌아와서 요리를 해 먹일 작정이었다. 그러나 숲으로 가는 도중에 암염소 한 마리가 그늘에 엎드려 있고, 그 옆에 새끼 두 마리가 앉아 있는 것을 보았다. 나는 프라이데이의 팔을 꽉 잡았다.

"쉿, 조용해!"
하고 그에게 움직이지 말라고 손짓했다. 곧 총을 들어 새끼 한 마리를 쏘아 잡았다. 프라이데이는 멀리서 내가 자기의 적인 야만인을 죽이는 것을 보았지만 어떻게 해서 그렇게 된 건지 알 수도 없고, 상상할 수도 없었기 때문에, 이번에 다시 이 광경을 보자 너무 놀라고 두려워 몸을 떨며 땅에 털썩 주저앉을 것처럼 공포에 젖어 있었다. 그는 내가 죽인 염소 새끼도 보지 못했고, 염소를 죽인 것도 알지 못했다. 오직 자기가 다치지 않았는가 보려고 윗도리를 벗으면서 내가 자기를 죽이기로 한 줄로만 생각한 것 같았다. 그의 이런 생각을 곧 알 수가 있었는데 그는 내게 가까이 오더니 무릎을 꿇고 내 무릎을 얼싸안으며 알 수 없는 소리를 뭐라고 열심히 지껄였다. 그러나 그 말의 의미가 자기를 살려 달라고 비는 것인 줄을 곧 깨달을 수 있었다.

　나는 그를 해칠 생각이 아님을 확인시켜 줄 방법을 곧 찾아냈다. 손으로 그를 일으켜 세워 웃어 주고는 내가 죽인 염소 새끼를 가리키며 뛰어가서 가져오라고 손짓했다. 그는 시키는 대로 했다. 그가 놀라서 어떻게 이 짐승이 죽었는가 보고 있는 동안, 나는 다시 총을 장전했다. 그러다가 매처럼 생긴 커다란 새가 사격권에 든 나무 위에 앉아 있는 것을 보았다. 그래서 내가 하려는 일을 프라이데이가 알도록 하려고, 그를 불러 새를 가리켰다. 이 새는 매로 생각되긴 했지만 사실은 앵무새였다. 나는 앵무새와 내 총을 가리키고, 다시 그 새가 어떻게 떨어지는가를 미리 알도록 앵무새 밑을 가리키면서, 이리하여 그 새를 쏘아 죽이겠다는 것을 이해시켰다. 이런 다음 나는 총을 쏘았다. 그는 곧 앵무새가 떨어지는 것을 보았다. 모든 것을 알려 주었지만 그는 다시 깜짝 놀란 것처럼 서 있었다. 내가 총에 무엇을 넣는가를 보지 못했기 때문에 그가 더욱 놀랐다는 것을 알았다. 다만 이 물건 안에는 사람이든 짐승이든 새든, 그리고 멀리 있든 가까이 있든 모두 죽여 버릴 수 있는 죽음과 파괴의 괴상한 힘이 숨어 있다고 생각하는 모양이었다.

　그의 마음속에 일어난 이 경악감은 오랫동안 지워 버릴 수 없을 만큼 컸다. 아마 하는 대로 내버려 두었다면 그는 하나님에게 하듯 나와 내 총에 절을 했을 것이다. 그 후 며칠 동안 이 총에 감히 손도 대려고 하지 않았고 내가 없는 동안에는 총에게 말을 걸면서 마치 자기에게 무슨 대답이라도 주는 것처럼 이야기를 하곤 했다. 후에 들어 보니 총에게 자기를 죽이지 말아 달라고 빌었다는 것이었다.

　아무튼 그의 놀라움이 약간 가라앉기를 기다려 뛰어가서 총에 맞은 새를 가져오라고 지시했다. 그는 시키는 대로 했지만 거기 가서 잠시 망설였다. 새는 즉사하지 않았기 때문에 퍼득거리고 있었다.

처음 떨어진 자리로부터 좀 멀리 달아났던 것이다. 그러나 그는 새를 찾아내어 가지고 왔다. 그가 총에 대해서 전혀 무식한 줄 알고는 그가 돌아올 때까지 총을 다시 장전해서 무어든 표적만 있으면 쏠 준비를 해 놓았다. 그러나 그때는 아무것도 나타나지 않았다. 그래서 염소 새끼를 가지고 집에 돌아와 그날 저녁 가죽을 벗기고 정성스레 고기를 잘랐다. 이 고기를 약간 떼어 알맞은 그릇에 넣고 끓여 아주 맛있는 고깃국을 만들었다. 나는 맛을 보고 나서 프라이데이에게도 주었다. 그는 이 고깃국을 아주 좋아하고 맛있게 먹었다.

그러나 그가 가장 이상스레 생각한 것은, 내가 이 고깃국에 소금을 쳐서 먹는 점이었다. 그는 소금이 맛없다는 시늉을 하더니 입안에 소금을 좀 넣었다가 구역질이 나는지 침을 퉤퉤 뱉으면서 물로 양치질을 하는 것이었다. 그러나 내가 소금을 치지 않고 고기를 먹어 보니, 그가 방금 소금을 먹고 그랬듯, 소금 없이는 구역질이 날 것 같았다. 소금 없이는 먹을 수 없었다. 그러나 그는 고기나 국에 소금을 치지 않았다. 나중에는 약간 소금을 치기는 했지만, 처음 얼마 동안은 소금을 조금도 먹지 않았다.

그에게 이처럼 고깃국을 먹인 다음, 나는 이튿날에는 불고기를 먹이기로 했다. 이 요리는 불 양쪽에 꼬챙이 두 개를 세우고 그 위에 또 하나의 꼬챙이를 가로질러 십자형으로 끈을 매달고는 그 끈에 달린 고기를 계속 돌려서 굽는 것이었다.

프라이데이는 이 요리를 무척 신기하게 여겼다. 그리고 고기 맛을 보더니 여러 가지 시늉으로 이 고기가 아주 맛있다고 말했다. 나도 그 뜻을 알아차릴 수 있었다. 마침내 그는 앞으로 사람 고기를 절대로 먹지 않겠다고 말했다. 나는 이 말을 듣고 무척 기뻤다.

다음날 나는 탈곡하는 일과 전에도 말한 것처럼 늘 하는 방법대로 체로 치는 일을 시켰다. 그는 곧 탈곡하는 일을 익혔다. 그가 이 일은 빵을 만들기 위한 것인 줄 알게 되었을 때쯤 해서는 나만큼 익숙하게 일을 할 수 있었다. 그 후 빵을 만들고 또 굽는 것을 가르쳐 주자, 그도 곧 이 모든 일을 할 줄 알게 되었고, 내가 손수 하는 만큼 잘 했다.

이제 식구는 나 하나가 아니라 둘로 늘었기 때문에, 땅도 더 많이 갈아야 하고 전보다 곡식도 더 많이 심어야 한다고 생각하게 되었다. 그래서 나는 땅을 더 넓게 잡아 전에 하던 식대로 울타리를 치기 시작했다. 프라이데이는 이 작업에 자진해서 아주 열심히 일할 뿐 아니라 무척 신나게 여겼다.

나는 그에게 나와 함께 살게 되었으니 빵을 만들 곡식이 더 필요하고 이렇게 일을 해야 둘이서 충분히 먹을 수 있다는 것을 설명해 주었다. 그는 이 말을 눈치 빠르게 이해했다.

그래서 자기 때문에 내 일거리가 더 늘었다고 생각하자, 자기에게 무엇이든 일러만 준다면 나를 위해 더욱 열심히 일하겠다고 나를 이해시켰다.

카누 한 척을 더 만들다

이 해는 이 섬에서 생활한 기간 중 가장 즐거운 시절이었다. 프라이데이는 말도 곧잘 하게 되고, 내가 가리키는 물건들의 이름을 거의 다 알았고, 심부름 보내는 장소도 다 알았으며, 말도 많이 하게 되었다. 그리하여, 그 동안 거의 쓸 일이 없었던 나의 혓바닥, 그러니까 언어라는 것을 다시 사용하기 시작했다. 그와 대화를 나눌 수 있게 된 것뿐만 아니라, 나는 그를 흡족히 여겼다. 단순하면서도 거짓 없는 그의 성실성이 날이 갈수록 내게 더욱 돋보여서, 진심으로 이 야만인을 사랑하게 되었다. 그도 마찬가지여서 이제껏 그가 사랑한 그 무엇보다도 아마 나를 더 사랑한다고 믿을 정도였다.

한번은 그가 자기 고향에 대해 향수를 느끼고 있는지 알아보고 싶은 생각이 들었다. 그에게 영어를 많이 가르쳤기 때문에 그는 내 질문에 거의 영어로 대답할 수 있었다. 나는 너희 나라가 한번도 전쟁에 이겨 본 적이 없느냐고 물었다. 이 질문을 받고 그는 미소를 지으며 대답했다.

"예, 예, 우리는 언제나 잘 싸웁니다."

이 말은 전쟁을 하면 자기들이 언제나 이긴다는 뜻이다. 그래서 우리는 다음과 같은 대화를 나누었다.

"너희가 언제나 더 잘 싸운다고 하지만 그때는 어떻게 되어서 포로가 되었지?”

“우리 나라가 굉장히 쳐부수었습니다.”

“어떻게 쳐부쉈어? 네 나라가 적을 쳐부수었다면 너는 어떻게 해서 붙잡혔니?”

“내가 있던 곳에는 그들이 우리보다 더 많습니다. 그들은 하나, 둘, 셋, 그리고 잡습니다. 내가 있지 않은 다른 곳에서는 우리 나라가 그들을 쳐부숩니다. 거기서는 우리 나라가 하나, 둘, 수천 명을 잡습니다.”

“그럼, 네 편 사람들은 적으로부터 왜 널 구해내지 않았니?”

“그들은 하나, 둘, 셋, 그리고 나를 끌고 카누로 갑니다. 우리 나라는 그때 카누가 없었습니다.”

“그럼 프라이데이, 너희 나라에서는 자기들이 잡은 적들을 어떻게 하지? 끌고 와서 이 사람들처럼 잡아 먹나?”

“네, 우리 나라도 사람 먹습니다. 온통 다 먹습니다.”

“어디로 끌고 가지?”

“자기들이 생각하는 곳, 다른 데로 갑니다.”

“여기에도 오나?”

“예, 예, 여기 옵니다. 다른 데도 갑니다.”

“여기에 와 본 적이 있나?”

“예, 여기 있습니다.”(섬의 서북쪽을 가리켰다. 그들이 오는 곳이 그쪽이라 생각되었다.)

이것으로 내 하인 프라이데이가 전에 섬 저쪽 해변에 상륙한 야만인들과 함께 소위 사람 고기를 먹었다는 것을 알았다. 이 식인 잔치에 이번에는 자기가 끌려왔던 것이다. 얼마 후 나는 용기를 내어 그를 데리고 전에도 말한 바로 그쪽 해변으로 갔다. 그는 바로 그 장소를 알아보고 전에 여기서 남자 20명, 여자 11명, 아기 한 명을 먹어치웠다고 말했다. 그는 영어로 20을 무어라고 말하는지 몰랐기 때문에 돌을 한 줄로 죽 늘어놓고 그 돌멩이 수를 내게 가리키며 설명했다.

　내가 이 대화를 소개한 것은 다음 이야기를 하기 위해서다. 그와 위의 대화를 나눈 뒤, 이 섬으로부터 저쪽 해변까지 거리가 얼마나 되며 카누가 해류에 휘말려 조난당하지 않는가를 물어 보았다. 그는 아무런 위험도 없고 카누가 조난당한 적도 없다면서, 바다 가운데로 나가면 조류와 바람 방향이 있는데 아침과 저녁으로, 반대 방향으로 일정하게 흐르고 있다는 것이다.

　이것은 조석의 간만 때문에 생기는 방향이 아닌가 생각되었다. 그러나 후에 알고 보니 물결이 거센 오리노코 강의 물살이 일으키는 밀물과 썰물 때문이었다. 그리고 역시 훗날에야 알았지만, 우리가 있는 섬은 이 강의 어귀랄까, 이 강의 흘러 나오는 만(灣) 안에 있는 것이었다. 섬에서 서쪽과 서북쪽으로 보이는 땅이 오리노코 강 어귀의 북쪽에 있는 트리니다드 섬이었다. 나는 프라이데이에게 그 지방과 주민, 바다와 해안, 그리고 그 근방의 나라에 대해서 수없이 물어 보았다. 그는 솔직하게 알고 있는 것을 모두 말했다. 그가 속한 여러 종족의 이름도 물어 보았지만, 카리브 족이란 것 외에는 별다른 것을 알 수 없었다. 이로 미루어 보아 이들은 카리브 족인데 우리 지도에는 오리노코 강 어귀로부터 기아나를 거쳐 산타마르타 쪽으로 퍼진 아메리카 대륙의 일부 지방에 살고 있는 것으로 되어 있었다. 그는 달이 지는 저편 멀리 나처럼 수염이 흰 사람들이 살고 있다고 말하면서, 전에도 말한 내 커다란 구레나룻을 가리켰다. 그의 말로 판단컨대 달이 지는 쪽, 그러니까 그들 나라의 서쪽인 모양인데 수염이 흰 사람들이 스페인 사람이었다. 이들이 아메리카 대륙에서 자행한 잔인성은 모든 나라에 널리 알려졌고 대대로 자손에게 전해졌다.

　나는 이 섬을 빠져나가 그 백인들 쪽으로 어떻게 갈 수 없겠느냐고 물었다. 그는 대답했다.

　"예, 예, 카누 두 척으로 갈 수 있습니다."

나는 이 말이 무슨 뜻인지, '카누 두 척'이 무얼 말하는지 알 수 없었다. 한참 머리를 써 겨우 알았는데, 그것은 카누 두 척만큼 커다란 배를 의미하고 있었다. 프라이데이와의 이 대화는 내게 무척 흥미를 일으켰다. 이때부터 나는 어느 때든 간에 이 섬으로부터 탈출할 기회를 얻고, 내 불쌍한 야만인은 그 일을 도와 줄 조수가 되리라는 희망을 갖게 되었다.

프라이데이가 나와 함께 살면서 내게 말을 하고 또 말을 알아들을 수 있게 될 때까지, 오랫동안 나는 그의 마음속에 종교에 관한 지식을 심어 주는 데 게을리하지 않았다. 한번은 그에게 누가 그를 만들었는가 하고 물었다. 이 불쌍한 인간은 질문이 무엇을 뜻하는지 전혀 알지 못하고 자기 아버지가 누구냐고 묻는 것으로 이해했다. 나는 이 질문의 방향을 돌려, 저 바다와 우리가 걷는 땅 그리고 산과 숲을 누가 만들었느냐고 물어 보았는데, 그는 세상 만물의 위에 살고 있는 늙은 베나막키라고 대답했다. 그는 이 베나막키가 바다와 육지, 달이나 별보다 나이가 훨씬 더 들었다는 것 외에는 달리 설명하지 못했다. 그렇다면 이 늙은이가 세상 만물을 만들었는데도 왜 만물은 그에게 경배하지 않느냐고 물었더니, 그는 무척 엄숙해지면서 지극히 순진한 표정으로 "만물이 그에게 '아!'하고 말합니다."라고 대답했다. 나는 그 나라에서는 죽은 사람들이 어디로 가느냐고 물었다. 그는 모두 베나막키가 있는 곳으로 간다고 했다. 그럼 자기들이 잡아 먹은 사람들도 그리 가느냐고 물으니 그렇다고 했다.

여기서부터 나는 하나님에 대한 지식을 가르치기 시작했다. 만물의 창조자는 저기에 살고 계신다고 하늘을 가리켰고 하나님은 자기가 세상을 만들 때 갖고 있던 것과 똑같은 권능과 은총으로 세상을 다스린다고 하고, 하나님은 전능할 뿐 아니라 우리를 위해서 무엇이든 주시며 또 빼앗아 갈 수 있다고 설명했다. 그러자 그는 차차 눈을 뜨기 시작했다. 열심히 귀를 기울이며 예수 그리스도가 우리를 구하기 위해 세상에 내려왔다는 설명과, 우리가 하나님에게 기도하는 방법을 듣더니 하나님이 우리 기도를 들을 수 있다면 자기들의 신인 베나막키보다 더 위대한 하나님임에 틀림없다고 내게 말했다. 자기들의 베나막키 신은 조금 멀리 떨어져 살고 있어서, 자기들이 그가 살고 있는 높은 산에 올라가서 말을 해야 겨우 알아듣는다는 것이었다. 나는 베나막키에게 기도하러 그 산에 가 본 적이 있느냐고 물었더니, 그는 없다고 대답했다. 젊은 사람들은 절대로 그곳에 갈 수 없고 노인들만 갈 수 있는데, 그 노인들은 우워카키라고 불렀다. 내게 들려 준 설명으로는 우워카키란 노인은 그들의 성직자로서 '아'(그는 기도를 이렇게 불렀다)를 하러 갔다가 돌아와서 베나막키가 한 말의 내용을 전한다고 했다. 이런 점으로 보아 세상에서 가장 무지몽매한 이교도 중에도 사제제도(司祭制度)가 있음을 알 수 있었다. 성직자에 대한 서민들의 존경심을 유지하기 위해 비교적(秘敎的) 종교를 만드는 정책은 로마 카톨릭에서 뿐 아니라, 세계의 모든 종교에도, 가장 잔악한 야만적인 풍속에도 발견할 수 있다.

나는 프라이데이에게 그것은 허위임을 알려 주려고 애를 썼다. 늙은이가 베나막키 신에게 '아'를 하려고 산에 올라간다는 것은 거짓말이며, 산에서 베나막키가 한 말이라고 전하는 것은 엉터리라고 설명해 주었다. 만일 그들이 산에서 무슨 응답을 받았다거나 누구와 이야기했다면, 그것은 악마임에 틀림없다고 일러 주었다. 그런 후 오랫동안의 대화를 통하여 악마에 대해서, 악마의 근원과 하나님에 대한 그의 반역을, 사람에 대한 증오와 그 이유를, 그리고 암흑의 세계에 숨어 하나님 대신 하나님처럼 경배받고자 한다는 것을 설명해 주었다. 또한 악마가 사람을 죽여 파멸로 몰고 가기 위해 쓰는 갖가지 술책과, 어떻게 우리의 정욕과 감정에 교묘히 파고들어와 우리 자신에 대한 유혹자가 되며, 우리 자신의 선택으로 파멸에 뛰어들도록 악마가 그 근성을 발휘하는가를 이야기해 주었다.

악마에 대한 바른 인식을 심어 준다는 일은 쉽지 않았다. 이를테면 제1원으로서 모든 것을 지배하는 힘으로서, 신비스런 방법으로 이끌고 섭리하시는 하나님의 존재에 대한 필연성이나, 우리들이 창조주이신 하나님에게 경의를 표하는 것은 공정하며 의롭다는 것을 그에게 증명할 때는 자연계의 현상을 들어 설명해 주었다. 그러나 악마의 근원, 그의 존재와 성격, 특히 악을 행하고 또 우리를 그렇게 하도록 이끄는 악마의 기질을 설명하는 데는 예를 들어 줄 마땅한 자연현상이 없었다. 그래서 무지몽매한 하인이 당연스레, 그리고 순진한 태도로 묻는 질문에 대해서 어떻게 대답할 수 없었다. 나는 하나님의 권능과 그 전능함을, 죄에 대한 증오감과 죄지은 자에게 불을 내리는 벌을, 그리고 우리 모두를 만들듯, 일순간에 우리 인간과 전세계를 파멸시킬 수 있는 능력을 상당히 자세하게 말했다. 내가 말하는 동안 그는 무척 진지하게 귀를 기울였다.

이런 후 나는 악마가 우리의 마음속에 사는 하나님의 적이며, 하나님이 의로운 섭리를 파괴하고 세상에 그리스도의 왕국을 무너뜨리기 위해 온갖 간계를 다 쓴다고 설명했다. 그러자 프라이데이가 물었다.

"주인님은 하나님이 강하고 위대하다고 말씀하십니다. 그런데 하나님은 악마만큼 강하고 더 큰 힘을 가지지 못했나요?"

"아니, 그렇지 않아, 프라이데이, 하나님은 악마보다 강하고 악마 위에 계시다. 그래서 우리는 하나님께 악마를 발 밑에 짓밟고, 그의 유혹을 물리치고, 그의 불과 타는 화살을 끌 수 있게 해 달라고 기도하는 거야."

프라이데이는 다시 물었다.

"그럼, 하나님이 악마보다 더 강하고 힘이 세다면 왜 하나님은 악마가 더 악을 행하지 못하도록 죽이지 않나요?"

나는 이 질문에 한대 맞은 것처럼 얼떨떨했다. 아무튼 그때 나는 나이가 꽤 들기는 했지만 선생으로는 아직 미숙했고, 결의론자(決

疑論者), 난문제의 해결자로서의 자격이 없었다. 그래서 처음에는 무어라고 답해야 좋을지 몰랐다. 나는 그의 질문을 못 들은 체하고 그에게 무얼 물었느냐고 되물었다. 그러나 그는 이 문제가 무척 궁금했기 때문에 자기 질문을 잊어버릴 리가 없었다. 그는 말을 더듬거려 먼저 한 질문을 다시 반복했다. 이때쯤엔 나도 좀 여유가 생겼다. 그래서 대답했다.

"하나님은 악마에게 마지막 때 심한 벌을 내릴 거야. 악마를 심판 때까지 살려 두었다가 끝없는 구렁에 빠뜨려 영원히 꺼지지 않는 불 속에 던질 거다."

프라이데이는 이 대답에 만족하지 않고 다시 물었다.

"마지막까지 살려 둔다는 말을 이해 못하겠어요. 왜 악마를 지금 당장, 아니 오래 전에 죽이지 않았습니까?"

"그 질문은 우리가 악을 행하여 하나님을 노엽게 하였는데 왜 하나님은 너나 나를 죽이지 않느냐는 질문과 같지. 우리가 회개하고 용서받을 때까지 우리를 살려 주는 거야."

이 대답에 그는 잠시 만족했다.

"저어, 그럼 주인님이나 저나, 악마나 모든 악인들이 모두 살아서 회개하면 하나님은 모두를 용서해 주신다는 말이구면요?"

그는 감동해서 말했다. 여기서 나는 프라이데이 때문에 다시 한번 놀랐다. 이것은 자연의 단순한 본질을 따라서 이성을 가진 동물이라면, 우선 인간 본성을 따라서 누구나 하나님의 존재에 대한 지식과 더없이 높은 존재에 마땅히 경배를 드려야 한다는 생각을 품게 된다. 하지만 예수 그리스도와 우리 인간들에게 주시는 구원, 새로운 거룩한 약속의 중보자(仲保者)에 대한 지식은 오직 하나님의 계시만으로 얻을 수 있다는 사실을 증명하는 것이다.

다시 말하면 영혼은 하늘로부터 내려온 계시를 받아야만 이것을 깨달을 수 있는 지혜를 얻는다. 따라서 우리의 주님이며 구원이 되시는 예수 그리스도의 복음, 다시 말하면 믿는 자를 인도하며 거룩하게 하여 줄 것을 약속하신 하나님의 말씀과 성령은 하나님에 대한 거룩한 지식과 구원의 방법을 우리의 영혼에게 가르치는 데 절대로 있어야 한다는 것이다.

이리하여 나는 우리 두 사람 사이의 대화를 중단하고 갑자기 나갈 일이 생겼다는 듯 벌떡 일어나서, 프라이데이에게 멀리 나가서 무얼 좀 가져 오라고 내보냈다. 그런 후 하나님께 나로 하여금 이 불쌍한 야만인을 가르쳐서 그 무지몽매한 인간의 마음이 그리스도 안에 있는 하나님에 관한 지혜의 빛을 받아들이고, 그와 하나님과를 화해시키도록 성령이 도와 주시며, 나를 인도하여 그의 양심의 눈을 뜨게 하며 영혼을 구할 수 있도록 그에게 하나님 말씀을 전해 주십사고 열심히 기도를 드렸다.

그가 나에게 다시 오자 나는 구세주로 말미암아 인류가 구원을 받으며 하나님께 회개하고 주 예수를 믿음으로써 하늘로부터 복음이 내려온다는 이론을 주제로 긴 대화를 나누었다. 그리고 우리 거룩한 구세주는 왜 천사의 모습이 아닌, 아브라함의 자손으로 몸을 나타냈으며, 타락한 천사는 죄의 용서에 참여할 수 없는가를 말하고 예수 그리스도는 오직 이스라엘 백성의 잃어버린 양떼를 구하기 위해서만 오신 것을, 할 수 있는껏 열심히 설명했다.

이 불쌍한 야만인을 깨우치기 위해 내가 사용한 방법은 지식도 지식이려니와 그 정성이 얼마나 컸는가는 하나님만이 아실 것이다. 나와 같은 방침으로 이런 일을 하는 사람들은 누구든지 경험하리라 생각되지만, 프라이데이에게 일을 설명하다 보면 전에는 내가 알지도 못하고 충분히 생각하지도 못했던 여러 가지 점을 나 스스로 배우고 깨닫는다는 것을 인정하지 않을 수 없었다. 이것은 야만인을 가르치는 동안 나 자신이 그런 문제를 자연히 탐구하게 됨으로써 가능한 것이다. 그리고 이번에는 사물을 탐구하는데 전에 느끼던 것보다 더 큰 감동을 느꼈다. 그래서 이 불쌍한 야만인이 나에게 가르침을 받는 것이 얼마나 큰 효과가 있었는지 알 수 없었지만,

나로서는 그가 내게 온 것이 여간 고맙지가 않았다.

내 슬픈 감정도 훨씬 가벼워졌고, 내 생활도 몹시 즐거운 것이 되었다. 이 섬에 갇힌 외로운 생활 속에서도 나는 하늘을 우러러보며 나를 이곳에 인도해 주신 하나님의 손에 나아가고 싶어 내 마음은 감동되었다. 그런데 이제는 하나님의 연장이 되어 불쌍한 야만인의 생명과 영혼을 구하고, 그에게 신앙과 기독교 교리에 대한 지식을 가르침으로써 예수 그리스도와 영원한 삶을 알게 해주었다. 이런 일을 모두 돌이켜 보니, 내 영혼 구석구석에 은밀한 기쁨이 넘쳐 흘렀다. 내가 이 섬으로 오게 된 것을 전에는 내게 일어날 수 있는 가장 심한 환난으로 생각했었지만, 이제는 자주 느끼는 즐거움이었다.

그 후 이 섬에서 생활하는 동안을 나는 감사하는 마음으로 보냈다. 프라이데이와 나 사이에 몇 시간이고 계속된 대화 때문에 우리 둘이 같이 산 3년 동안은 완전한 행복 속에 지낼 수 있었다. 완전한 행복이 이 지상에서 가능하다면, 우리가 그 경지에 이른 것이다.

야만인이던 프라이데이는 이제 나보다 더 훌륭한 기독교 신자가 되었다. 우리 둘이 똑같이 하나님에게 회개하고 위로를 받으며 구원받는 자가 되기를 바랐다. 또 그 때문에 하나님에게 감사를 드렸다. 우리는 이 섬에서 하나님의 말씀을 읽었고 성령의 가르침을 받았는데, 영국에 있었더라면 이런 행운을 얻을 수 있었겠는가? 나는 언제나 성경을 읽으면서 그 읽은 부분의 뜻을 가능한 한 그에게 이해시키려고 힘썼다. 한편 나는 아까도 말한 것처럼 진지한 질문을 받음으로써 혼자서 성경을 읽을 때보다 훨씬 더 많은 것을 깨닫게 되었다. 가히 경전학자가 될 정도였다.

섬에서 보낸 내 나머지 생활 중에서 체험한 것을 한 가지 더 여기서 설명하지 않을 수 없다. 그것은 하나님과 예수 그리스도로부터 온 구원의 교리에 대한 가르침이, 하나님의 말씀으로서 지극히 쉽게 아무런 고생 없이 이해할 수 있게 씌어 있다는 것이 얼마나 커다란 축복인가 하는 점이다. 하나님의 말씀은 우리가 읽어서 이해하기에 무척 쉽게 되어 있다.

성경을 그냥 읽기만 해도 내 죄를 진심으로 뉘우쳐야 하고 생명과 구원을 위해 구세주를 굳게 의지하고 가르침에 따라 행동을 고치고, 하나님의 모든 계명에 복종해야 한다는 의무감을 깨닫게 된다. 이 모든 것이 교사나 선생과 같은 이의 도움 없이도 되었다. 성경의 가르침이 이처럼 쉽기 때문에, 이 야만인까지 깨우쳐서 내 생애를 통하여 그만한 이를 볼 수 없을 만큼 독실한 기독교 신자를 만든 것이었다. 이 세상에서 벌어지고 있는 종교에 관한 갖가지 토론과 논쟁에 대해서 말하자면, 그것이 교리상의 미묘한 문제든, 교회 행정의 기구에 관한 것이든, 우리에게는 전혀 쓸모 없는 것들이다.

우리에게 하나님의 말씀이란, 하늘나라에 이르는 확실한 안내자다. 하나님의 말씀을 통해 우리를 가르치고 깨우치며 진리의 세계로 인도하고, 그의 말씀을 기쁘게 순종하는 성령이 있다고 우리는 믿는 것이다. 세상에 분쟁을 일으키는 종교적인 논쟁이 아무리 위대한 지식을 필요로 한다 하더라도 거기서 얻는 것이란 전혀 없으며, 있다 하더라도 지극히 쓸모 없는 것들이다. 이제 화제를 돌려 내 생활사를 이야기해야겠다.

프라이데이와 나는 그 사이에 더욱 친밀해지고, 그가 내 말을 모두 알아듣고, 엉터리 영어로 유창하게 말할 수 있게 되자, 나는 나 자신의 이야기를, 이곳에 오게 된 내력에서부터 어떻게, 그리고 얼마나 오래 살았는가에 대해 말해 주었다. 그가 신비스럽게 여기던 화약과 탄환에 대한 궁금증도 풀어 주고, 총 쏘는 법도 가르쳤다. 그에게 칼을 주었더니 굉장히 좋아했다. 또한 칼집이 달린 허리띠를 만들어 주었는데, 영국에서는 그 칼집에 단도를 차고 다녔지만, 프라이데이에게는 단도 대신 손도끼를 주었다. 그것은 무기로 쓸 수도 있고, 그렇지 않은 경우라도 단도보다 훨씬 쓸모가 많았다.

또 유럽의 나라, 특히 내가 태어난 영국에 대해 설명해 주었다. 영국 사람들은 어떻게 살며 어떻게 하나님께 예배하는가, 다른 사람들과 서로 어떻게 사귀고 어떻게 전세계에 걸쳐서 해상 무역을 하는가에 대해 이야기했다. 또 내가 탔던 배가 조난당한 이야기도 하고 난파선이 있던 지점도 가르쳐 주었다. 그 배는 이미 산산조각이 나서 흔적도 없었다.

조난당했을 때, 타고 오다가 파도 때문에 놓친 보트도 보여 주었다. 이 보트를 보자 프라이데이는 한참동안 무엇을 생각하는 것 같았는데, 아무 말을 하지 않았다. 나는 무엇을 생각하고 있느냐고 물었다. 마침내 대답했다.

"우리 나라에 오는 이런 보트를 나도 봤어요."

나는 이 말을 한동안 이해하지 못했다. 그러나 좀더 생각해 본 후, 그 말뜻은, 이와 똑같이 생긴 보트 한 척이 그가 살고 있는 나라에 상륙했다는 것임을 알 수 있었다. 그의 설명을 들어 보면 보트가 폭풍 때문에 그리로 밀려왔다는 것이었다. 나는 어떤 유럽인의 배가 그쪽 연안에서 조난당해, 보트가 떨어져 나와 그 해안에 밀려온 것이라고 상상했다. 하지만 어리석게도 나는 사람들이 보트를 타고 난파선에서 그쪽으로 탈출하였으리라고는 생각 못했다. 그래서 다만 보트가 어떻게 생겼더냐고만 물었다.

프라이데이는 자세히 그 생김새를 설명했다. 그리고 "우리는 물에 빠진 백인을 구해요."라고 덧붙여 말했기 때문에, 나는 그가 말하는 사태를 보다 잘 깨달을 수 있었다. 그래서 나는 곧 그 보트에 백인이 있었느냐고 물었다.

"예, 보트에 백인이 가득해요."라고 대답했다. 얼마나 되느냐고 물으니 손가락으로 17명이라고 대답했다. 그들은 어떻게 됐느냐고 물으니,

"그들은 살아요. 우리 나라에서 살아요."

했다. 이 말을 듣자, 새로운 생각이 머릿속에서 일어났다. 나는 곧 이 백인들이 내가 섬에서 보았던 그 조난선에 탄 사람들일 거라고 추측했다. 그들은 배가 암초에 부딪혀 어떻게 해볼 수 없는 줄 깨닫고는 보트에 올라 도망치다가 야만인들이 들끓는 해안에 상륙한 모양이었다.

이리하여 그들이 어찌 됐는가 좀더 자세히 물었다. 그는 그들이 아직 거기에 살고 있으며 그리로 온 지 4년쯤 되었는데 야만인들은 그들을 따로 살게 하는 대신 먹을 음식을 준다고 분명하게 말했다. 나는 야만인들이 어째서 그들을 잡아먹지 않고 살려 두었느냐고 물었다.

"아닙니다, 그들은 형제가 됩니다."고 대답했다. 그것은 휴전을 의미하는 모양이었다. 그런 후 그는 덧붙여, "그들은 싸움은 하나 사람을 먹지는 않습니다."고 말했는데 이 말은 그들은 사람을 먹지는 않지만 야만인들과 함께 전쟁에 나가서 전투에 참가한다는 뜻 같았다.

이로부터 상당한 시일이 지난 때였다. 우리는 섬 동쪽 언덕 꼭대기에 올라갔는데, 이곳은 전에도 말한 것처럼, 맑은 날씨이면 아메리카 대륙을 볼 수 있었다. 이날의 날씨도 무척 청명했는데 프라이데이는 열심히 대륙 쪽을 보더니 갑자기 깜짝 놀라 펄쩍펄쩍 뛰면서 약간 멀리 떨어져 있던 나를 불렀다. 무슨 일이냐고 묻자, "아, 기뻐요. 아이 좋아! 우리 나라가 보입니다. 저기 우리 나라가!"라고 말하는 것이었다.

그의 얼굴에 한없이 기쁜 빛이 돌고 눈은 반짝거렸다. 나는 생각했다. 그가 자기 나라에 다시 돌아간다면 틀림없이 자기가 믿어 오던 기독교는 물론 나에 대한 복종의 서약도 모두 잊어버릴 것이다. 나아가서 자기 동료들에게 내 이야기를 하고 1, 2백 명의 야만족을 데리고 다시 이 섬으로 와서 전쟁에서 잡은 적들에게 그러듯 나를 잡아먹으면서 즐거워할지도 모른다.

그러나 이것은 정직한 사람을 크게 오해한 것이었고, 이 때문에 뒷날까지 그에게 미안하게 여겨야 했다. 그러나 아무튼 의심은 더욱 커 갔고, 몇 주일 동안이나 내 마음을 사로잡았기 때문에, 나는 좀더 그를 조심하였고, 전처럼 그렇게 친절하고 자상하게 대하지 않았다. 이것도 역시 내 잘못이었다. 정직하고 충성을 다하는 프라이데이는 이런 생각은 전혀 눈치채지 못하고, 신앙 깊은 기독교인과 충성스런 동료의 도리를 다했다. 이러한 그의 성품에 대해서는 뒷날 내가 지극히 만족하게 여길 정도였다.

　　그래도 의심이 아직 가시지 않은 동안, 내가 염려하는 것과 같은 생각들을 그도 하지 않는가 싶어 매일처럼 그를 떠보았다. 그러나 그의 대답은 한결같이 정직하고 순진해서 의심을 살 아무런 것도 발견할 수 없었다. 나는 그처럼 불안스러워했지만 그는 끝까지 자기 태도를 지킴으로써 다시 나의 신뢰를 받게 되었다. 내가 불안해지고 있다는 것을 그는 조금도 알아채지 못했고 따라서 나도 그가 나를 속인다고 더 의심할 수 없었던 것이다.

　　어느 날 바로 그 언덕 위에 다시 올라갔지만, 안개가 끼었기 때문에 대륙은 보이지 않았다. 나는 물어 보았다.

　　"프라이데이, 너는 네 나라, 네 고향에 가고 싶지 않니?"

　　"가고 싶어요. 우리 나라에 가면 굉장히 기쁩니다."

　　"거기 돌아가서 무얼 하겠느냐? 돌아가면 다시 전처럼 야만인이 되어서 또 사람고기를 먹겠지?"

　　그는 심각한 얼굴로 머리를 흔들며 대답했다.

　　"아니, 아닙니다. 프라이데이는 그들한테 착하게 살고 하나님께 기도하라고 말합니다. 그들에게 빵과 가축 고기, 우유를 먹고 다시는 사람을 먹지 말라고 말합니다."

　　"그럼, 사람들이 너를 죽일 텐데."

　　이 말을 듣자 그는 엄숙한 표정이 되더니 말했다.

　　"아니, 그들은 안 죽입니다. 그들은 배우기를 사랑합니다."

이 말은 그들이 배우고 싶어한다는 뜻이었다. 그는 덧붙여 보트를 타고 온 수염난 사람들한테서도 그들은 많은 것을 배웠다는 것이었다. 그래서 동족한테 돌아가겠느냐고 말했다. 그는 이 말에 미소를 지으며 그렇게까지 멀리는 헤엄칠 수 없다는 것이었다. 난 카누 한 척을 만들어 주마 했다. 그러니까 그는 만일 내가 같이 간다고 하면 자기도 가겠다고 했다.

"내가 가다니! 내가 거길 가면 그들은 나를 잡아먹을 거야."

그는 대답했다.

"아니, 아닙니다. 내가 주인님을 못 먹도록 만듭니다. 주인님을 사랑하도록 만듭니다."

내가 적을 어떻게 죽여서 자기 목숨을 구해 줬는가를 동료에게 설명하면, 그들도 나를 사랑하게 될 것이라는 게 그의 말뜻이었다. 조난 후 상륙한 17명의 수염난 사람들과 합류하면 어떨까 하는 생각을 했는데 그 백인들과 합류할 수 있다면 틀림없이 대륙의 해안으로부터 40마일 떨어진 섬에서, 게다가 아무런 도움 없이 혼자서 해내기보다는 대륙에서 그들과 함께 탈출할 수 있는 방법을 연구하는 게 훨씬 유리할 것이었다.

며칠 후 프라이데이를 데리고 일을 하다가, 말이 나온 김에 제 나라에 돌아갈 보트를 한 척 주마고 했다. 그 약속에 따라 나는 섬 저편에 숨겨 놓은 보트 있는 데로 가서, 늘 물 속에 가라앉혀 놓았던 배를 꺼내 보여 주었다. 우리 둘은 보트에 탔다.

그는 배를 굉장히 잘 부렸다. 아마 나보다 두 배쯤 빨리 배를 몰 수 있었을 것이다. 그래서 그가 보트에 탔을 때 "자, 그럼 프라이데이야, 우리 너희 나라로 가 볼까?" 하고 물었다. 그는 이 말에 무척 어리둥절한 모양이었다. 보트가 그처럼 멀리 가기에는 너무 작다고 생각한 때문이었다. 그래서 이보다 더 큰 보트가 있다고 말했다. 다음날 나는 처음 만들기는 했지만 물에까지 끌고 갈 수 없었던 옛날의 보트가 있는 곳으로 갔다. 그는 이만한 크기면 충분하

다고 말했다. 그러나 그 동안 전혀 돌보지 않은 채 22, 3년 동안 그 자리에 그대로 있었기 때문에, 햇볕에 마르고 갈라져 노후해 있었다. 프라이데이는 이만한 보트면 아주 좋아, 충분한 음식, 술, 빵을 나를 수 있다고 말했다. 그의 말투는 이런 식이었다.

요컨대, 나는 이제껏 그와 함께 대륙으로 건너갈 결심이 굳어 있었기 때문에, 저만큼 큰 배를 만들면 너는 그 배를 타고 집에 갈 수 있다고 말했다. 그는 한 마디 대답도 않고 무척 성실하고 침울한 표정을 지었다. 그는 오히려 반문했다.

"왜 주인님은 프라이데이한테 화가 심합니까? 내가 뭐 잘못했습니까?"

그게 무슨 뜻이냐고 물으면서 나는 화내지 않았다고 말했다.

"화나지 않았다! 화나지 않았다!"고 몇 차례 같은 말을 되풀이하더니, "그럼 왜 프라이데이를 제 나라로 돌려 보냅니까?"라고 물었다.

"왜라니, 프라이데이, 너는 집에 갔으면 하지 않았느냐?"

"네, 네, 둘이 같이 가고 싶습니다. 프라이데이는 가고 싶지 않아요, 주인님이 안 가면."

한 마디로 나 없이 혼자서 갈 생각이 없다는 것이다.

"나도 거기 간다고! 프라이데이야, 나는 거기 가서 뭘 하지?"

내 말을 듣자 몸을 내 쪽으로 홱 돌리더니 말했다.

"주인님은 아주 굉장히 좋은 분입니다. 주인님은 야만인들에게 착하고 온순한 사람이 되라고 가르칩니다. 주인님은 그들에게 하나님을 알고 하나님께 기도드리고 새로운 삶을 살라고 설교합니다."

"천만에, 프라이데이야, 너는 지금 무얼 말하는 줄 모르고 있어. 난 무식한 사람에 지나지 않아."

"아니, 아닙니다. 주인님은 나를 착하게 가르칩니다. 주인님은 그들을 착하게 가르칩니다."

"아니, 아니다. 프라이데이야. 너는 나 없이 가야 해. 지금까지 살아 온 것처럼 여기서 혼자 살게 내버려 둬."

이 말을 듣고 다시 정신이 혼란에 빠진 모양이었다. 그는 늘 가지고 다니던 도끼 쪽으로 뛰어가더니 그걸 재빨리 들고 와서 내게 주었다.

"이걸 어떻게 하란 말이지?"

"주인님이 프라이데이를 죽입니다."

"무슨 이유로 널 죽여야 하느냐?"

"주인님은 무슨 이유로 프라이데이를 쫓아냅니까? 프라이데이를 죽이십시오. 프라이데이를 내쫓지 마세요."

진지하게 말하는 그의 눈에는 눈물이 솟았다. 요컨대, 나에 대한 그의 지극한 애정과 굳은 결심을 명백하게 볼 수 있었다. 그래서 그때는 물론 그 후에도 자주, 나와 함께 살기를 원한다면 내쫓지 않겠다고 말했다.

대체로 그와 한 모든 대화를 통해, 내게 대한 그의 흔들리지 않는 충성과 어떤 일이 있을지라도 나와 헤어질 수 없다는 사실을 발견했다. 뿐만 아니라, 그가 자기 나라로 돌아가고 싶어한 이유란 오직 자기 동족에 대한 뜨거운 애정과, 그들을 착한 사람으로 만들어 주기를 바라는 소망 때문임을 알 수 있었다. 그런 일은 나 자신 자격도 없거니와 그렇게 해보겠다는 생각이나 욕심 또는 그럴 희망은 거의 없었다. 그러나 거기에는 수염난 사람 17명이 있다는, 그와의 대화를 통해 안 사실을 전제로 해서 이 섬을 떠나야 한다는 계획에 여전히 강렬하게 매혹되어 있었다. 그래서 조금도 지체하지 않고 프라이데이와 함께 항해에 쓸 커다란 카누를 만들 수 있는, 커다랗고 잘라 넘길 수 있는 재목을 찾으러 나섰다.

이 섬엔 작은 배를 만들기에 족한 나무는 많이 있었지만 평저선 (平底船)이나 카누는커녕, 웬만한 배 하나를 만들기에 알맞은 나무는 별로 없었다. 게다가 내가 염두에 두고 있는 것은 바닷가에 가까이 있는 것이어야 하는 점이다. 처음에 저지른 실패를 피하기 위해서는, 다 만든 후 바다에 띄울 수 있어야 했던 것이다.

마침내 프라이데이가 나무를 골랐다. 그는 어떤 나무가 배 만드는 데 가장 적당한가를 나보다 훨씬 잘 알고 있었다. 그러나 지금까지도 잘라낸 그 나무가 무슨 종류였던지 알 수 없다. 파스틱 나무와도 아주 비슷했는데 나뭇잎의 모양이 조금 달랐다. 빛깔과 향기가 아주 비슷했던 것이다. 프라이데이는 이 나무의 오목한 부분을 불로 태워 보트를 만들려고 했다. 그러나 나는 연장으로 파는 편이 더 낫다고 설명했다. 그런 후 연장 쓰는 법을 가르쳤더니 아주 솜씨있게 잘 썼다. 한 달 동안 고되게 작업한 끝에 일을 마쳤는데, 아주 멋있는 배를 만들었다. 특히 내가 쓰는 법을 가르쳐 준 도끼로 우리는 배의 외부를 깎고 다듬어 진짜 보트 모양을 갖추게 되었다. 그러나 배 밑에다 지레를 넣고 바다로 운반하는 데 한 치 한 치씩 거의 2주일이나 걸렸다. 그러나 배가 바다에 뜨자 20명쯤이라도 손쉽게 태울 수 있을 만했다.

배가 물에 뜨자, 규모가 그렇게 컸지만 그런데도 프라이데이는 이 배를 부려 회전시키고 노를 젓는데 그 솜씨가 어찌나 재빠르고 능숙한지 놀랄 정도였다. 그래서 이 배로 대륙으로 건너갈 수가 있겠느냐고 물었다. "예, 이 배를 타면 큰 바람이 불어도 자신있게 건너갑니다." 그러나 나는 나대로 그가 생각지도 못한 계획을 더 갖고 있었다. 곧 돛대와 돛을 만들고 닻과 닻줄을 갖출 셈이었다. 돛대는 만들기 쉬웠고, 나는 근처에서 곧고 나이테가 적은 살나무를 골랐는데, 이런 나무는 이 섬에 얼마든지 있었다.

프라이데이에게 그 나무를 자르게 하여, 어떤 모양, 어떤 순서로 돛대를 만드는가를 가르쳤다. 그런데 돛이 특히 문제였다. 돛이랄 수도 없는 낡은 돛조각이 있는 줄은 알고 있었지만, 이제껏 26년이란 세월이 흐른 데다가 이런 식으로 다시 쓰게 되리라고는 상상도 못했기 때문에 제대로 간수하지 않았다. 돛조각은 모두 썩었을 것을 의심치 않았는데, 사실 대부분이 그 지경이었다. 그러나 나는 용케 아직 생생한 돛조각 두 장을 찾아냈다. 이것을 재료로 해서 잔뜩 애를 먹으며 바늘 없이 얼기설기 꿰맨 끝에 마침내 삼각형의 엉성한 돛을 만들어냈다. 그것은 영국의 삼각범(三角帆)과 비슷한데, 밑은 장대로 받치고 위에는 작은 깃대를 달았다. 이것은 우리 것처럼 긴 배의 돛에 흔히 다는 것으로, 내가 가장 자신 있게 조종할 수 있는 형태였다. 내가 이야기의 처음에 말했지만, 바바리에서 도망칠 때 쓴 보트가 이런 모양의 돛이었다.

돛대와 돛을 만들어 장비하는 마지막 작업을 끝내는데 거의 두 달이 걸렸다. 곧 작은 닻줄과 바람 부는 쪽으로 배를 돌릴 경우 회전을 돕는 앞 돛, 그리고 무엇보다 방향을 조종할 고물의 키를 만드는 것으로 일은 완벽하게 이루어졌다. 나야말로 서투른 배 목수이지만 이런 장비가 쓸모 있고 또 필요하다는 것을 잘 알고 있었기 때문에 그처럼 고생해 가며 이 일을 한 것이었다. 바보 같은 궁리로 실패를 거듭하였지만, 마침내 장비를 완전히 갖추었는데 여기에 들인 노력은 배 한 척 만드는 폭만큼 되었으리라 생각된다.

이 일을 다 마친 후 나는 프라이데이에게 배를 부리는 데 관계되는 것들을 가르쳐야 했다. 그는 카누 젓는 법은 썩 잘 알고 있었지만, 돛과 키에 대해서는 전혀 무지였다. 그래서 내가 키를 이용해서 배의 진로를 바꾸고 돛을 돌려 항해하는 방향이 변하더라도 바람을 잔뜩 받도록 조종하는 것을 보고 무척 놀랐다. 놀라서 멍청한 사람처럼 서서 내 조종을 구경했다. 그러나 얼마쯤 배우자 이 모든 것을 능숙하게 했다. 그리하여 우수한 항해사가 되었다. 그러나 나침반에 대해서만은 이해가 되지 않는 것 같았다. 그러나 날씨는 거의 구름 한 점 없었고 그 즈음에는 안개도 아주 적었기 때문에, 밤에는 언제나 별이 보이고 낮에는 해안선이 보여 나침반을 쓸 기회가 없었다. 장마철만은 예외이지만 그때는 육로든 해상이든 감히 아무데도 출동하지 못했다.

이 섬에 갇힌 지, 이제 27년째로 들어섰다. 프라이데이와 함께 보낸 이즈음의 3년 동안은 그전의 생활과 전혀 달랐기 때문에 계산에서 제외해도 괜찮을지 모른다. 나는 이 섬에 상륙한 지 27주년 되는 기념일을 처음과 마찬가지로 하나님의 자비심에 여전히 감사를 드리는 마음으로 지켰다. 맨 처음 하나님께 감사드릴 이유가 내게 있었다면, 지금은 하나님의 가호를 증명할 일이 훨씬 많아졌고, 게다가 머지않아 확실히 구조될 수 있다는 희망까지 갖고 있었기 때문에, 지금은 감사할 이유가 더욱 늘어난 것이었다. 나는 구조가 목전에 다다랐고, 이곳에서 한 해를 더 보내지 않아도 되리란 희망이 생겨나기 시작했다. 그러나 나는 전과 다름없이 땅을 파고 씨를 뿌리며 울타리를 치는 등 농사를 계속했다. 그리고 옛날처럼 포도를 거두어 건사하고 필요한 일은 다 했다.

그러는 동안 장마철이 닥쳐와, 나는 다른 때보다 집 안에서 더 많이 시간을 보냈다. 그리고 새로 만든 배를 작은 갯가로 끌어다 가능한 한 안전하게 간수했다. 이 갯가는 처음에 설명한 것처럼 내가 조난당한 후 뗏목을 갖다 대던 곳이다. 나는 그 배를 만조일 때 육지 쪽으로 끌고 와 프라이데이에게 그 배가 들어갈 만한 크기와 물에 뜰 만큼의 깊이로 작은 독(dock)을 파게 하여 여기에 넣었다. 그리하여 조수가 빠져나간 후 바닷물이 들어오지 못하도록 독의 입구에 댐을 튼튼히 쌓았다. 따라서 바다의 조수에 젖을 염려가 없었다. 비를 막기 위해서는 나뭇가지를 잔뜩 쌓아 집의 지붕처럼 만들었다. 그리하여 우리는 모험 계획을 짜면서 11월과 12월을 기다렸다.

식인종을 향해 진군하다

　일기가 고른 계절이 시작되어 맑은 날씨가 계속되자 이 섬을 떠나 볼 계획을 다시 추진하게 되었다. 그래서 나는 매일 여행을 준비했다. 먼저 할 일은 항해 기간 중에 소요될 일정량의 양식을 준비하는 것이었다. 그리고 1, 2주일 후면 독을 열고 배를 진수시킬 참이었다. 이런 일로 한창 바쁜 어느 날 아침 나는 프라이데이를 불러 바닷가로 나가서 거북이 한 마리를 잡아 오라고 시켰다. 우리는 보통 1주일에 한 번씩 거북이를 잡아 고기와 알을 먹었다. 프라이데이는 떠난 지 얼마 안되어 날듯 달려와서 발이 하늘에 떠 닿지 않는다는 듯 허겁지겁 외벽을 뛰어 넘어왔다. 무슨 일이냐고 묻기도 전에 "주인님? 주인님? 슬퍼요? 나빠요?"하며 외쳤다. "무슨 일이냐, 프라이데이야?" "저 너머 하나 둘 셋 카누 하나 둘 셋."이라고 대답했다. 그의 말투로는 여섯 척이었지만 살펴보니 세 척뿐이었다. "프라이데이야, 무서워하지 마."하고서 열심히 그를 진정시켰다. 그러나 이 불쌍한 사내는 굉장히 겁을 집어먹고 있었다. 그는 이 야만인들이 자기를 잡으면 갈기갈기 몸뚱이를 찢어 먹으리라고 생각했다.

　불쌍한 프라이데이가 너무 떨고 있었기 때문에 어떻게 진정시켜야 할지 몰랐다. 그들은 너뿐 아니라 나도 잡아 먹을 거다. 나도 그만큼 위험하다. 이렇게 열심히 달랬다. "그러니 프라이데이야, 저놈들과 싸워 결판을 내야 한다. 너 싸울 수 있지?"하고 물었다. "나 총 쏩니다. 그렇지만 저놈들은 수가 굉장히 많습니다." "그건 관계없어. 총으로 저들을 놀래주자. 우리는 살 수 있어. 난 너를 지켜 줄테니, 너는 내 옆에 서서 시키는 대로 하겠니?"하고 물었다. 그는 "주인님 저더러 죽으라면 저는 죽습니다."라고 대답했다. 그래서 럼주를 권하면서 용기를 북돋아 주었다. 럼주는 아주 아꼈고 또 남은 게 많았다. 술을 마시자 나는 메고 다니던 새총 두 자루를 가지고 오게 한 다음, 커다란 새총 알을 장전했다. 나는 머스킷 보병총 네 자루를 꺼내 총마다 산탄 두 알과 작은 탄환 다섯 개를 장전했다. 두 자루의 권총에도 탄환을 넣었다. 옆구리에는 보통 때처럼 칼집 없는 칼을 차고 프라이데이에게는 손도끼를 주었다. 이렇게 무장을 한 다음, 쌍안경을 가지고 언덕 중턱에 올라가 자리를 잡았다. 야만인 21명과 포로 3명, 카누 세 척이 쌍안경으로 보였다. 그들은 사람 몸뚱이 셋을 놓고 개선 잔치(정말 식인종들이었다)를 벌일 참이었고 그것은 그들에게는 예사로운 일이었다.

그들이 상륙한 지점은 전에 프라이데이가 탈출할 때 야만족들이 상륙한 곳이 아니고, 내가 배를 대는 갯가 근처였다. 이곳은 해안이 낮을 뿐더러 숲이 바다 쪽으로 울창하게 뻗은 곳이었다. 이 야만인들이 벌일 짐승 같은 행위에 혐오감이 일면서 분노가 솟구쳤다. 프라이데이에게 난 저놈들을 습격해서 모두 죽여 버릴 작정이다, 너도 나와 함께 가겠느냐 하고 다시 물었다. 그는 두려움에서도 벗어났고, 술을 마시고 용기를 얻은 탓으로 원기왕성했다. 죽으라고 명령하면 죽겠다고 대답했다.

용솟음치는 분노 속에서 먼저 장전했던 무기를 나누어 갖기로 했다. 곧 그에게 권총 한 자루를 허리띠에 꽂아 주고 총 세 자루를 어깨에 메게 했다. 나도 권총 한 자루와 총 세 자루를 차지했다. 이렇게 장비한 후 적을 향해 나아갔다.

식인종을 향해 진군하다   269

나는 주머니에 럼주 한 병을 넣었고, 프라이데이에게는 화약과 탄환이 든 커다란 자루를 주었다. 나아갈 때 프라이데이가 내 뒤를 가까이 따라오게 했다. 명령하기 전까지는 위치를 바꾸거나 발포하지 말라고 지시했다. 이렇게 나가는 동안 우리는 한 마디도 말하지 않았다. 이런 태세로 작은 갯가로 나갈 수 있었다. 숲으로 숨을 수 있는 요지로 가기 위해 오른쪽으로 1마일을 돌았다. 그곳은 우리가 몸을 숨긴 채 그들을 공격할 수 있는 사격권 안에 있는데 쌍안경으로 유리한 자리라고 판단했던 것이다.

이렇게 나가고 있는 동안, 그전에 했던 생각들이 다시 머리에 떠올라 결심을 흔들기 시작했다. 식인종의 숫자에 겁이 났던 것은 아니었다. 그들은 벌거벗은 데다 무장하지 않은 야만족이어서 분명히 내가 그들보다 우세했다. 혼자라 해도 두려울 것은 없었다. 머리에 떠오른 생각은 내게 아무런 해도 주지 않았고, 잘못한 것도 없는 그들을 공격하다니 무슨 사명, 무슨 이유, 그리고 무슨 필요 때문에 내 손을 피로 물들여야 하느냐 하는 점이었다. 그들은 내게 아무런 죄도 짓지 않았고, 사람을 먹는 야만적인 습성은 다른 미개지의 야만인들처럼 하나님이 그들을 몽매하고 비인도적인 길로 내팽개쳤다는 증거로서, 바로 그들 자신의 재앙인 것이다. 그런데 내가 그들의 행위를 심판하다니. 더 나아가 내가 하나님의 심판을 집행해야 할 사명은 없지 않은가? 하나님은 마땅하다고 생각될 때 스스로의 손으로 처리할 것이다. 종족으로서의 범죄를 종족으로서의 징벌로 처벌할 것이다. 따라서 그것은 전혀 내가 관여할 문제가 아니었다. 프라이데이로 보자면 이런 징벌을 정당하게 할 이유도 있다. 그는 그들의 공공연한 적이며, 바로 그들과 전쟁 상태에 놓여 있다. 따라서 그가 그들을 공격하는 것은 정당하다. 그러나 그와 똑같은 이유를 내 자신에게 적용시킬 수는 없다. 앞으로 나가고 있는 동안 이런 생각이 줄곧 나를 억눌렀다. 그래서 일단 그들 가까이 접근해서 그 식인 잔치를 살펴보기로 작정했다. 그리고 사태에 따라 하나님이 지시하면 행동을 일으키고 별다른 부름이 없으면 쓸데없이 그들에게 간섭하지 않기로 했다.

　이러한 결정을 하면서 숲속으로 들어가 소리를 내지 않고(프라이데이는 바로 내 뒤꿈치를 따라왔다) 조심을 다해 숲 변두리까지 전진했다. 야만인들이 있는 곳과 나 사이는 숲의 모퉁이만 돌면 되는 거리에 있었다. 여기서 프라이데이를 살짝 불러 바로 숲 모퉁이에 있는 커다란 나무를 가리키고 그리로 가서 야만인들이 뭘 하고 있는지 잘 보이는가 알아 보라고 지시했다. 그는 갔다가 곧 돌아오더니 거기서는 똑똑히 보인다고 했다. 적들은 모두 불가에 둘러앉아 포로 한 명의 살을 먹고 있으며 또 한 명의 포로는 그들과 약간 떨어진 모래밭에 쓰러져 누웠는데, 그가 다음 차례인 것 같다고 말했다. 이 말을 듣자 속에서 분노가 활활 타오르는 것 같았다. 프라이데이는 이어서 말했다. 다음 차례를 기다리는 사람은 야만족이 아니라, 전에 보트를 타고 자기 나라로 왔다고 말한 바로 그 수염난 사람 중의 하나라고 했다. 수염 달린 백인이라고 하는 바람에 소름이 쭉 끼쳤다. 그 나무 쪽으로 가서 쌍안경으로 백인 한 명을 똑똑히 확인했다. 그는 골풀 같은 것으로 손발을 묶인 채 바닷가에 쓰러져 있었는데 틀림없이 유럽인들의 옷을 입고 있었다. 지금 이곳으로부터 적이 있는 쪽으로 50야드쯤 떨어진 곳에 또 한 그루 나무가 서 있고, 그 사이에 작은 관목 숲이 있었다. 들키지 않고 돌아서 그 나무 쪽으로 가면 사격 거리는 반으로 줄어들 것이라 판단했다. 그래서 분노를 억누르며 20보쯤 뒤로 후퇴해서 둔덕에 몸을 숨기면서 곧장 저편 나무로 갔다. 거기서 약간 높은 언덕에 오르니 80야드 저편에 야만인들의 전모가 한눈에 다 들어왔다.

　이제 지체할 시간이 없었다. 저 무시무시한 악한 19명은 땅에 주저앉아 있었다. 두 명은 불쌍한 기독교인을 잡기 위해 사지를 붙들어 물가로 끌고 가서는 다리를 묶은 매듭을 풀고 있었다. 나는 프라이데이에게 돌아섰다. "자, 프라이데이야, 내가 시키는 대로 해라.”하고 명령했다. 프라이데이는 그러마고 했다. “그럼 프라이데이, 내가 하는 것을 보고 꼭 그대로 해. 실수하지 마라.”그런 후 나는 머스킷 보병총으로 야만인을 향해 겨냥하고 그에게도 겨누라고 지시했다. 준비는 됐느냐고 물었더니 “네.”하고 대답했다. “그럼 사격!”하고 지시했다. 그 순간 나도 사격했다.

프라이데이는 나보다 훨씬 겨냥을 잘했다. 그는 한 방에 둘을 죽이고 세 명을 부상시켰다. 나는 하나를 죽이고 두 명을 부상시켰다. 상상할 수 있듯 그들은 굉장히 놀랐다. 다치지 않은 놈들은 모두 벌떡 일어났지만, 어디로 도망쳐야 할지, 어디를 둘러봐야 할지 갈팡질팡하였다. 도대체 어디서 그들의 죽음이 오는지 알 수 없었던 것이다. 프라이데이는 내 쪽을 눈여겨 보면서 내가 시킨대로 하려고 했다. 그는 내가 재빨리 사격 태세를 갖추는 것을 보고 따라했다. “준비됐나?”“네.”“그럼, 쏴!”그 명령과 함께 갈팡질팡하는 악한들 쪽으로 다시 발포했다. 프라이데이도 쏘았다. 이번 총은 산탄으로 장치한 것이어서 죽어 넘어진 것은 단 두 명뿐이었다. 그러나 많은 숫자가 부상을 당해 피를 흘리며 마치 미친 놈처럼 아우성치며 이리저리 뛰었다. 그들 거의가 총상을 입었고, 그 중 셋은 조금 후에 땅에 쓰러졌다. 그러나 아주 숨을 거둔 것은 아니었다.

사격을 했던 총은 옆에 내려놓고 아직 탄환이 든 머스킷 총을 들면서 “자 프라이데이, 나를 따라와!”하고 명령했다. 그는 용기를 내어 따라 왔다. 숲으로 튀어나와 내 몸을 드러내 보였다. 프라이데이도 바로 내 뒤를 바싹 따라왔다. 그들이 나를 봤다고 생각하는 순간 나는 힘껏 큰 소리를 질렀고, 프라이데이에게도 시키면서 있는 힘을 다해 빨리 뛰었다. 그러나 무기를 갖고 뛰었기 때문에 그리 빠르진 않았다. 나는 곧장 불쌍한 희생자 쪽으로 향했다. 그는 야만인들이 앉아 있던 곳과 바다 사이의 중간 지점 모래바닥에 쓰러져 있었다. 그를 죽이려던 두 야만인은 우리가 쏜 총소리에 깜짝 놀라, 그를 내동댕이치고 엉겁결에 바다 쪽으로 가서 카누에 첨벙 뛰어들었다. 다른 세 명도 그 모양이었다. 프라이데이에게 뛰어가 그들을 쏘라고 명령했다. 그는 곧 내 말을 알아듣고 그쪽으로 40 야드쯤 뛰어가 발포했다. 그들은 모두 사살된 것 같았다. 그들 모두가 배 안에 쓰러졌던 것이다. 그러나 그중 두 명이 곧 다시 일어났다. 어쨌든 프라이데이는 두 명을 죽이고 한 명을 부상시켰는데 부상당한 놈은 죽은 것처럼 보트 밑바닥에 쓰러졌다.

프라이데이가 그들에게 발포하는 동안, 나는 칼을 뽑아 불쌍한 희생자를 묶은 매듭을 잘라 손발을 풀어 주고 나서 일으키며 포르투갈 말로 넌 어떤 사람이냐고 물었다. 그는 라틴어로 기독교인이라고 대답했다. 그러나 몸이 너무 쇠약하고 정신이 몽롱해서 일어설 수도, 말할 수도 없었다. 나는 주머니에서 술병을 꺼내 마시라는 시늉을 했다. 그는 술을 마셨다. 내가 주는 빵도 받아 먹었다. 그런 후 어느 나라 사람이냐고 물었다. 그는 "스페인 사람이오." 라고 대답했다. 약간 회복되자 갖가지 시늉으로 자기를 구해 줘서 얼마나 큰 은혜를 입었는지 모르겠다고 했다. 나는 아는 스페인 말로 말했다. "노형, 이야기는 나중에 합시다. 지금은 싸워야 하오. 힘을 낼 수 있으면 이 권총과 칼을 잡고 쳐부숩시다." 그는 무기를 고맙게 받았다. 무기가 손에 들어오자 갑자기 새로운 생기가 돈다는 듯 귀신처럼 살인족들에게 달려가 단번에 두 명의 목을 잘랐다. 사실은 이 모두가 야만인들에 대한 기습이었던 만큼 그들은 너무 놀라 그저 경악과 공포로 땅에 쓰러졌던 것이고 도망갈 힘마저 잃어버렸던 것이다. 오직 그들의 몸뚱이만이 우리가 쏜 총알에 저항할 뿐이었다. 프라이데이가 배에 타고 있는 다섯 명을 쏜 것도 그런 경우다. 그들 중 셋은 총알을 맞고 쓰러졌지만, 다른 둘은 놀라 쓰러졌던 것이다.

그때까지 나는 총알을 장전한 채 만일을 대비하여 손에 들고 있었다. 스페인 사람에게 권총과 칼을 주었기 때문에 위험했던 것이다. 그래서 프라이데이를 불러 우리가 처음에 발포한 나무로 뛰어

가서, 아직 총알을 넣지 못한 무기를 가져오라고 명령했다. 그는 이 명령을 재빨리 수행했다. 그에게 내가 들고 있던 머스킷 총을 주고, 내가 다른 총을 모두 장전하는 동안 야만인들의 공격을 막도록 했다. 내가 탄환을 재고 있는 동안 스페인 사람과 야만인 하나 사이에 치열한 접전이 벌어지고 있었다. 그 야만인은 커다란 나무 칼을 무기로 스페인 사람에게 대항하고 있었다. 내가 구하지 않았더라면 그 스페인 사람이 먼저 찔려 죽을 뻔했다. 스페인 사람은 몸이 쇠약해 있었지만 상상하기 어려울 만큼 용감하고 대담했다. 그 야만인과 한참 동안 싸우면서 상대방의 머리에 상처를 주었다. 그러나 야만인은 체구가 건장하고 단단해서 그 정도로 굴하지 않았다. 스페인 사람에게 접근해서 쓰러뜨리고, 맥을 못추게 하고는 그의 손에서 내 칼을 뺏으려 하고 있었다. 스페인 사람은 몹시 위기에 빠져 있었지만 현명하게 칼을 내버리고, 허리에서 권총을 꺼냈다. 내가 그를 도우러 쫓아갔지만 그곳에 이르기 전에 그는 야만인에게 총을 쏘아 죽였다.

자유로운 활동이 허용된 프라이데이는 손도끼만 들었다. 다른 무기도 없이 도망치는 악당들을 뒤쫓았다. 아까 말한, 첫 발포로 부상해서 쓰러진 야만인 세 명을 손도끼로 처치하고 나머지를 하나씩 해치우고 있었다. 한편 스페인 사람은 내게 와서 새총 한 자루를 받더니 야만인 두 명을 추격해서 그 둘을 부상시켰다. 그러나 그가 뛸 수 없었기 때문에 부상당한 두 명은 숲속으로 도망쳤다. 그러나 프라이데이가 숲속으로 따라가 그 중 한 명을 죽였다. 나머지 한 놈은 굉장히 민첩해서 프라이데이도 따라갈 수 없었다. 그는 부상을 당했지만 바닷속으로 첨벙 뛰어들더니 두 사람이 타고 있는 카누 쪽으로 헤엄쳐 갔다. 먼저 카누에 탄 사람은 죽었는지 살았는지 알 수 없는 한 명의 부상자까지 합해서 세 명이었는데 마지막으로 카누에 올라탄 것이다. 이리하여 21명 중 우리 손으로부터 도망친 자는 단 네 명이었다. 이제 그 계산을 해보면 이렇다.

나무 뒤에서 첫 발포로 사살 3명

둘쨋번 발포로 사살 2명

프라이데이가 배에서 죽인 2명

첫 부상자 중에서 역시 프라이데이가 죽인 2명

숲에서 역시 프라이데이가 죽인 1명

스페인 사람이 죽인 3명

부상으로 여기저기 쓰러져 죽었거나 프라이데이가 따라가 죽인 4명

죽었거나 살았어도 부상당한 1명을 포함, 배로 도주한 4명, 합계 21명

카누에 탄 야만인들은 사격권을 벗어나기 위해 열심히 노를 저었다. 프라이데이가 두어 방 사격했지만 하나도 맞지 않았다. 프라이데이는 야만인이 타고 왔던 카누 한 척으로 그들을 추격하려 했다. 사실 나 자신도 그들의 도주가 걱정이었다. 그들이 자기 동족들에게 이 소식을 전하면 그들은 2, 3백 척의 카누를 타고 와서 인해전술로 우리를 죽일지도 모른다. 두려운 일이었다. 그래서 바다로 그들을 추격하는 데 동의하고 카누 한 척으로 뛰어들어가면서 프라이데이에게 따라오라고 명령했다. 그러나 카누로 가자 다른 한 명 야만인이 산 채로 쓰러져 있는 것을 보고 깜짝 놀랐다. 그는 스페인 사람처럼 손발이 묶여 도살을 기다리고 있었다. 그러니 밖에서 무슨 일이 벌어지고 있는가를 알지 못하였고 공포에 질려 있었다. 목에서 발목까지 꽁꽁 묶여 있었기 때문에 배 밖을 내다볼 수도 없었지만 너무 오래 묶여 있어서 목숨이 끊어져 가는 형편이었다.

나는 야만족들이 묶은 새끼를 끊어 버리고 그를 일으켜 세우려 했다. 그러나 그는 일어설 수도, 말을 할 수도 없어 애처롭게 신음만 하였다. 아직껏 자기를 죽이기 위해 묶은 것을 풀어 주는 것으로 믿는 눈치였다.

프라이데이가 오자 야만인과 말을 해서 그가 구출되었다고 전하

도록 시키고, 술병을 꺼내 한모금 마시게 했다. 야만인은 술을 마신 데다가 구출되었다는 소식을 듣더니, 생기를 얻어 보트에 일어나 앉았다. 프라이데이가 그의 이야기를 들어 보러 가서 그 얼굴을 보았을 때다. 프라이데이는 그 야만인에게 입을 맞추고 몸을 껴안고 소리내어 울고 웃고 하면서 서로 환호를 지르고, 펄쩍펄쩍 뛰며 춤을 추고 노래를 부르다가, 다시 소리내어 울고 손을 맞잡고 얼굴을 비비며, 그러다가 노래를 부르고 다시 펄쩍펄쩍 뛰었다. 마치 얼빠진 사람 같았다. 누구든지 이 광경을 보았다면 감동의 눈물을 흘리지 않을 수 없었으리라. 한참만에야 나는 겨우 프라이데이에게 무슨 일인지 말을 하라고 했다. 겨우 제 정신을 차리더니 그이가 자기 아버지라고 말하는 것이었다.

이 불쌍한 야만인이 자기 아버지의 모습을 보고 아버지가 죽음에서 구출된 것을 알았을 때 얼마나 황홀해 했을까! 얼마나 자식으로서의 애정이 발동했을까! 옆에서 구경하면서 나는 어떻게 감동했는지 말로 표현할 수가 없었다. 사실 아버지에 대한 그의 한없는 애정을 나는 반도 묘사할 수 없다. 그는 수없이 배 안팎을 들락거렸다. 아버지에게 가서는 그 앞에 앉아 가슴을 벌리고 반 시간 동안이나 아버지 머리를 껴안았다. 그런 다음 오랫동안 묶인 탓으로 뻣뻣이 마비된 아버지의 손목과 발목을 잡고 손으로 비벼댔다. 나는 그들의 사정을 알고, 럼주를 좀 주어 그것을 아버지의 손발에 비비게 했다. 이렇게 한 것이 상당한 효과를 주었다.

이 일 때문에 야만인들의 카누 추격을 단념했다. 그들은 이미 보이지 않을 만큼 도망갔다. 그리고 추격하지 않았던 것이 다행이었다. 두 시간 후 그러니까 도망간 야만인들이 자기들의 목적지까지 4분의 1도 가기 전에 바람이 몹시 불었다. 그날 밤이 새도록 맹렬한 폭풍이 불었다. 게다가 풍향은 그들이 가는 방향의 반대쪽인 북서쪽이었다. 이러니 그 배가 온전했다거나 적어도 그들이 무사히 자기 땅에 상륙했으리라 생각할 수 없었다.

이제 프라이데이에게로 이야기를 돌리자. 그는 아버지 시중에 열심이어서 얼마 동안 그를 떼어 놓을 수 없었다. 그래서 한동안 마음대로 돕게 하고 나서 그를 불렀다. 그는 싱글벙글거리며 뛰어왔는데 한없이 즐거운 표정이었다. 나는 아버지에게 빵을 드렸느냐고 물었다. 그는 머리를 흔들면서 "아닙니다. 못생긴 개는 뭐나 먹습니다."라고 대답했다. 그래서 가지고 온 작은 부대에서 빵과자를 주었다. 그리고 프라이데이 자신이 마시라고 술 한 잔을 주었더니 맛도 보지 않고 자기 아버지에게 가지고 갔다. 주머니에는 건포도가 두어 주먹쯤 있었다. 아버지에게 갖다 주라고 한움큼 주었다. 이 건포도를 자기 아버지에게 주자마자, 그는 배에서 뛰어나와 마치 요술에라도 걸린 듯, 어디론가 굉장히 빠른 속력으로 달려갔다. 놀랄 만큼 빨랐다. 그렇게 빨리 달려가더니 삽시간에 보이지 않았다. 등뒤로 크게 불렀지만 아랑곳없이 달려갔다. 15분 만에 다시 돌아왔는데 갈 때처럼 그렇게 빠르지 않았다. 그는 손에 무얼 들고 있었기 때문에 걸음이 늦어진 것이었다.

그는 자기 아버지에게 마실 물을 갖다 주느라고 질항아리를 집에서 가지고 온 것이었다. 그는 빵덩이 두 개를 더 가지고 왔다. 그는 빵을 내게 주었지만 물은 자기 아버지에게 가지고 갔다. 그러나 나 역시 무척 목이 말랐기 때문에 한 모금 마셨다. 이 물을 마시자 그의 아버지는 내가 준 럼주를 마신 때보다 더 생기를 되찾았다. 그는 갈증 때문에 정신을 잃을 지경이었던 것이다. 그의 아버지가 물을 마시자, 그에게 물이 남았나 하고 물었다. 그는 "네." 하고 대답했다. 나는 불쌍한 스페인 사람에게도 물을 갖다 주라고 시켰다. 그 역시 프라이데이의 아버지만큼 목이 말랐을 것이다. 빵과자 하나도 스페인 사람에게 주라고 시켰다.

그는 몸이 무척 쇠약해져 소나무 그늘 아래 풀밭에 누워 있었다. 그를 묶은 거친 새끼줄 때문에 사지가 뻣뻣하고 퉁퉁 부어 있었다.

프라이데이가 물을 가지고 가자, 일어나 앉아서 물을 마시고 빵을 받아먹기 시작했다. 나는 그에게 건포도를 한 주먹 주었다. 그는 한없이 감사하다는 표정을 지으면서 내 얼굴을 올려다보았다. 그러나 몸이 원래 쇠약해진 데다가 야만인과의 격투에 전력을 다했기 때문에 제대로 서서 몸을 지탱할 수가 없었다. 두어 차례나 몸을 버티어 보았지만 발목이 붓고 너무 아팠기 때문에 일어설 수가 없었다. 그래서 그대로 앉아 있으라고 이르고 프라이데이에게 아버지에게 한 것처럼 럼주로 발목을 비비고 씻어 주라고 했다.

다정다감한 프라이데이가 스페인 사람의 시중을 들고 있는 동안 자주 고개를 아버지께 돌려 자기가 앉혀 준 그 자리 그대로 잘 있는지 살폈다. 그러다가 자기 아버지 모습이 보이지 않자 벌떡 일어나 한 마디 말도 없이, 발이 날듯 쏜살같이 자기 아버지한테 달려갔다. 그처럼 빨리 뛰어가 보니 그의 아버지는 사지를 편하게 하기 위해 누워 있었다. 그래서 프라이데이는 곧 내게로 돌아왔다. 나는 스페인 사람에게 할 수 있으면 프라이데이의 도움을 받아 몸을 일으켜서 보트 쪽으로 가라고 말했다. 그를 집으로 데리고 가서 치료할 생각이었다. 그러나 힘이 좋은 프라이데이는 스페인 사람을 등에 훌쩍 업고 보트 쪽으로 가더니 다리를 안쪽으로 해서 뱃전에 가만히 내려 놓았다. 그리고 다시 안아 자기 아버지 옆에 바짝 뉘였다. 그런 후 다시 뛰어나와 배를 띄워 해안선을 따라 노를 저었다. 배 속도가 어찌나 빠른지 역풍이 적잖이 부는데도 내 걸음보다 빨랐다. 그리하여 프라이데이는 두 사람을 우리 갯가로 안전히 옮겼다. 그는 두 사람을 보트에 그대로 둔 채 뛰어나와 다른 카누를 가지러 달려갔다. 그가 내 옆을 지날 때, 어디 가느냐고 물었다. "보트를 더 가지러 갑니다."라고 대답하더니 바람처럼 뛰어갔다. 도대체 말이라도 그만큼 빨리 달릴 수 없을 정도였다. 내가 걸어서 갯가에 이를 즈음 그는 나머지 카누를 끌고 도착했다. 그런 후 내게 살짝 손짓하고 새 손님 둘을 부축해서 보트에서 데리고 나왔다. 그러나 그 두 사람은 걸을 수가 없었다. 프라이데이는 어쩔 줄을 몰랐다. 언덕을 올라가는 것이 큰일이었다.

이 문제를 해결하기 위해 궁리를 했다. 그리하여 그들 두 사람을 강둑에 앉게 하고 프라이데이를 불러 그들을 태울 일종의 들것을 만들게 했다. 프라이데이와 나는 앞뒤에 서서 두 사람을 들것에 뉘여 놓고 옮겼다. 그러나 집 울타리에 이르자 아까보다 더 곤란한 문제에 부딪쳤다. 그들을 데리고 울타리 위를 넘어갈 수도 없고, 그렇다고 울타리를 부숴 버릴 생각은 없었다. 그래서 일을 다시 시작했다. 두 시간이 걸려서 프라이데이와 함께 낡은 돛을 치고, 그 위에는 나뭇가지로 덮어서 아주 멋있는 천막을 만들었다. 그 위치는 울타리 밖, 내가 심은 어린 나무숲 사이였다. 우리는 이 천막 안에 결이 고운 볏짚을 깔고 그 위에 사람이 누울 수 있도록 모포를 덮었다. 내가 쓰는 것과 똑같은 침대 두 개를 만들었다. 그리고 침대마다 몸 위로 덮을 모포를 또 한 장씩 두었다.

이제 내 섬에는 사람들이 살게 되었고, 나는 신하가 많다는 생각이 들었다. 그래서 내가 자못 왕처럼 보일 것이라고 자주 생각하는 것이 즐거운 일이었다. 무엇보다 첫째로 이 섬의 모두는 나의 재산이며 따라서 나는 의심할 여지가 없는 지배권을 갖고 있다. 둘째로 식구들은 완전히 내게 예속해 있다. 나는 절대군주이자 입법자였다. 그들의 생명은 모두 내 것이며, 그럴 사정에 이르면 모두 나를 위해 목숨을 바칠 각오가 되어 있다. 또한 그들 신하는 모두 세 명에 불과하지만 제각기 다른 종교를 갖고 있다는 것도 주목할 만하다. 하인인 프라이데이는 프로테스탄트였고 그의 아버지는 이교도이자 식인종이며, 스페인 사람은 가톨릭 교도였다. 그러나 나는 내 모든 영토에서는 양심의 자유를 보장했다.

그럼, 다음 이야기로 넘어가자.

아메리카 식민지로 여행을 계획하다

쇠약해진 두 포로를 안전하게 구출하여 피난시키고 쉴 장소까지 마련해 준 다음 나는 이들의 식사 마련을 시작했다. 그리하여 우선 프라이데이에게 명령하여 새끼와 어미 사이의 중간쯤 되는, 한 살 짜리 염소를 염소 울에서 끌어내어 잡았다. 염소의 뒷부분을 잘라 잘게 썬 다음 프라이데이를 시켜 물을 끓이고 스튜를 만들어 아주 맛있는 고깃국을 요리하게 했다. 이 고깃국에는 자랑은 아니지만 보리와 쌀도 조금 넣었다. 천막 안에서 불 피우는 것을 피해 밖에 서 요리를 했기 때문에, 식사를 새 천막 안으로 날랐다. 이렇게 해 서 그들에게 식탁을 봐주고 나도 앉아서 그들과 함께 만찬을 하면 서 그들을 위로하고, 용기를 북돋아 주었다. 프라이데이가 통역을 했는데 특히 자기 아버지에게는 물론 스페인 사람과의 통역도 했 다. 스페인 사람은 야만족의 말을 무척 잘 했다.

저녁밥이라기보다 오히려 국물이라 할 것을 들이키며 식사를 마 친 후, 프라이데이에게 카누 한 척을 타고 가서 시간이 없는 탓으 로 싸움터에 그대로 놓고 온 머스킷 총과 화기(火器)를 갖고 오라 고 시켰다. 이튿날 프라이데이에게 다시 전날의 전쟁터에 가서 야 만족의 시체를 묻으라고 명령했다. 시체를 묻지 않으면 썩어서 곧 악취가 날 것이다. 또한 야만족의 식인 잔치에서 먹다 남긴 많은 뼈다귀도 묻으라고 지시했다. 그 일은 차마 내 스스로 할 용기가 없었다.

거기에 간다 하더라도 눈을 뜨고 그 참상을 견디지 못했을 것이다. 프라이데이는 이 모든 일을 잘 처리했고 야만족들이 남긴 흔적을 모두 지웠다. 그후 내가 거기 갔을 때 그 지점을 표시해 주는 숲 모퉁이 외에는 어디가 어딘지 잘 알 수 없을 정도였다.

그 후 나는 새로 온 두 신하와 약간의 대화를 하기 시작했다. 우선 프라이데이를 통해 그의 아버지에게 물었다. 카누를 타고 도망친 야만인들이 어찌되었을까? 우리가 저항할 수 없을 만큼 굉장한 병력으로 이 섬을 다시 공격한다고 예상할 수 있겠는가? 그의 첫 의견은 배를 타고 도망갔지만 그날 밤의 폭풍 속에서 살아갈 수는 없으리라는 것이었다. 그들은 바다에 빠져 죽거나 틀림없이 남쪽으로 다른 나라 해안에 표류했을 것인데, 표류했을 경우라도 물에 빠져 죽거나 틀림없이 다른 식인종한테 먹혀 버렸을 것이라고 했다. 그러나 무사히 자기 나라 땅에 상륙했을 경우 그들이 어떤 태도로 나올 것인가에 대해서는 자기도 모르겠다고 대답했다. 그러나 그 의견은 그 엄청난 소리와 불꽃으로 당한 공격은 그들에게 너무나 큰 놀라움이었기 때문에 그들은 사람 손이 아니라 천둥과 번개한테 자기 동료들이 죽었다고 동족들에게 전할 것으로 믿는다는 것이다. 그리고 갑자기 나타난 두 사람, 곧 프라이데이와 나는 무기를 든 인간이라기보다 그들을 멸하기 위해 하늘에서 내려온 귀신으로 믿을 것이라고 했다. 프라이데이의 아버지가 그렇게 믿는 데는 이유가 있었다. 그는 야만인들이 자기들끼리 떠드는 소리를 들었는데, 그들은 사람으로서는 불을 화살처럼 던지거나 벼락치듯 큰 소리를 내거나 손을 쓰지도 않고 멀리서 사람을 죽일 수 있다고는 상상하지 못하더라는 것이었다. 늙은 프라이데이 아버지의 이야기는 옳았다. 후에 다른 사람으로부터 들어 알았지만, 야만인들은 다시는 이 섬에 오려고 하지 않았다는 것이다. 그들은 네 사람(그러니까 무사히 바다로 도망친 야만족인 것 같다)이 전하는 보고를 듣고, 굉장한 공포감을 갖게 되고, 누구든 저 귀신 들린 섬에 가기만 하면 하나님이 내린 불에 모두 죽어 버린다고 믿었다는 것이다. 그러나 나는 이런 줄을 전혀 몰랐기 때문에 오랫동안 끊임없이 걱정하였고, 내 군대를 동원해서 줄곧 경계를 계속했다. 우리는 모두 단 네 명이었지만 언제든지 1백 명의 적이라도 들판에서 상대를 할 마음을 하고 있었던 것이다.

그러나 얼마가 지나도 카누는 나타나지 않았다. 그들이 습격해 오리라는 두려움도 사라졌다. 그래서 나는 본토로 여행하고 싶어하던 전날의 생각을 다시 하기 시작했다. 게다가 프라이데이의 아버지는 내가 간다면 그의 동족도 자기의 설명을 듣고 환영할 것이라고 격려해 주었다.

그러나 스페인 사람과 진지하게 대화를 한 결과, 내 계획은 다시 고려해야 할 필요가 있음을 깨달았다. 그는 자기가 있던 야만 지대에는 조난을 당한 자기 나라 사람과 포르투갈 사람 16명이 있는데, 이들은 그쪽 해안에 상륙하여 목숨을 건졌다는 것이다. 그들은 야만족과 사실 평화롭게 지내기는 하지만, 생활 필수품, 아니 식량조차 얻기 어려워 고생을 하고 있다는 것이다. 나는 그들의 여행에 대해 상세히 물었다. 그들의 배는 리오 텔 리플라타에서 아바나로 향하는 스페인의 배였는데, 줄 가죽과 은으로 된 상품들은 아바나에 팔고, 거기서 살 수 있는 유럽의 상품들을 싣고 돌아올 지시를 받고 있었다. 배에는 5명의 포르투갈 사람이 있었는데 이들은 다른 배가 조난당할 때 구한 선원들이었다. 스페인 배 역시 조난당할 때, 선원 5명을 잃었다. 살아 남은 이들은 끊임없이 위험과 불운을 뚫고 살았지만 굶어 죽을 지경이 되어 식인종이 사는 해안에 상륙했다. 그들은 언제 야만족에게 도살당할 것인가 전전긍긍하고 있다. 그는 이렇게 이야기했다.

그들은 무기도 약간 갖고 있었지만 화약이나 탄환이 없어 전혀 쓸모가 없게 되었다. 화약은 거의 바닷물에 젖어 못 쓰게 되었고, 약간 남았던 화약은 처음 상륙했을 때, 식량을 마련하기 위해 다 써버렸다는 것이다.

나는 그들이 앞으로 어떻게 되리라고 생각하는가, 탈출의 계획은 가지고 있는가 하고 물었다. 그 문제에 대해서는 여러 차례 상의를 했지만, 배도 없고 배를 만들 연장도 식량도 없기 때문에 의논은 언제나 눈물과 절망으로 끝나고 말았다고 대답했다.

만일 내가 탈출하자고 제의한다면 그것을 받아들일 것인가, 그들이 모두 이 섬으로 온다면 탈출할 수 없게 될 것이 아닐까 생각하는데 어떤가 하고 그의 의견을 물었다. 단적으로 얘기해서 내 목숨을 그들의 손에 맡기면 그들은 나를 배반해서 학대할까 두렵다고 말했다. 은혜를 받았으니 으레 고마워한다는 것은 인간의 본성은 아니다. 사람이란 어떤 이익을 기대할 때는 그에 따른 행동을 하지만 그들이 받은 은혜에 대해서는 그만큼 갚을 생각이 없는 법이라고 그에게 설명했다. 따라서 내가 그들을 구출하기 위해 애를 쓰다가 나중에 뉴 스페인(역주 : 북아메리카 및 중앙아메리카에 있었던 옛날의 스페인 영토)에 이르러 도리어 나를 포로로 삼으면 곤란하다고 얘기했다. 뉴 스페인에서는 우연이든 필연이든 어떤 사정이든 영국인을 만나면 피의 제물로 삼아 버린다. 나로서는 스페인의 잔학한 신부의 마수에 떨어져, 종교 재판에 끌려나가느니보다 차라리 야만족의 손에 잡혀 산 채로 먹히는 것이 더 낫다고 말했다. 그러나 만일 그들이 모두 이 섬으로 와서 늘어난 일손으로 모두가 탈 수 있는 돛단배를 만들고 브라질로 남하하든가, 북상하여 제도(諸島)나 스페인령 연안으로 갈 수 있을는지 모른다. 그러나 이 경우에도 그들에게 무기를 모두 넘겨준 후, 그들이 강제로 나를 자기 나라로 넘긴다는 사례를 받게 되면 은혜를 원수로 갚는 게 될 것이고 나는 전보다 더 무서운 궁지에 빠지게 될지도 모른다고 그에게 설명했다. 그는 허심탄회하게 말했다. 그들은 몹시 비참한 상태에 빠져 있고 또 고통을 뼈저리게 느끼고 있다. 자기들을 구해 준 은혜를 원수로 갚는다는 그런 생각에 침을 뱉을 것이라고 대답했다. 그리고 내가 찬성한다면 자기가 늙은 야만인과 함께 자기 동료들에게 가서, 이 문제를 준비하고 다시 돌아와 그들의 대답을 내게 전하겠다고 제의했다. 그들에게 제시할 조건으로는 통솔자와 선장으로 내 지휘에 절대 복종할 것을 협정한다는 것이었다. 그리고 그들은 내게 충성을 다하며 반드시 내가 동의하는 기독교 국가로 가겠다는 것과, 내가 원하는 나라에 안전히 상륙할 때까지 명령에 전적으로, 그리고 절대적으로 복종할 것을 성례전과 복음서를 놓고 맹세하겠다는 것이었다. 이런 내용을 계약서로 만들어 가지고 오겠다고 그는 말했다.

그 후 그는 우선 자기 자신의 목숨이 붙어 있는 한 내 명령에 절대 복종하며 자기 동료 중에 신의를 저버리는 경우가 일어난다면 마지막 피를 흘리기까지 내 편이 되어 충성을 다할 것을 맹세하겠다고 말했다.

그는 말했다. 그들 모두가 선량한 시민이고 현재 상상할 수 없을 만큼 궁지에 빠져 있다. 무기나 옷, 식량도 없이 오직 야만인의 자비심과 재량권에 매여 있다. 자기 나라로 돌아갈 희망은 전혀 없다. 당신이 그들을 구해 준다면 그들은 당신을 위해 생사를 가리지 않으리라고 확신한다.

이와 같이 보증을 받고 나는 가능한 한 그들을 구하고 그들과 교섭하기 위해 이 스페인 사람과 늙은 야만인을 보내기로 작정했다. 그러나 우리가 준비를 다 갖추었을 때 스페인 사람이 이의를 제기했다. 그것은 신중하고 성실한 것이어서 나로서는 그 이의에 납득하지 않을 수 없었다. 그의 충고에 따라 스페인 사람들의 구출은 적어도 반 년 후로 연기되었는데, 그 사정은 이렇다.

우리가 함께 살게 된 지 약 한 달이 지났을 때였다. 그 동안 나는 그에게 하나님의 은총을 입으며 그 동안 어떻게 살아왔는가를 구경시켰다. 그는 내가 저장해 둔 보리와 쌀의 재고량을 알았다. 그것은 나 혼자서는 충분한 양이지만 농사를 적게 지은 때문이 아니라, 식구가 넷으로 불었기 때문에 이제는 넉넉하다고 할 수는 없었다. 게다가 그의 말처럼 자기 동료 16명이 이리로 오게 되면 양식은 턱없이 모자랄 것이었다. 더구나 배를 한 척 만들어 아메리카 대륙의 기독교국 식민지로 항해할 만큼 양식을 배에 싣자면 그 부족 현상은 더욱 심해질 것이었다. 그러니 그는 자기와 두 야만인이 땅을 더 갈기 위해 있는 씨앗을 다 뿌리도록 하는 것이 좋겠다는 뜻을 말했다. 그러면 자기 동료들이 이리로 옮겨 와도 식량 걱정이 없으리라는 것이었다. 식량이 모자라면 의견이 엇갈리기 쉽고 따라서 자기들은 구출된 것이 아니라, 하나의 궁지를 벗어나자 또 다른 궁지에 빠졌다고 생각하게 될 수도 있다고 말했다.

그는 "당신도 아시다시피 이스라엘 백성들이 이집트에서 벗어날 때에 처음에는 즐거워했지만, 광야에서 빵이 모자라게 되자 자기들을 구해준 하나님을 배반하기까지 했습니다."(역주 : 출애굽기 16~17)라고 내게 말했다.

그의 권고는 마침 시기를 잘 얻었고 또 그 충고 자체가 좋은 것이어서 나는 그의 제안이 무척 기꺼웠고, 그의 충성심에 만족했다. 그리하여 우리 네 사람은 모두 쓸 수 있는 목재 기구로 땅을 파서 개간했다. 한 달 후 파종기가 끝나갈 때쯤 해서 보리 22부셸과 쌀 16항아리 등 우리가 파종용으로 아껴 두었던 곡식을 모두 땅에 뿌렸다. 우리가 남겨 둔 식량이라고는 다음에 곡식을 거둬들일 때까지, 곧 씨를 뿌릴 때부터 계산해서 6개월 동안 먹을 보리뿐이었다. 이 지방에서는 땅에 파종해서 수확할 때까지의 기간은 6개월이 덜 걸렸다.

이제 우리도 하나의 집단을 이루었고, 야만인들이 아무리 많은 숫자로 공격해 온다 하더라도 두려워하지 않을 만큼 인력(人力)도 충분했다. 그래서 필요에 따라 자유로이 섬을 돌아다녔다. 우리는 탈출이랄까 구출된다는 생각을 가졌기 때문에 적어도 나로서는 그걸 실행할 수단과 방법이 머리에서 한시도 떠날 수가 없었다. 이 목적을 위해서는 적당하다고 생각되는 여러 개의 나무에 표시를 하고 프라이데이와 그의 아버지를 시켜 나무를 자르게 했다. 그리고 스페인 사람에게는 내 뜻을 설명하고 두 부자의 일을 지휘하게 했다. 나는 그들에게 큰 나무로 단 한 장의 판자를 만들기 위해 얼마나 고심 참담한 노력을 들여야 했던가를 이야기하고 그들도 이처럼 일하게 했다. 그리하여 폭이 약 2피트, 길이 35피트, 두께 2내지 4인치의 훌륭한 참나무 판자 12장을 만들었다. 여기에 얼마나 막대한 노동력이 들었을 것인가에 대해서는 누구나 상상할 수 있을 것이다.

한편 나는 길들인 새끼 염소의 수를 할 수 있는껏 늘릴 궁리를 했다 그래서 하루는 스페인 사람과 프라이데이의 아버지를 내보내고 그 다음날은 내가 프라이데이를 데리고 나가는 식으로 번갈아가며 사냥을 했다. 이런 방법으로 새끼 염소 20마리 가량을 기르게 되었는데, 사냥을 나가면 어미를 쏘아 죽이고 새끼를 사로잡아 가축 울에 집어넣었다. 그리고 무엇보다 중요한 것은 건포도를 만들 계절이 되어 우리는 굉장히 많은 포도를 햇볕에 널어 말린 것이다. 건포도 저장으로 유명한 알리깡뜨(역주 : 스페인 남쪽 작은 촌락)에 있었더라면 아마 60내지 80통은 생산했을 것이다. 이 건포도는 빵과 함께 우리의 주요한 양식이 되었고 또 양분이 특히 많았다. 건포도란 원래 자양분이 무척 많은 것이다.

이제 수확기가 되었고 대풍년이었다. 이번 수확은 이 섬에서 거둬들인 가장 큰 풍작까지는 아니었지만, 그래도 우리의 목표량은 충분히 달성되었다. 보리는 22부셸에서 2백 20부셸 이상을 수확했고 쌀도 그런 비율로 거두었다. 이만한 양의 곡식이라면 스페인 사람 16명이 이 섬에 와서 같이 산다 하더라도 다음 수확기까지는 넉넉히 충당할 수 있었다. 설령 우리가 항해를 한다 하더라도 가는 곳이 세계의, 그러니까 아메리카의 어떤 항구든 목적지까지 가는 동안 충분히 보급할 양식을 배에 실을 수 있었다.

이처럼 창고에 양식을 채워 비축한 후 곡식을 담을 커다란 바구니를 만드는 작업에 열중했다. 그리고 스페인 사람은 이 방면에 무척 솜씨가 있었다. 그는 때때로 이런 바구니 공작술로 왜 방어 무기를 만들지 않았느냐고 나무랐지만 나로서는 그럴 필요를 느끼지 않았다.

이제 앞으로 올 새 식구들의 식량까지 충분히 마련했다. 스페인 사람에게 본토에 가서 그의 동료들과 교섭해 보라는 허락을 내렸다. 그와 프라이데이의 아버지 앞에서 다음과 같은 서약을 하는 사람만 데려오도록 글을 써서 엄중히 명령했다. 곧 그들을 구하기 위해 친절하게도 사람을 파견한 이 섬 사람들을 절대로 해치거나 싸우려 하거나 또는 공격하지 않을 것, 오히려 그런 계획이 있다면, 그것을 물리치고 그의 편을 들어 그를 지켜 주며, 어디로 가든 그의 명령에 절대 복종할 것, 그리고 이 서약을 글로 직접 서약할 것 등이었다. 그들이 펜과 잉크가 없는 줄을 알면서도 어떻게 이처럼 문서 이야기를 할 수 있었는지 생각만 해도 어처구니없는 일이다.

이런 지시를 받고 스페인 사람과 프라이데이 아버지인 늙은 야만인은 카누 한 척을 타고 떠났다. 그 카누는 야만족들이 자기들을 먹기 위해 실어 온 것이었다.

나는 그들에게 발화 장치가 붙은 머스킷 총과 8발을 쏠 수 있는 화약 및 탄환을 주고, 절약해서 쓰되 위급한 경우가 아니면 쓰지 말라고 명령했다.

이것은 신나는 일이었다. 목표를 위해 27년 며칠 만에 처음으로 취한 조치였던 것이다. 빵과 건포도를 주었다. 그리고 안전한 항해를 기원하면서 그들을 전송했다. 그들이 돌아올 때는 멀리서 알아볼 수 있도록 신호기를 달기로 약속했다.

그들이 순풍을 받으며 떠난 날은 내 계산으로 10월 보름, 만월이 되는 날이었다. 그러나 정확히 며칠이었는지 이미 하루의 착각이 있었기 때문에 자신있게 말할 수 없었다. 햇수조차 자신있게 정확히 꼽지 못했다. 그러나 후에 계산한 결과 내가 셈한 햇수는 옳았다는 것이 밝혀졌다.

반란을 진압하다

　　그들을 기다리며 여드레가 지났을 때 뜻밖에 묘한 사건이 일어
났다. 이런 일은 아마 역사상 들어본 적이 없는 것이리라. 어느 날
아침 집에서 깊은 잠을 자고 있는데, 하인 프라이데이가 뛰어오더
니 큰 소리로 "주인님, 주인님, 저들이 옵니다. 저들이 옵니다!"라
고 외쳤다. 벌떡 일어나 옷을 주워 입자마자, 이때쯤엔 이미 울창
하게 자란 숲을 지나 위험을 무릅쓰고 밖으로 뛰어나갔다. 위험을
무릅썼다고 말했지만, 사실 나는 무기를 휴대하지 않고 나갔는데
이런 일은 전에 없던 일이었다. 그러나 바다로 눈을 돌리자 깜짝
놀랐다. 1리그 반 만큼의 거리에 보트가 한 척 보였는데 그것은 소
위 삼각범(三角帆)을 달고 이쪽 해안을 향해 때마침 부는 순풍을
안고 오고 있었다. 그런데 이 보트는 본토의 해안 쪽으로부터가 아
니라 섬의 남쪽 끝에서 오고 있었다. 이것을 보고 나는 프라이데이
를 불러들여 몸을 엎드리라고 명령했다. 이들은 우리가 기다리는
사람들이 아니고 적이든 친구든 간에 우리가 전혀 모르는 사람들이
었던 것이다.
　　그리고, 나는 그들의 정체를 더 잘 알기 위해 망원경을 가지러
갔다. 사다리를 걸고 전에 하던 습관대로 언덕 꼭대기에 올라갔다.
이곳은 아무리 두려운 때라도 숨어서 해변을 똑똑히 관찰하기 좋은

장소였다.

언덕에 오르자마자 닻을 내리고 있는 배 한 척이 뚜렷하게 보였다. 그 위치는 해안으로부터 1리그 반이 아니라 남남동쪽으로 2리그 반 정도였다. 내 보기엔 분명히 영국 배인데 영국식의 긴 보트였다.

이때 마음속에 얼마나 큰 혼란이 일어났는가는 도저히 말로 표현할 수가 없다. 배를, 그것도 내 동족, 따라서 내 편이 될 사람들이 분명히 타고 있으리라고 여겨지는 배를 보았을 때, 내가 느낀 환희는 결코 묘사할 수 없을 만큼 컸다. 그러나 그 기쁨에도 불구하고 어디서 솟는지 알 수 없는 의심이 생겼다. 그들을 경계해야 한다는 생각이 들었다. 첫째로 여기는 영국 배가 무역하러 다니는 지역이 아닌데, 이곳까지 오다니 도대체 무슨 일 때문인가 이상했다. 또한 조난당할 만큼 폭풍이 일어나지도 않았다. 설령 저 배에 탄 사람들이 정말 영국인이라 하더라도 무슨 흉계를 갖고 있을 것이다. 그래서 도둑놈이나 살인자들의 수중에 떨어지기보다 지금의 삶을 이어가는 것이 더 좋으리라 생각했다.

때때로 마음속에 떠오르는 위험에 대한 예감이나 경고는 설령 전혀 현실성이 없다 하더라도 무시하지 말아야 한다. 이러한 위험에 대한 예감과 경고는 사물을 깊이 살펴보는 사람이라면 결코 간단히 부정할 수 없다. 그것은 보이지 않는 세계의 발견이며 영혼의 교류임을 의심할 수 없다. 이러한 것이 우리에게 위험을 경고해 주는 경우, 그 경고는 우리에게 호의를 갖고 있는 이(우리보다 뛰어난 자인가, 못한 자인가는 문제가 안된다)로부터 나오는 것이며 우리의 행복을 위해서 온 것임을 생각해야 하지 않을까?

현재의 사태는 이런 생각이 옳았다는 것을 확신시킨다. 어디서 오는 것인지는 모르지만 이 은밀한 경고에 따라 내가 조심하지 않았더라면 틀림없이 전보다 더욱 비참한 상태로 끌려갔을 것이다.

그 전말인즉 다음과 같다.

이런 태세로 오래 기다릴 필요가 없었다. 보트는 상륙하기에 알맞은 갯가를 찾는 듯 해변 가까이 왔다. 그러나 육지에 너무 접근해 있어서 전에 내가 뗏목으로 상륙하던 작은 입구를 보지 못하고 내가 있는 곳에서 반 마일쯤 떨어진 해변에 곧장 상륙했다. 무척 다행한 일이었다. 그들이 만일 내가 출입하는 갯가로 상륙했더라면 곧 내 요새를 공격해서, 나의 모든 재산을 빼앗아 갔을 것이다.

상륙한 그들을 보니, 거의 영국 사람이었다. 한두 명이 홀란드 사람이라고 생각되었지만 별다른 증거는 없었다. 모두 11명이었는데 그중 세 명은 무장하지 않은 채, 몸이 묶여 있는 것처럼 보였다. 처음 너댓 명이 땅으로 뛰어내리더니 보트에서 세 사람을 포로처럼 끌어냈다. 세 명 중 한 사람은 탄원과 고통과 절망의 몸짓을 미친 사람처럼 격렬하게 표시하는 것이 보였다. 나머지 두 사람도 가끔 손을 들어 불안을 나타내는 것 같았지만, 먼저 사람만큼 심하지는 않았다.

그 동안 이 사태가 무엇을 의미하는지 알 수 없어 나는 극도로 당황했다. 프라이데이가 영어로 더듬거렸다. "아, 주인님! 영국 사람들이 야만인들처럼 포로를 먹습니다." "뭐, 프라이데이야, 넌 그들이 포로를 잡아 먹으리라 생각하나?" "네, 그들은 사람을 먹습니다."라고 프라이데이가 대답했다. "아니다, 아냐." 나는 말했다. "그들이 사람을 죽일까봐 걱정이다. 절대로 사람을 먹지는 않을 거다."

이런 동안에도 정말 어떻게 사태가 벌어질 것인지 전혀 짐작도 할 수 없고, 세 명의 포로가 살해될 것이 아닌가 하고, 무서운 장면의 공포 때문에 몸을 떨고 있었다. 그러자, 실제로 악당 한 놈이 불쌍한 포로 한 명을 찌르려고 커다란 선원용 단검을 들어 올렸다. 그 가엾은 사내가 쓰러지리라고 생각하자 온몸의 피가 싸늘하게 어는 것 같았다.

나는 새삼 그 스페인 사람과 프라이데이의 아버지가 같이 있었다면 하고 생각했다. 숨어서 그들을 쏠 수 있는 사격권 내에 갈 수 없을까 하고 생각했다. 그러나 다른 생각이 문득 떠올랐다. 거만한 선원들은 세 사람을 모질게 학대하고 나서, 섬을 구경할 작정인지 사방으로 흩어지는 것이 보였다. 다른 세 사람도 자유로이 가고 싶은 곳을 갈 수 있을 터인데, 모두 슬픈 듯 땅에 주저앉아 절망에 빠진 사람처럼 보였다.

이런 광경을 보자 내가 처음 이 섬에 흘러와서 주위를 멍하니 바라보던 때를 회상하였다.

그 당시, 주위를 돌아보고 얼마나 자포자기했던가. 얼마나 막막한 공포감에 젖어 온 밤을 나무 위에서 지냈던가, 야수에 먹힐까봐 두려워했던가, 하고 회상되었다.

그날 밤 폭풍과 해류에 밀려 해안 가까이 흘러와도, 그 결과 식량을 얻을 수 있었고, 그 후 지금까지 오래 살아 올 수 있었지만 그 당시는 전혀 알 수 없었던 것이다. 아마도 버림받은 세 사람들도 우린 죽었구나 하고 절망에 빠져 있을 그 순간, 구조의 손과 식량이 바로 자기 몸 가까이 있고, 얼마나 안전한 상태에 놓여 있는가를 꿈에도 생각지 못하고 있었다.

사람이란 눈앞에 보이는 희망이 적을수록 그만큼 더 창조자이신 하나님께 의지해야 할 이유가 많다. 하나님은 그의 피조물을 절망적인 운명에 버려 두지 않으신다. 사람은 가장 몹쓸 상황에 빠질지라도 언제나 감사를 드려야 할 이유가 있다. 때로는 스스로 상상하기보다 구원의 길이 바로 옆에 있는 법이다. 아니, 오히려 파멸 속에 빠졌다고 절망하는 바로 그 환경을 통해 사람의 구원이 실현되기도 한다.

이 선원들이 상륙할 때는 만조가 최고로 이르렀을 때였다. 그들은 데리고 온 포로들과 말을 하고, 또, 섬이 어떤 곳인가 하고 돌아다니다가 조심성 없이 꽤 많은 시간이 지났다. 조수가 줄어들고 바닷물은 상당히 멀리 빠져나갔다. 보트는 땅에 가로누웠다.

보트에는 두 사람이 남아 있었다. 술을 너무 마신 탓으로 잠에 떨어져 있었다. 그중 하나가 먼저 깨어 보트가 좌초하여 자기 힘으로 움직일 수 없을 만큼 바다로부터 멀리 떨어져 있는 것을 깨달았다. 사방으로 흩어져 있던 동료들을 큰 소리로 불렀다. 이 소리에 모두 보트 쪽으로 몰려들었다. 그들은 전력을 다했지만 보트를 바다까지 옮길 수 없었다. 배가 무척 무거운 데다가 그쪽 해변은 마치 유사(流砂)처럼 연한 진흙땅이었던 것이다.

이렇게 되자, 그들은 선원들이지만 앞일에 대한 염려란 없는 인종들이었다. 배를 미는 일을 단념하고 다시 사방으로 흩어져 거닐고 있었다. 그중 하나는 다른 동료에게 큰 소리로 "잭, 배는 그냥 둬, 밀물 때가 되면 저절로 뜨네."라고 했다. 이 말을 듣고 그들이 어느 나라 사람인가 하던 가장 중요한 문제는 완전히 해결할 수 있었다.

그 사이 나는 몸을 바짝 숨기고 언덕 위 관측소로 가는 것이 고작이요, 한 발짝도 성(城) 밖으로 나가지 않았다. 내 성이 견고하게 요새로 만들어진 걸 생각하니 마음이 무척 든든했다. 보트가 뜨려면 적어도 열 시간이 지나야 한다. 그때가 되면 어두워져서 자유스럽게 그들 행동을 살피고 그들 대화를 엿들을 수 있으리라.

그 동안 나는 전처럼 전투 준비를 했다. 그들은 전과는 달리 처음 만난 다른 종류의 적이므로 보다 신중을 기했다. 이제는 명사격수가 된 프라이데이에게도 무장하라고 지시했다. 내 자신은 새총 두 개를 준비했고, 프라이데이에게는 머스킷 총 세 자루를 주었다. 내 모습은 사실 굉장한 것이었다. 염소 가죽으로 만든 옷을 입고, 머리에는 전에 말한 큰 모자를 썼다. 옆구리에는 칼집이 없는 칼을, 허리띠에는 권총 두 자루를 차고, 양어깨에 각각 권총 한 자루씩 메었다.

내 계획은 아까도 말한 것처럼, 어두워진 연후에야 행동한다는 것이었다. 그러나 더위가 혹심한 두시쯤 되자 숲속으로 흩어져 낮

잠을 자는 것 같았다. 세 포로는 맥이 빠져 앞일이 걱정되어 잠을 이루지 못하고 커다란 나무 그늘 밑에 웅크리고 있었다. 그들의 위치는 내가 있는 곳에서 약 4분의 1마일 가량 떨어진 곳인데 선원들이 눈에 띄지 않는 장소였다.

지금 곧 나는 포로에게로 가 사정 이야기를 들어 보기로 했다. 나는 아까 말한 괴상한 모습으로 전진했다. 프라이데이는 상당히 떨어져 내 뒤로 따라왔는데 역시 나처럼 괴상한 무장을 했지만, 괴상한 나만큼 귀신처럼 보이진 않았다.

나는 되도록 몸을 숨기고 그들에게 접근해 갔다. 그리하여 그들이 나를 알아 보기 전에 스페인 말로 소리내어 말했다. "당신들은 누구요?"

그들은 목소리에 깜짝 놀랐지만 괴상한 내 몰골을 보고 열 배는 더 놀랐다. 아무런 대답도 못하고 오히려 도망치려 하는 것 같았다. 그래서 영어로 말했다. "여러분, 놀라지 마시오. 뜻밖에 여러분의 친구가 될지 모릅니다." 한 사람이 침착하게 말했다.

"저분은 틀림없이 하나님이 직접 보낸 분입니다. 우리 궁지는 사람으로선 구할 수 없으니까요." 나는 말했다. "도움이란 모두가 하나님으로부터 오는 법이오. 여하튼, 여러분은 굉장한 곤경에 빠져 있는 것 같소. 이 낯선 내가 어떻게 도울 수 있겠소? 악당 한 놈은 당신을 죽이겠다고 칼을 휘두르더군요."

불쌍하게도 그 사람은 눈물을 주루룩 흘리면서 몸을 떨더니 얼빠진 얼굴로 "당신은 하나님이요, 사람이요? 진짜 사람이요, 아니면 천사요?" 하고 말했다. "제발 두려워하지 마십시오. 하나님이 여러분을 구하려고 천사를 보냈다면 더 좋은 옷을 입혔을 거요. 또 이런 식으로 무장하지 않았을 거요. 제발 두려움을 거두시오. 나는 사람이오, 영국 사람이오. 그리고 보다시피 여러분을 구할 준비가 되어 있소. 하인은 하나뿐이오. 그러나 무기와 화약이 있소. 우리가 당신들을 도울 수 있을지 솔직히 말해 보시오. 왜 이 지경이 되었소?"하고 나는 덧붙였다.

"사정을 말하자면 너무 길어집니다. 또 우리를 노리는 사람은 너무 가까이 있어요. 간단히 말하면 나는 저 배의 선장이오. 선원들이 반란을 일으켰소. 그들은 우릴 살려 둔다는 의견으로 기울어졌소. 마침내 여기 두 사람과 함께 이 외딴 섬에 버리고 갈 셈이지요. 한 사람은 항해사이고 또 한 사람은 선객인데 우리는 무인도에서 굶어 죽었구나 하고 체념하고 있었소. 지금도 어떻게 해야 할지 모르겠소."

"반란을 일으킨 악당들은 어디 있나요? 어디 갔는지 아시오?"

선장은 무성한 숲속을 가리키며 대답했다.

"저기에 누워 있어요. 우릴 보거나 말을 듣지 않았을까요? 가슴이 떨립니다. 만일 그렇다면 우릴 죽일 겁니다."

"그들은 화기(火器)를 가지고 있나요?"라고 물었다. 그들에게 총 두 자루가 있는데 하나는 보트에 두고 왔다고 대답했다.

"그렇다면 모든 일은 내게 맡기시오. 그들은 다 자고 있으니 죽이는 건 간단합니다. 하지만 그들을 사로잡는 것이 더 낫겠죠?"하고 물었다. 선장은 그들에게 자비를 베풀어도 안심할 수 없는 악당이 둘 있지만 나머지는 살려 준다면 모두 제 임무에 돌아갈 것으로 믿는다고 설명했다. 그 둘이란 누구냐고 물었다. 그는 멀리 떨어져 있기 때문에 누구라고 딱 가리킬 수 없다고 말했다. 그러나 내가 지시하는 명령은 무엇이든 따르겠다고 말했다.

"자, 그럼 그들이 깨기 전에 그들의 눈과 귀가 미치지 못할 곳으로 피합시다. 거기서 더 좋은 작전을 꾸밉시다."그들은 기뻐하며 나와 함께 숲으로 돌아왔다. 그들과 우리 사이에는 숲이 가려 있었다.

"여러분을 구해 줄 경우 두 가지 조건을 들어 주시겠소?"하고 물었다. 그는 내 제안을 앞질러서, 만일 배를 도로 뺏는다면 모든 것을 전적으로 내 지휘와 명령에 따를 것이고, 만일 배를 뺏지 못하면 어디든 나를 따라 생사를 같이하겠다고 말했다. 그리고 다른 두 사람도 같이 약속을 했다.

"내 조건이란 단 두 가지요." 하고 설명했다. "첫째, 여러분이 이 섬에 있는 동안은 어떠한 권력도 행사할 수 없다는 거요. 또 무기를 맡기는 경우에도 내가 명하면 돌려 주어야 하고, 나나 이 섬에 있는 재산에 피해를 주지 말아야 하고 언제나 내 명령에 복종한다는 것이오. 둘째는 배를 도로 찾게 될 경우 우리를 영국까지 거저 태워다 달라는 것이오." 그는 지극히 당연한 요구이니 응하겠다고 극진한 말로 신의를 가지고 약속했다. 게다가 나를 목숨의 은인으로서 살아 있는 한, 모든 기회에 그 사실을 공언하겠다고 덧붙였다.

"그럼, 여기 머스킷 총 세 자루와 화약, 탄환을 빌려 드리겠소. 다음엔 어떻게 하는 게 좋을지 말해 보시오." 하고 말했다. 그는 고맙다는 뜻을 거듭 밝히고 모든 일은 전적으로 내 지휘에 따르겠다고 했다. 나는 어떻게 하든 어려운 모험이지만 그래도 가장 좋은 방법이란 누워 있는 동안 일시에 사격하는 것이라고 말했다. 그리고 만일 첫번째 일제 사격으로 죽지 않은 사람들이 항복해 온다면 목숨을 구해 주되 사격의 지시는 오직 하나님 뜻에 맡기자고 제의했다.

선장은 돕기는 하겠지만 역시 그들을 살려 두고 싶다고 침착하게 말했다. 그러나 두 명은 흉악한 악인으로 반란을 일으킨 주모자들이니 만약 그들이 도망치면 배에 돌아가 선원들을 끌고 공격해 올 것이요, 우린 파멸할 것이라고 설명했다.

"그렇다면 어쩔 수 없이 내 제안대로 해야겠소. 그것만이 생명을 구할 수 있는 유일한 길이니까요." 그러나 그는 여전히 유혈(流血)을 망설이는 것 같아 나는 그들이 가서 좋도록 처리하는 게 좋겠다고 말했다.

이런 대화를 하는 사이, 누군가가 잠에서 깨어나는 소리를 들었다. 곧이어 일어나는 두 사람을 보았다. 선장에게 "저 둘 가운데 반란의 두목이 있소?"하고 물었다. "없어요." "그럼 그들은 도망가게 두어도 좋아요. 하나님이 그들을 구하려고 잠을 깨운 모양이오. 하지만 다른 놈이 도망간다면 그건 당신 책임이오."하고 말했다.

내 말에 힘을 얻은 선장은 머스킷 총을 손에 들고 권총은 허리띠에 찼다. 그의 동료 두 명도 총을 한 자루씩 들었다. 선장의 동료 둘이 앞서 갔는데 무슨 소리를 외쳤다. 이 소리에 잠이 깬 선원 하나가 몸을 돌려 우리를 보고 자기 동료들에게 큰 소리를 질렀다. 그러나 때가 늦었다. 그가 소리를 내는 순간 그들이 발포한 것이다. 하지만 선장은 현명하게도 발사하지 않고 대기하고 있었다. 그들이 겨냥한 것은 두 악당인데 정확하게 쏘아 한 명은 즉사하고 하나는 중상을 입었다. 그는 일어나 다른 동료의 도움을 청했다. 그러나 선장이 다가가더니 이제 도와달라고 해도 헛수고니 하나님께 몹쓸 짓을 용서해 주십사고 빌기나 하라면서 총대로 내려쳤다.

악당은 입을 벌리지도 못했다. 그들 일당에는 세 명이 있었는데, 그 중 한 명 역시 가볍게 부상당했다. 이때에 내가 그곳에 갔다. 그들은 위험을 깨닫고 항거해 봤자 쓸데없음을 알고 살려 달라고 빌었다. 선장은 그들에게 너희들이 범한 음모죄를 뉘우친 증거를 보이고, 배를 도로 찾고 그 후 자마이카로 돌아가는 데 충성을 다하겠다고 맹세하면 목숨을 살려 줄 수 있다고 말했다.

그 배는 자마이카에서 온 것이다. 그들은 성실을 다해 충성을 서약했다. 선장은 그 서약을 받고 목숨을 살려 줄 생각이었고, 나도 반대하지 않았다. 다만 이 섬에 있을 동안은 손발을 묶으라고 선장에게 지시했다. 이러고 있는 동안 나는 프라이네이와 선장 편 항해사를 보트로 보내어 보트를 확보하고 노와 돛을 치우라고 명령했다.

그는 명령대로 했다. 한편 다행히도 일행과 떨어져 돌아다니던 세 명이 총소리를 듣고 돌아왔다. 좀 전에는 자기들의 포로였던 선장이 이제는 정복자가 된 것을 보고, 역시 항복을 하고 손과 발을 묶였다. 그리하여 우리는 완전히 승리했다.

이런 일을 마친 후 선장과 나는 서로의 처지를 이야기했다. 내가 먼저 시작해서 지금까지 해온 생애를 전부 말했다. 그는 주의 깊게 이야기를 듣더니 감탄을 금할 수 없는 모양이었다. 특히 식량과 화약을 충분히 갖춘 방법에는 아주 놀라는 눈치였다. 사실 내 이야기는 완전히 경이에 차 있었기 때문에 깊은 감동을 주지 않을 수 없었다. 그러나 선장은 내가 그렇게 고생하며 살아온 것이 결국 그의 목숨을 살려내게 되었다는 데 생각이 미치자, 눈물을 흘리며 한마디 말도 하지 못했다. 이야기를 끝낸 뒤, 나는 그들을 데리고 집으로 돌아왔다. 나는 저장했던 식량으로 대접했다. 그리고 이곳에서 오래 살면서 연구해 만든 것을 구경시켰다.

그들에게는 보는 것, 듣는 것이 다 커다란 놀라움이었다. 무엇보다 선장은 나무를 심어 은신처를 완벽하게 위장한 요새에 감탄했다. 그 나무들은 근 20년 동안 자란 데다가 영국에서보다 훨씬 빨리 성장해서 작은 숲을 이루고 빽빽히 들어찼다. 그래서 구불구불 좁은 길을 낸 곳이 아니고는 전혀 지나다닐 수 없었다. 나는 선장에게 이곳이 내 성(城)이요, 주택이지만 다른 군주들처럼 경우에 따라 휴식할 별장이 산골짜기에 따로 있다고 말하고, 다른 기회에 보여 주마고 약속했다. 그런데 현재로서는 어떻게 배를 다시 찾느냐 하는 문제를 생각하는 일이 급했다. 선장도 내 의견과 같았다. 그러나 도대체 어떤 방법을 써야 할지 모르겠다.

배 안에는 아직 20명의 선원이 남아 있는데, 그들 모두가 저주받을 음모에 참가한, 법으로 따진다면 모두가 사형감이었다. 그러니 이제는 절망에 빠져 태도를 굳히고 있을 것이다. 그들은 가령 항복한다 하더라도 영국이나 영국 식민지 어디에든 상륙하기만 하면 곧 교수형을 받을 줄 알고 있을 것이었다. 그런 만큼 그들은 완강하게 반항할 것이며, 따라서 지금의 우리처럼 적은 숫자로 그들을 공격할 수는 없다고 말했다.

나는 잠시 선장의 말을 잘 생각해 보고, 옳은 판단이라 생각했다. 그러므로 배에 남은 도당들이 섬으로 상륙하여 우리를 섬멸시키려 하는 것을 막거나, 그들을 기습하여 함정에 빠뜨리기 위해서나 어떤 방안을 시급히 강구해야 했다. 이때 문득 이런 생각이 머리에 떠올랐다. 곧 오래지 않아 배의 승무원들은 동료의 보트가 어떻게 됐는지 궁금히 여겨 다른 보트를 타고 찾으러 올 것이다. 온다면 무장을 갖출 테고 그러면 우리로서는 감당할 수 없을 만큼 강할 것이다. 이런 생각이었다. 선장도 동의했다.

따라서 우리가 먼저 해야 할 일은 바닷가에 있는 보트에 구멍을 내어 못 쓰게 만들고, 보트에 실은 물건도 모두 꺼내어서 항해할 수 없게 하는 것이다. 이리하여 보트로 갔다. 남아 있는 무기와 모든 물건을 꺼냈다. 브랜디 한 병, 럼주 한 병, 비스킷, 과자, 약간의 화약통 하나, 그리고 돛조각으로 싼 커다란 설탕덩어리가 있었다. 설탕은 5, 6파운드쯤 되었는데 무엇보다 내게 반가웠던 것은 특히 브랜디와 술통이었다. 이런 것들은 수년 전에 다 떨어졌던 것이다. 우리는 이것들을 모두 바닷가에 꺼내놓고(노와 돛대, 돛과 키는 아까 말한 대로 숨겨 버렸다) 배 밑바닥에 커다란 구멍을 뚫었다. 그렇게 해 두면 놈들이 우리를 정복할 만큼 강하다 하더라도 보트를 옮길 수는 없을 것이다.

사실 우리는 배를 도로 찾을 자신은 별로 없었다. 그러나 그들이 이 보트를 버리고 간다면 우리가 그걸 다시 수리해서 리워 제도(諸島)로 타고 가거나, 도중에서 스페인 사람들을 찾는 것도 별로 어렵지 않으리란 것이 내 의견이었다. 스페인 사람들은 아직껏 염두에 두고 있었다.

이리하여 이런 계획을 실천에 옮기기로 하고, 우선 힘을 모아 썰물이 오르더라도 보트가 바닷물에 떠내려가지 않도록 육지 쪽으로 끌어 올렸다. 게다가, 보트 바닥에 구멍을 너무 크게 뚫었기 때문에 일이 쉽게 끝나지 않았다. 그래서 어떻게 할까 생각하며 앉아 있는데, 포소리가 들리고 배에서 돌아오라고 명령하는 신호가 펄럭거리는 게 보였다. 물론 보트가 움직이지 않았다. 여러 번 대포를 쏘며 보트를 부르는 신호를 보냈다.

신호와 포성도 효과없이, 보트는 움직일 기세를 보이지 않자 다른 보트를 내려 해변 쪽으로 노를 저어 오는 것이 쌍안경으로 보였다. 가까이 다가오는 걸 보니 보트에는 화기로 무장한 선원이 적어도 열 명은 타고 있었다.

배는 해안으로부터 불과 2리그 정도 떨어져 있었다. 그들이 가까이 오자 보트에 탄 사람의 얼굴까지 똑똑히 보였다. 조류 때문에 보트는 먼저 온 보트보다 약간 동쪽으로 흘러갔다. 그래서 그들은 처음 상륙한 지점, 지금 와 있는 바로 그 자리를 향해 젓고 있었다.

그 사이 우리는 그들 모습을 똑똑히 보았다. 선장은 배에 탄 사람들 전부의 이름, 성격까지 다 알고 있었다. 그중 세 명은 무척 충성스런 사람인데 반란 도당의 위협을 받고 겁에 질려 일당의 음모에 가담했으리라고 선장은 믿고 있었다.

그러나 그들 지휘자가 된 수부장과 나머지 무리들은 모두 선원 중 가장 난폭한 자로서 자기들에게 닥친 새로운 사건으로 의심할 여지 없는 절망적인 감정에 빠져 있고, 그렇기 때문에 그들 세력이 강할 것이라고 선장은 두려워했다.

나는 웃음을 띠며 "우리 처지에 공포로 떨 때는 지났소. 앞으로 우리가 어떤 사태를 당하든 지금껏 겪어 온 사태보다 더 나을 거요. 그 결말이 죽음이든 삶이든 하나의 구원이 될 거요." 하고 선장을 격려했다. 또 내 처지를 어떻게 생각하며, 그리고 구원을 위해 모험해 볼 가치가 있는 게 아니냐 물어 보았다. "내가 지금까지 여기서 살아 온 것이 당신 생명을 구하게 되었고, 좀 전까지 당신은 그렇게 기뻐했는데 그런 신념은 어디로 갔소? 내가 보기에는 우

302

리 계획에 곤란한 점이 한 가지 있소." 하고 내가 말했다. "그게 무엇입니까?" 선장이 물었다. "당신 말대로 저 보트에 탄 사람들 중에는 목숨을 살려 주어야 할 충성스런 사람 서너 명이 있다는 점이오. 그들이 모두 악한들이라면 하나님의 섭리가 그들을 다 보내서 당신이 깨끗이 처리하도록 해주셨다고 생각해도 좋겠지요. 이렇게 해봅시다. 상륙하는 놈은 누구든 자유로 처리할 수 있어요. 그들이 어떻게 나오느냐에 따라 살리든가 죽이든가 합시다." 활기가 있는 얼굴로 이처럼 힘차게 말하자 선장도 용기가 솟는 모양이었다. 그리하여 우리는 씩씩하게 일을 착수했다. 보트가 배에서 떠나는 걸 보았을 때, 우리 포로를 딴 곳에 가두어 두려고 했지만 사실 완전히 안전한 곳에 그들을 격리시켰었다.

선장은 다른 사람보다 안심할 수 없다고 느끼는 포로 두 명은 프라이데이와 내가 구해 준 세 명 중 하나를 붙여 내 동굴에 보냈다. 그곳은 멀리 떨어져 있기 때문에, 그들의 고함소리가 들리거나 발각될 염려도 없고, 도망칠 수 있다 하더라도 숲속을 빠져나와 길을 찾을 걱정도 없었다. 프라이데이는 포로를 가두어 두고 조용히 지낸다면 하루이틀 내에 해방시켜 주겠다고 약속하고, 만약 도망치려 한다면 사정없이 죽이겠다고 했다. 그들은 달게 이 감금생활을 받겠다고 서약하고, 음식과 촛불을 주는 등 잘 대해 주는 것을 몹시 고맙게 여겼다. 프라이데이는 그들이 편히 지낼 수 있도록 촛불을 주었던 것이다. 그들은 프라이데이가 입구에서 파수하는 줄 알고 있었다.

다른 포로들은 더 좋은 대우를 받았다. 선장이 마음놓고 신용할 수 없는 두 사람은 여전히 감시를 받았지만, 다른 두 사람은 추천도 있고, 그들 자신 우리와 생사를 같이하겠다고 서약했기 때문에 부하로 삼았었다. 그리하여 우리는 그들 두 사람과 충성스런 세 명을 합해 7명이 되었다. 또 다 무장을 하고 있었다. 선장의 말대로 보트를 탄 사람 중 서너 명쯤 충성스런 사람이 있음을 고려해서,

나는 그들 10명을 상대로 충분히 싸울 수 있다고 의심치 않았다.

그들은 먼저 보트가 있는 지점에 이르자, 자기네 보트를 육지에 대고 상륙한 다음, 보트를 땅으로 끌어 올렸다. 고마운 일이라고 생각했다. 혹, 그들이 육지에서 멀찍이 닻을 내리고, 몇 명을 보트에 남겨 둔다면 그 보트를 장악하지 못할까 걱정했던 것이다.

육지에 오르더니 그들은 우선 먼저 온 보트로 모두 달려갔다. 아까 말한 것처럼 보트 안의 물건들이 없어지고 밑바닥에 커다란 구멍이 난 것을 보고 무척 놀라는 꼴을 쉽게 볼 수 있었다.

보트가 엉망이 된 것을 보고 그들은 한동안 생각에 잠기더니 동료들이 듣는지 알아 보려는 듯 온힘을 다해 두어 번 불렀다. 그러나 아무 소용이 없었다. 그들은 둥그렇게 모여들더니 소총으로 일제 사격을 했다. 이 총소리는 물론 우리 귀에 들렸고, 그 메아리 소리가 나무를 울렸다. 그러나 그것도 마찬가지 결과였다. 굴 속에 있는 포로들은 들을 수 없었고, 우리와 함께 있는 포로들은 똑똑히 듣기는 했지만 감히 대답할 수가 없었던 것이다.

그들은 이 사태에 깜짝 놀랐다. 후에 우리에게 고백했지만, 그들은 모두 배로 돌아가서 동료들이 몰살되고, 긴 배는 구멍이 뚫렸다고 보고하기로 작정했다. 그들은 곧 보트를 바다에 띄우고 올라탔다. 선장은 이 광경을 보자 놀라고 또 낭패해 있었다. 그들이 본선으로 다시 돌아가 동료들을 포기하고 떠나는구나 추측했던 것이다. 그렇게 되면 도로 찾아야 할 배는 영영 잃어버리게 된다. 그러나 선장은 또 다시 깜짝 놀랐다. 그들이 보트로 떠난 지 얼마 안되어 곧 다시 해안으로 돌아오는 것이 보였다. 보트에서 다시 의논한 듯 그들은 태도를 바꾸어 새로운 조처를 취했다. 그 세 명은 보트에 남고 나머지는 상륙해서 자기 동료를 찾으러 육지로 올라왔다.

이걸 보자 우리는 무척 당혹해서 어쩔 줄을 몰랐다. 보트가 달아난다면 상륙한 7명을 잡아 봤자 아무 소용 없었다. 그 보트에 남은 놈들은 본선으로 도망쳐 닻을 걸고 떠나 버릴 것 아닌가. 그렇게 되면 배를 찾는 기회는 잃고 만다.

그러나 우리는 기다리며 사태의 진전을 관망할 수밖에 다른 도리가 없었다. 7명은 상륙했고 보트에 남은 3명은 육지에서 멀찌감치 떨어져 동료를 기다리기 위해 닻을 내렸다. 그래서 우리는 보트에 접근할 수 없었다.

상륙한 사람들은 내 집이 있는 언덕 꼭대기를 향해 전진했다. 그들은 우리를 알아볼 수 없었지만 우리는 그들을 똑똑히 볼 수 있었다. 우리는 내심 다행으로 여겼다. 그들이 우리에게 가까이 접근하면 그들에게 사격할 수 있고, 멀리 지나쳐 버리면 보트를 공격할 수 있기 때문이다.

드디어 언덕 벼랑에 이르렀다. 이곳은 이 섬에서 가장 낮은 지대인 북동쪽으로 뻗친 골짜기와 숲을 멀리 내려다볼 수 있는 곳이었다. 그들은 여기서 목이 쉬도록 소리를 지르며 불렀다. 해변에서 멀리 떨어지기도 했고 또 서로 모험할 생각이 더는 없는 듯, 모두들 나무 아래에 앉아서 사태를 생각했다. 먼젓번 사람들이 그랬던 것처럼 거기서 한잠 자 준다면 우리로서는 굉장한 땡이 될 것이다. 그러나 그들은 위험을 가깝게 느끼고 있는 것 같고, 무서워하는 위험의 정체를 모르니 잠을 잘 수가 없으리라.

선장은 의논하는 그들을 보고 적절한 제안을 했다. 곧 그들이 자기 동료들이 들으라고 또 한번 일제 사격을 할 것이다. 그때 총에 탄환을 재기 바로 전에 우리가 그들을 역습하자는 것이었다. 그리하여 모두 항복하면 유혈 사태에까지 이르지 않고, 포로로 잡을 수 있으리라는 것이다. 이 제안에 찬성했다. 그러나 그들이 다시 탄환을 재기 전에 그들을 습격할 수 있을 만큼 거리가 가까워야 한다는 조건이 있었다. 그러나 바라는 대로 되지 않았다. 우리는 어떤 길로 가야 할까 결정하지 못한 채, 꽤 오랜 시간을 끌었다. 마침내 내 의견으로 밤까지 기다릴 수밖에 없다고 말했다. 밤이 되어도 그들이 보트로 돌아가지 않는다면, 그들과 해안 사이로 진출해서 무슨 계략을 써서 보트에 남은 사람들을 육지로 끌어내자고 했다.

우리는 무척 지루하긴 했지만 그들의 움직임을 관망했다. 그러나 그들이 오랫동안 의논하고 나서 모두 바다 쪽으로 내려가기 시작한 것을 보자 매우 불안했다. 그들이 이 섬은 위험하여 무슨 변을 당할까 몹시 두려워했기 때문에 본선에 돌아가 동료들은 실종된 것으로 단념하고, 예정된 항해를 계속하자고 결정한 것 같았다.

그들이 해변 쪽으로 가는 것을 보자 이제는 수색을 포기하고 배에 돌아가려는 것이라고 추측했다. 사실 그러했다. 내 예감을 선장에게 말하자 기가 푹 죽었다. 하지만 그들을 다시 끌어들일 계책이 머리에 떠올랐다. 그리고 계책은 멋지게 성공했다.

나는 프라이데이와 선장의 부하인 항해사에게, 작은 갯가를 건너 야만인들이 상륙하여 프라이데이를 죽이려 하던 그곳을 향해 서쪽으로 가라고 명령했다. 반 마일쯤 떨어진 약간 높은 둔덕에 이르면 마음껏 큰 소리를 질러 선원들이 이 소리를 듣고 응답할 때까지 기다리기로 했다. 선원들이 응답하면 다시 환호로 대답한 후, 몸을 숨겨 선원들의 소리에 계속 응답하면서 그들을 육지와 숲속으로 깊숙히 유인하고 내가 지시한 길로 멀리 돌아서 오라고 명했다.

선원들이 막 보트에 오르려 할 때, 프라이데이와 항해사는 소리를 질렀다. 선원들은 이 소리를 듣자 곧 대답을 하며 소리가 들린 곳을 향해 서쪽 해안을 따라 달려갔다. 갯가에 이르자 그들은 걸음을 멈추었다. 조수로 물이 불어서 건너갈 수가 없었던 것이다.

그들은 보트를 불렀다. 내가 바라는 것이었지만 보트로 강을 건넌 후, 강 안쪽으로, 이를테면 항구 같은 곳으로 보트는 깊숙히 들어갔고, 배에 남았던 세 사람 중 한 명을 같이 데리고 나섰다. 이제 보트는 두 사람이 남아 배를 강둑의 작은 나무 그루터기에 매었다.

이것은 바로 내가 바라던 것이었다. 나는 프라이데이와 선장의 부하인 항해사를 남겨두고 즉시 나머지 전부를 이끌고 그들이 보지 못하게 갯가를 건너 알아채기도 전에 기습했다. 그들 두 사람 중 하나는 강가에 누워 있었고, 또 한 명은 보트 안에 있었다. 강가에 있던 녀석이 잠이 들락말락하다가 깜짝 놀라 일어서려 했다. 선두에서 달리던 선장은 달려들어 한 대 쳐서 쓰러뜨린 다음, 보트 안에 있는 녀석에게 항복하지 않으면 죽인다고 소리를 질렀다.

단 한 놈을 항복하도록 설득하는 데 시간이 오래 걸리지 않았다. 다섯 명이 공격하였고 동료는 쓰러진 데다가 그는 반란에 가담하고 싶어하지 않은 선원 중의 하나였던 모양이다. 그는 순순히 항복했을 뿐 아니라, 앞으로 충성을 바치겠다고 하고 우리 편에 가담했다.

그 동안 프라이데이와 항해사는 자기네 일을 훌륭하게 다했다. 그들은 이 언덕에서 저 언덕으로, 이 숲에서 저 숲으로 소리를 질러 부르거니 대답하거니 선원들을 유인했다. 마침내 선원들은 무척 피로했을 뿐 아니라, 보트로 돌아간다 하더라도 날이 어둡기 전에는 보트에 돌아갈 수 없을 만큼 멀리 유인되었다. 사실 프라이데이도 우리 쪽으로 돌아왔을 때는 무척 지쳐 있었다. 이젠 어둠 속에서 그들을 지키다가 그들이 오면 습격하고 확실하게 쳐부수는 외에 할 일이 없었다.

프라이데이가 나에게 돌아온 지 몇 시간 후에야, 선원들도 보트로 돌아왔다. 앞선 놈이 뒤따라 오는 동료들에게 빨리 오라고 외치는 소리가 아까부터 들려오고 있었다. 다리가 아프고 피로해서 더 걷지 못한다든가 빨리 갈 수 없다든가 불평하고 대답하는 소리도 들려 왔다. 그것은 아주 반가운 소식이었다.

마침내 보트에 돌아왔지만 조수가 빠져 보트는 갯가 감탕에 묻혀 꿈쩍하지 않는 데다가, 동료 두 사람마저 없어진 것을 보고 낭패해하는 모습은 도저히 묘사할 수 없다. 그들이 서로 비통한 음성으로 서로 부르면서, 마법(魔法)의 섬에 왔군, 하고 지껄이는 소리가 들렸다. 이 섬에는 원주민이 있어서 그들에게 모두 살해되었거나 아니면 악마와 귀신이 있어서 모두가 끌려가 잡혀 먹혔을 것이라고 아우성치고 있었다.

그들은 다시 큰 소리를 지르며 두 동료 이름을 여러 차례 불렀다. 그러나 아무 대답도 들리지 않았다. 조금 지나자 절망에 빠진 사람처럼 두 손을 잡고 헤매는 모습이 희미한 빛을 통해 보였다. 그들은 몇 번이나 보트에 가 쉬기도 하고, 다시 땅에 내려 걷기도 하곤 했다.

내 부하들은 어둠 속에서 그들을 일거에 습격하도록 허락해 주었으면 하고 바라고 있었다. 그러나 나는 보다 유리한 기회를 노리고 있었다. 되도록 그들을 살려 주고 싶었고 살상은 최소한 줄이고 싶었다. 특히 그들은 무장을 갖추었기 때문에 우리 편이 죽는 모험을 피하고 싶었다. 나는 그들의 분산을 기다리고 있었다. 기회를 잘 이용하고 적정을 정확히 살피기 위해 더 가까이 복병을 시키고, 프라이데이와 선장에게 들키지 않도록 땅에 바싹 엎드려 기어서 그들이 총을 쏘기 전에 덤벼들 수 있도록 접근하라고 지시했다.

프라이데이와 선장이 그런 태세를 취한 지 오래잖아 반란의 주모자로, 지금 누구보다 맥이 빠져 기가 꺾여 있는 수부장이 두 선원과 함께 그들 쪽으로 걸어왔다. 악당의 괴수를 자기 손으로 잡으려고 마음먹은 선장은 수부장의 말소리가 들릴 만큼 가까이 다가오자, 더 기다릴 수 없던 모양이었다. 그들이 가까이 오자 선장과 프라이데이가 벌떡 일어나 달려들었다.

수부장은 즉사했다. 또 한 사람은 몸에 탄환을 맞고 수부장 옆에 쓰러졌는데 한두 시간 후에야 숨을 거두었다. 세번째 사람은 그 사이에 도망쳤다.

총소리가 나자 나는 이제 8명이 된 전군(全軍)을 이끌고 돌진했다. 총사령관은 나 자신이고 부관은 프라이데이며 그밖에 선장과 그의 동료 두 사람, 그리고 이제는 무기까지 준 포로 세 명이었다.

우리는 어둠을 타서 습격했다. 그러니 그들은 우리의 병력을 알 수 없었다. 보트에 남아 있다가 이제는 우리 편이 된 선원에게 그들의 이름을 부르라고 명했다. 그들과 담판해서 우리가 내세운 조건으로 항복받을 생각이었다. 사실 지금 그들이 놓인 사태로 봐서는 항복을 원하지 않을 수 없었다. 내가 시킨 대로 그 포로는 큰 소리로 한 사람의 이름을 불렀다. "톰 스미스! 톰 스미스!" 톰 스미스는 곧 "누구야! 로빈인가!" 하고 대답했다. 그는 목소리만 듣고 누구인지 아는 모양이었다. "그래, 무기를 버리고 항복해라. 톰 스미스, 그렇지 않으면 당장 죽는다."

"누구한테 항복하란 말이야? 상대는 어디 있어?" 톰 스미스가 다시 물었다. 로빈슨이 대답했다. "여기들 있어. 선장과 부하 50명이 두 시간 전부터 너희들을 찾고 있었어. 수부장은 살해되었고 윌 프라이는 부상했어. 나도 포로가 됐네. 항복하지 않으면 모두 목숨을 잃는다."

"우리가 항복하면 목숨은 살려 줄까?" 톰 스미스가 물었다.

"항복한다고 약속하면 가서 물어 보겠네." 하고 로빈슨이 대답했다. 그래서 로빈슨이 선장에게 청하자, 선장 자신이 큰 소리로 외쳤다. "스미스, 내 목소리를 알겠지? 곧 무기를 버리고 항복해라. 윌 에킨즈만 빼고는 모두 살려 주겠다."

이 말을 듣자 윌 에킨즈가 큰 소리로 외쳤다. "제발 선장님, 내 목숨을 살려 줍쇼. 제가 무슨 짓을 했습니까? 제가 나쁘다면 모두가 다 나쁜 놈입죠." 아무튼 이 말은 사실이 아니었다. 선원들이 반란을 일으킬 때, 맨 먼저 선장을 붙들어매고 두 손을 묶는 등 잔인하게 다루고 욕지거리를 한 사람이 바로 이 윌 에킨즈인 모양이었다. 그러나 선장은 그에게 무조건 무기를 버리고 총독의 자비를 빌라고 명령했다. 총독이란 바로 나 자신을 가리키는 것인데, 그들 모두가 나를 총독이라고 불렀다.

이 한 마디로 그들은 모두 무기를 버리고 살려 달라고 빌었다. 나는 담판을 벌인 사내와 다른 두 사람을 보내어 모두를 묶게 했다. 그런 후 50명의 대부대라고 했지만 그들을 묶던 세 사람을 포함해서 단 8명에 불과한 우리는 달려들어 모두를 보트에 수용했다. 오직 나와 또 한 사람만이 위엄을 보존하려고 그들 앞에 모습을 보이지 않았다.

다음에 할 일은 보트를 수리하고 배를 빼앗을 궁리를 짜는 것이었다. 선장은 선장대로 항복해 온 부하들과 이야기할 여유가 생겼다. 자기에게 한 무도한 짓과 음모의 흉악한 결과에 대한 바른 충고를 하면서 결국은 비참한 결과를 자초하고, 어쩌면 교수형까지 받게 되리라고 설득했다.

그들은 몹시 회개하는 모습으로 목숨만은 살려 달라고 열심히 빌었다. 그러나 선장은 말했다. "너희들은 내 포로가 아니라 이 섬 지배자의 포로다. 너희들은 나를 황폐한 무인도에 정배를 보냈다고 하겠지만 사실은 하나님의 뜻이랄까, 이 섬엔 사람이 살고 있었고 총독은 영국 사람이다. 그가 원한다면 모두 교수형이 될 수도 있다. 그러나 총독은 너희들을 모두 살려 영국으로 보내서 마땅히 법의 심판을 받도록 할 모양이다. 단지 에킨즈만은 예외인데 총독께서 내일 아침 교수형을 집행할 터이니 죽을 준비를 하라고 지시하셨다."

이 말은 모두 자기 멋대로 꾸며낸 말이지만 바라던 효과가 나타났다. 에킨즈는 무릎을 꿇고 총독님께 자기 목숨을 살려 주도록 중간에 들어서 잘 말해 달라고 빌었다. 그리고 나머지 선원들도 모두 제발 자기들을 영국으로 데려가는 것만은 말아 달라고 선장에게 간청했다.

배를 점령하다

바야흐로 우리의 구출이 이루어질 때가 왔다는 기분이 들었다. 그리고 그들과 협력하면 배를 회수하는 일도 한결 쉬우리라 생각되었다. 우선 나는 어둠 속에 몸을 숨겨 선원들이 받들어야 할 총독이 어떻게 생겼는지 보지 못하게 했다. 선장을 부를 때에도 멀리서 부르는 것처럼 부하 한 명을 시켜 말을 전했다. 그러면 그가 선장에게 "선장님, 총독께서 부르십니다."라고 말한다. 선장은 즉시 "곧 뵙겠다고 각하께 여쭈어라."고 대답한다. 이 연극은 완벽하게 성공했고, 그래서 선원들은 내가 50명의 부하를 거느리고 있는 것으로 믿었다.

선장이 오자, 나는 배를 점령할 계획을 설명했다. 그는 몹시 마음에 들어 계획에 찬동하고 내일 아침 수행하기로 작정했다.

그러나 이 계획을 실수 없이 보다 교묘하게 수행하기 위해서 포로들을 분산시켜야 한다고 선장에게 말하고, 선장이 가서 에킨즈와 가장 흉악한 두 놈을 묶어 가지고 다른 포로가 있는 동굴에 가두도록 일렀다. 이 일은 선장과 함께 상륙했던 두 사람과 프라이데이가 맡아서 처리했다.

그들은 포로들을 감옥, 그러니까 내 동굴로 이송했다. 이곳은 원래 음침한 곳인데 특히 이처럼 곤궁에 빠진 포로들에게는 더욱 으

스스한 기분이 들 만한 곳이었다.

나머지 포로들은 오두막집으로 데려가도록 지시했다. 이곳에 대해서는 이미 충분히 설명한 바 있다. 둘레에 울을 친데다가 포로들은 묶여 있기 때문에 매우 안전하리라고 생각되었다. 더욱 그들은 근신중이었다.

다음날 아침 선장을 보내서 포로들과 담판을 시켰다. 요컨대 본선을 기습하는 작전에 안심하고 그들의 도움을 받을 수 있을는지 알아서 보고하라는 것이다. 선장은 포로들에게 자기에게 입힌 손해와, 그들이 놓여 있는 입장을 말하고, 총독은 지금 우선 목숨은 살려 두었지만, 만일 영국으로 송환되면 틀림없이 모두가 쇠사슬로 교수형에 오르게 된다. 그러나 본선을 도로 찾는 의로운 계획에 참가한다면 총독에게 잘 말해서 용서를 받아 주겠다고 말했다.

이런 상태에 놓인 사람이라면, 이런 제안을 기쁘게 수락하리라고 누구나 추측할 것이다. 그들은 선장 앞에 엎드려 무릎을 꿇고 마지막 피 한 방울까지 아끼지 않고 충성을 다하겠고, 자기들 목숨을 구한 것은 선장이니 세계 어디든 따라가 목숨이 붙어 있는 한 생명의 아버지로 섬기겠다고 충성스레 약속했다.

"그렇다면 총독께 가서 너희들이 한 말을 전하고, 너희 청의 허락을 받도록 애쓰겠다."고 선장은 대답했다. 그 후 그는 포로들의 심경을 내게 보고하면서, 그들은 충성을 다할 것으로 믿는다고 덧붙였다.

그러나 우리는 이 일을 안전하게 해야 했다. 나는 다시 포로들에게 돌아가서 그 중 5명만 추려내고, 사람이 모자라지는 않지만 너희들 다섯 명의 충성심에 대한 볼모로 그대로 둔다, 만일 이 다섯 명이 계획을 실천하는데 배신이라도 한다면 볼모 다섯 명은 해변에서 교수형에 처하겠다고 선장에게 말했다.

이것은 가혹하게 보였다. 그래서 총독의 결심이 확고하다는 것을 그들에게 깨닫게 했다. 그들은 이것을 받아들일 수밖에 없었다. 선

312

장은 물론 5명의 포로도 맡은 바 임무를 다해달라고 석방되는 5명에게 다짐했다.

이리하여 출정할 우리 병력은 다음과 같이 결정되었다. 첫째 선장, 항해사, 승객. 둘째 첫 포로들 중 선장으로부터 보증을 받고 내가 자유를 주어 무기까지 지니게 한 2명. 셋째 지금껏 오두막집에 감금해 놓았지만 선장의 요청으로 석방한 포로 2명. 넷째 마지막으로 석방한 5명. 그리하여 원정군은 모두 12명이 되었고, 그밖에 동굴에 감금한 5명의 포로와 2명의 인질이 있었다.

나는 선장에게 이 병력으로 배에 올라 공격할 자신이 있느냐고 물었다. 나와 하인 프라이데이는 이 원정에 참가하지 않는 것이 타당하다고 생각했다. 섬에는 포로가 7명이나 남아 있으니 이들을 분산시켜 파수를 보고, 음식을 먹이는데 우리 두 사람의 손이 필요했다.

동굴에 감금한 5명의 포로는 엄중히 감시하기로 했지만 프라이데이가 하루 두 번씩 음식을 갖다 주었다. 그리고 내가 다른 두 포로의 음식을 일정한 거리까지 갖다 놓으면 프라이데이가 그것을 받아 그들에게 갖다 주기로 했다.

나는 선장과 함께 두 명의 인질 앞에 내 모습을 나타냈는데, 그때 선장은 그들에게 나는 총독께서 감시를 위해 보낸 사람인데 그의 지시 없이는 꿈쩍도 하면 안 된다, 총독의 명령이다. 만일 지시 없이 움직이면 성 안으로 끌고 가 쇠사슬로 매어 둔다고 말했다. 이리하여 이들은 내가 총독이 아니라고 생각하게 되었기 때문에 나는 나 아닌 다른 사람으로 그들을 대하여 총독과 수비대, 성 등에 관해서 그들에게 기회 있을 때마다 이야기해 주었다.

선장이 이제 해야 할 일은 두 적의 보트에 장비를 갖추는 것이었는데 한 척은 뚫어진 구멍을 막고, 그리고 두 척에 인원을 배치해야 했다. 그는 자기 배의 승객이었던 사람을 보트의 선장으로 삼고 네 명의 부하를 주었다. 그리고 그 자신과 항해사 및 5명의 선원이

다른 보트에 탔다. 그들은 용의주도하게 일을 진행하여 한밤중에 본선을 항해 떠났다. 소리를 지르면 본선에서 들을 만큼 가까이 접근하자, 선장은 로빈에게 명하여 소리를 질러 본선에 탄 사람을 부른 후 동료들과 보트를 무사히 구출했지만, 찾아내는 데 시간이 오래 걸렸다는 등으로 설명하게 했다. 이렇게 이야기로 시간을 끌면서 선장의 보트는 갑판 옆으로 다가갔다. 보트가 갑판에 닿는 순간 선장과 항해사가 무기를 들고 먼저 뛰어들어 머스킷 총의 개머리판으로 이등 항해사와 배 목수를 쳐서 체포하고 갑판 아래 있는 사람들이 올라오지 못하도록 승강구의 뚜껑을 닫아 잠그었다.

이러는 동안, 또 다른 보트에 탔던 사람들은 닻줄 쪽으로 들어가 배의 앞 갑판과 요리실로 들어가는 승강구를 장악하여 거기에 있던 3명의 적을 포로로 잡았다. 첫 공격은 끝났고 갑판을 완전히 점령했다. 선장은 항해사에게 부하 세 명을 데리고 뒷 갑판실로 돌진하라고 명령했다. 거기에 누워 있던 반란자의 새 선장이 깜짝 놀라두 명의 부하와 한 명의 급사에게 총을 주고 기다리고 있었다. 항해사가 쇠뭉치로 문을 부수고 뛰어들자, 반란 선장과 그 부하들은 대담하게 총을 쏘았다. 그리하여 항해사는 팔에 총을 맞았고 다른 부하도 상처를 입었으나 죽은 사람은 없었다.

항해사는 원조를 청하면서 부상한 몸으로 뒷 갑판실에 뛰어들어가 권총으로 새 선장의 머리를 꿰뚫었다. 탄환은 그의 입으로 들어가 한쪽 귀 뒤로 나왔다. 입 벌릴 틈도 없이 즉사했다. 나머지 부하는 이 광경을 보자 항복했다. 더 인명 손실이 없이 이제 배를 완전히 장악했다. 이렇게 하여 배를 확보하자 선장은 나와 약속했던 신호대로 7발의 총을 쏘아 자기가 성공했음을 알려 주었다.

새벽 두시 가까이까지 해변에 앉아 대기하던 내가 이 총소리를 듣고 얼마나 기뻐했을 것인가 능히 상상할 수 있으리라.

이 신호를 똑똑히 들은 후, 나는 그대로 드러누웠다. 그날 하루가 무척 피로한 날이었기 때문에 곧 깊은 잠에 빠져 들어갔다. 그러다가 총소리를 듣고 깜짝 놀라 벌떡 일어났다. "총독, 총독." 나를 부르는 소리가 들렸다. 그는 선장이었다. 내가 언덕 꼭대기에 올라가자 배를 가리키며 나를 안았다. "내 친구요, 생명의 은인인 당신의 배가 저기 있소. 저 배는 당신 것이고, 또 우리도, 배 안의 모든 것도 당신 거요." 나는 눈을 돌려 배를 보았다. 배는 해변에서 반 마일 남짓한 거리에 정박해 있었다. 선장 일행이 배를 점령하자 곧 닻을 올리고 때마침 맑은 날씨를 이용해서 강 어구로 배를 몰아 닻을 내린 것이었다. 마침 만조였기 때문에 선장은 내가 처음 뗏목으로 상륙한 지점 근처에 쾌속정을 타고 바로 내 집 입구에 상륙한 셈이었다. 처음에 나는 깜짝 놀라 털썩 주저앉을 뻔했다. 만사가 형통하였고 가고 싶은 곳이면 어디든지 실어다 줄 커다란 배가 있었다.

정말 내 구조는 바로 눈앞에 있었다. 잠시 동안 선장에게 한 마디 말도 할 수 없었다. 그가 나를 안아 주었기에 망정이지, 그렇지 않았더라면 땅바닥에 털썩 주저앉았을 것이다.

내가 받은 충격을 보고, 선장은 곧 주머니에서 병을 꺼내 나를 위해 일부러 가지고 온 강심주 한 잔을 권해 주었다. 술을 받아 마신 후 땅에 주저앉았다. 그래서 다시 정신이 들기도 했지만 한참 지나서야 말을 걸 수 있었다.

그 동안 선장 자신도 나처럼 무아지경에 있었다. 나와 같은 충격 때문은 아니었다. 그는 갖가지 따뜻한 말로 나를 가라앉히고 기운을 차리게 했다. 그러나 환희가 홍수처럼 솟아 정신은 오히려 커다란 혼란 속에 빠졌다. 마침내 눈물이 터지고 얼마 후에야 입을 열어 말을 할 수 있었다.

이번에는 내가 나의 은인으로서 선장을 포옹하며 함께 기쁨을 나누었다. 나는 당신이야말로 나를 구하기 위해 하늘에서 보낸 사람이다, 이 모든 일은 기적의 연속으로 이루어진 것이다, 이와 같은 일이야말로 세상을 지배하는 보이지 않는 하나님의 섭리가 있다는 증거이고 무한한 하나님의 전능한 눈길이 세계 구석구석까지 찾아다니며, 원하실 때마다 비참한 사람들에게 도움을 보내는 증거임이 분명하다고 감격했다.

나는 하늘을 우러러 진심으로 하나님께 드리는 감사를 잊지 않았다. 이처럼 황량하고 외로운 처지에 놓인 사람에게 먹을 것을 마련해 주시는 기적을 베풀었을 뿐 아니라, 모든 구원이라고 고백하지 않을 수 없는 하나님께 어찌 감사를 다하지 않을 수 있겠는가.

얼마 동안 이야기를 나누고 나서 선장은 선물을 좀 가져왔다고 했다. 그것은 배에 있던 것인데 오랫동안 배를 점령한 악당들의 약탈을 면한 것이었다. 이 말을 하고 선장은 큰 소리로 보트 쪽의 부하에게 총독을 위해 마련한 것을 배에서 내려 가져오라고 명령했다. 그것은 사실 멋진 선물이었다. 따라서 그들과 함께 배를 탈 사람이 아니라 이 섬에 여전히 남아서 살게 될 사람에게 보내는 선물인 것 같았다.

첫째, 극상품 강심주가 든 술 상자, 마데이라 포도주가 든 2쿼터들이의 커다란 술병 여섯, 극상품 담배 2파운드, 쇠고기 1파운드, 돼지고기 여섯 덩이, 그리고 완두콩 한 포대와 비스킷 1백 파운드였다. 선장은 또 설탕 한 상자, 밀가루 한 상자, 레몬이 가득 든 포대 한 자루, 라임 주스 두 병, 기타 많은 물건을 선사했다. 그러나 내게 선물한 것 중 이보다 수천 배 쓸모 있는 것은 깨끗한 새 셔츠 6벌, 훌륭한 목도리 6벌, 장갑 두 켤레, 구두 한 켤레, 모자, 양말 한 켤레, 그리고 약간 낡기는 했지만 자신이 입던 훌륭한 의복 한 벌이었다. 요컨대 머리끝에서 발끝까지 옷을 완전히 새로 입혀 준 것이었다.

누구나 상상할 수 있겠지만, 나와 같은 처지에 있던 사람으로서는 몹시 훌륭하고 마음에 드는 선물이었다. 그러나 이런 옷을 처음 입을 때의 기분이란 정말 이렇게 답답하고 세상에 거북살스러운 것이 또 있을까 생각되었다. 이렇게 선물 기증식을 끝내고 훌륭한 물품들을 내 작은 집에 옮겨 놓은 후, 우리는 감금한 포로를 어떻게 처리할 것인가를 의논하기 시작했다. 그들을 데리고 항해를 떠날 것인가 하는 점은 심사숙고해야 했고, 특히 가장 악질이라고 할 두 명이 문제였다. 선장은 두 놈은 극악무도한 놈들이니 친절히 대할 필요가 없고, 가령 데리고 간다 하더라도 범인으로서 쇠 수갑에 채워 맨 먼저 들르는 영국 식민지의 사직 당국에 인계하는 것이 좋겠다고 말했다. 선장 자신이 그러기를 바라는 눈치였다.

선장의 의견을 듣고, 선장이 바란다면 문제의 두 사나이를 설득해서 이 섬에 남아 있도록 자원하게 하는 것이 좋겠다고 말했다. 선장은 "참 그게 좋겠습니다." 하고 대답했다.

"그럼 두 사람을 불러 오시오. 내가 말해 보겠소." 나는 프라이데이와 두 인질, 곧 동료들이 약속을 성실히 이행하여 이제는 석방된 볼모를 시켜 동굴로 가서 묶여 있는 5명의 포로를 오두막집으로 옮기고 내가 갈 때까지 기다리게 하라고 명령했다.

얼마 후 나는 새옷을 갈아 입고 그리로 갔다. 나는 다시 총독이 되었다. 모두 모아 놓고 선장도 옆에 앉힌 후, 문제의 악당들을 끌어오게 했다. 나는 엄숙히 말했다.

"너희들이 선장에게 얼마나 나쁜 짓을 했는가는 다 알고 있다. 배를 빼앗고 약탈을 자행했다. 하나님의 섭리는 무서운 것이다. 스스로 놓은 덫에 걸렸고, 남을 위해 팠던 무덤에 스스로 빠지게 되었다. 그러나 내 지휘로 배는 나포되었고 이제 출항할 참이다. 너희들이 추대한 선장은 악생의 대가를 어떻게 받았는지 곧 알 것이다. 돛 가름대 끝에 목을 매단 저 선장 꼴을 보라. 그런데 너희들에 관한 것이지만 내게 집행할 직권이 있다는 것을 의심할 바 없거니와, 현행범으로 해적을 처형할 수 있다. 거기에 대해 무슨 이의가 있느냐?"

그러자 한 사내가 일동을 대표해서, 이의가 있을 턱이 없지만, 자기들이 체포될 때, 선장은 목숨을 살려 주겠다고 약속했으니,

"진심으로 총독의 자비심에 애원합니다."고 했다. 그러나 나는 어떤 자비를 보이면 좋을 것인지 알 수가 없다고 말하고 다음과 같이 선언했다.

"나는 부하들을 데리고 이 섬을 떠나 선장과 함께 영국으로 가기로 했다. 선장 자신은 반란과 배를 약탈한 죄로 포로를 쇠 수갑에 채워 영국으로 이송할 수밖에 없고, 결말은 단두대에 오르는 것뿐이라고 한다. 그러므로 어떤 것이 가장 좋은 길인지는 모르겠지만 너희들은 이 섬에 남아서 운명을 하늘에 맡겨 보는 것이 어떻겠는가. 만일 그것을 바란다면 허락하고 싶다. 이 섬은 자유로 살 수가 있으니 섬에서 살 생각이 있다면 목숨을 살려 줄 용의가 있다."

그들은 이 제의를 무척 고마워하는 눈치였다. 그리하여 영국에 이송되어 처형되느니보다, 차라리 여기에 남아 살겠다고 말했다. 그것으로 이 문제는 결말을 보았다.

그러나 선장은 이러한 처리를 언짢아하는 듯한 표정을 지었다. 그래서 나는 좀 화난 표정으로 선장에게 말했다. "이들은 내 포로이지 선장의 포로가 아니오. 은혜를 베풀겠다고 했으니 그대로 실천하겠소. 만일 선장에게 이의가 있다면, 그들에게 자유를 주어 석방하겠소. 그것이 곤란하다면, 그들을 잡을 수 있다면 잡아 보오." 이 말에 그들은 무척 감사하는 모습이었다. 이리하여 나는 그들을 석방하고 지금까지 있던 숲속으로 돌아가라고 명령했다.

그리고 그들이 원한다면 총과 화약을 조금 남겨 두고 또 어떻게 하면 편히 살 수 있는가 하는 방법을 가르쳐 주겠다고 말했다.

그 후 나는 배에 탈 준비를 했는데, 선장에게 오늘은 짐을 꾸리기 위해 섬에서 머물 것이니, 그 동안 선장은 배로 돌아가서 만반의 준비를 갖춘 후 내일 보트를 보내 달라고 부탁했다. 그리고 배에 돌아가면, 여기 남을 포로들이 볼 수 있도록 죽은 새 선장의 목을 돛대끝에 매달라고 지시했다.

선장이 떠나자, 나는 섬에 남을 포로들을 불러 그들이 놓여 있는 상황에 대해 진지하게 말을 주고 받았다. "너희들은 바른 선택을 했다. 만일 선장에게 끌려 가면 틀림없이 교수형감이 될 것이다." 그들에게 돛대 끝에 매달린 새 선장의 목을 가리키며 "너희도 저렇게 될 운명에 있었다."고 말해 주기도 했다.

그들은 모두가 달게 이 섬에 남겠다고 선언하였다. 나는 이 섬에서 살아온 경위를 이야기했다. 이곳에서 편하게 생활하는 방법을 설명했다. 이러는 동안에 이 섬에 오게 된 전후 경위와 요새를 구경시키고 빵을 만들고 곡식을 심고 건포도를 만드는 방법 등 요컨대 살림에 필요한 일을 모두 가르쳐 주었다. 그리고 앞으로 이 섬에 오게 될 16명의 스페인 사람에 관해서도 이야기하고, 그들에게 전할 편지를 남기기로 하고서 스페인 사람들에게 자기 자신과 똑같은 대우를 하겠다는 약속을 받았다.

나는 그들에게 머스킷 총 다섯 자루와 새총 세 자루, 칼 세 자루 등 갖고 있는 무기를 주었다. 화약은 한 통 반 이상 남아 있었는데 처음 1, 2년이 지난 후부터는 별로 쓰지도 않았고, 낭비도 하지 않았던 것이다. 염소를 기르는 방법과 젖을 짜는 법, 살찌게 하는 법, 버터와 치즈를 만드는 법도 설명했다.

이처럼 내가 할 말은 다 자세히 이야기해 주었다. 그리고 내 자신 무척 갖고 싶었던 화약 두 통과 야채 씨를 선장에게 부탁하여 얻어 주겠다고 말했다. 또한 선장이 먹을 선물로 준 완두콩 자루도 주기로 하고 이것을 꼭 심어서 더 많이 거둬들이라고 권했다.

이런 일을 모두 마치고, 이튿날 그들을 남겨둔 채 배에 올랐다. 곧 출발할 준비는 되어 있었지만 그날 밤 닻을 올리지 않았다. 다음날 아침 일찍, 섬에 남아 있는 5명 중 2명이 헤엄을 쳐서 배 옆으로 와, 아주 비통한 음성으로 다른 세 사람에 대한 불평을 늘어놓으면서, 그들에게 잡혀 죽을 지경이니 구해 달라고 애걸했다. 뒤에 교수대에 오른다 하더라도 배에 태워 달라며 선장에게 하소연했다.

이 호소를 받자 선장은 내 허가 없이는 아무런 결정도 내릴 수 없는 척하며 까다롭게 군 후, 그들이 엄숙하게 개심할 것을 서약하였으므로 배에 오르게 했다. 그리고 얼마 동안 늘씬하게 매질을 하고 거기다 소금을 비벼 벌을 주었다. 그 후 그들은 아주 성실하고 얌전한 인간이 되었다.

이런 일이 있은 지 얼마 후 바다가 밀물이 되자, 섬에 남아 있는 무리에게 약속한 물건을 실은 보트를 해안으로 보냈다. 내 알선으로 선장은 그들의 옷장과 옷을 추가해서 보내 주었다. 그들은 이 물건들을 받고 무척 고맙게 여겼다. 나는, 또 혹 이 근처로 배를 보낼 기회가 생기면 그들을 잊지는 않겠다고 말하여 그들의 기운을 북돋아 주었다. 이 섬을 떠날 때 손수 만든 커다란 염소 가죽 모자와 양산, 그리고 앵무새 한 마리를 배에 실었다. 또한 전에 말한 돈과 난파선 스페인의 조난선에서 발견한 돈도 잊지 않았다. 이 돈들은 오랫동안 쓰지 않은 채 그대로 두었기 때문에 녹이 슬고 변색해서 다시 닦아 제 빛을 내기 전에는 은으로 보이지 않을 정도였다.

내가 이 섬을 떠난 것은 배에 있는 달력으로 알았지만 1681년 12월 19일, 곧 28년 2개월 19일 만이었다. 살리의 무어인으로부터 커다란 배를 타고 도망간 때와 같은 달, 같은 날에 이 두번째 감금으로부터 해방되는 것이었다.

이 배를 타고 오랫동안 항해한 끝에 1687년 6월 11일, 35년 만에 영국에 도착했다. 영국에 돌아와 보니 전에는 한 번도 와본 일이 없는 세상에 처음 온 듯, 나는 완전한 이방인이었다. 돈을 맡겼던 은인이자 정직한 후견인이었던 부인은 거듭 불운에 빠진데다가 두번째 과부가 되어 몰락했다. "빚진 돈을 갚지 않아도 좋습니다." 하고 그녀를 위로하여 안심시켰다. 뿐만 아니라 옛날 돌봐주고 친절히 대해준 것에 대한 감사로 당시 내 형편이 허용하는 한 약소하지만 밑천을 떼어 보태 쓰게 해주었다. 전에 베풀어 준 친절을 결코 잊지 않겠다고 거듭 위로했다. 사실 뒷날 도울 수 있을 만한 여유가 생겼을 때 잊지 않고 도와 주었다. 그 이야기는 그때 가서 설명하겠다.

그 후 요크셔로 내려갔다. 아버지는 돌아가셨고 어머니와 다른 가족들도 모두 별세했다. 오직 두 누이동생과 남동생의 두 아들만이 살아 있어 만날 수 있었다. 집에서는 내가 오래 전에 죽은 것이라 생각하였고 따라서 돌아올 유산도 없었다. 요컨대 도와줄 사람도, 도움받을 사람도 없었다. 내가 가진 적은 돈으로는 안정된 생계도 유지할 수 없는 정도였다.

    그런데 뜻밖에 감사의 표시를 받게 되었다. 그것은 다행히도 화물과 함께 구해준 배의 선장이었는데 그는 어떻게 해서 인명과 배를 구해 주었는가를 선주에게 소상히 보고를 했다. 선주는 관계 무역상과 함께 나를 초대했다. 그들은 내 행위를 굉장히 칭찬하고 거의 백 파운드나 되는 돈을 선사했다. 그러나 지금의 처지로 비추어 보아 가진 돈으로는 앞으로 정착해서 살기 힘들다는 점을 거듭 생각한 끝에, 리스본에 가서 브라질의 농장이 어떤 상태로 있으며 동업자는 어떻게 되었는가 정보를 얻어 보기로 했다. 동업자는 지금 내가 죽었으리라고 생각하고 있을 것이다.

    이런 생각을 하고는 다음해 4월 배를 타고 리스본에 도착했다. 프라이데이는 가는 곳마다 충실하게 따라다니면서 가장 충성스런 일꾼임을 보여 주었다.

재산을 도로 찾다

 리스본으로 오자, 사방을 수소문하여 처음 아프리카 연안에서 나를 구조해 준 배의 친구를 찾아냈다. 이 옛 친구를 만난 것은 무척 다행스러웠다. 지금은 늙은 노인이 되어 배를 타는 일에는 은퇴하고, 상당한 나이에 이른 아들을 자기 배의 선장으로 앉혀 놓고 여전히 브라질 무역을 계속하고 있었다. 노인은 나를 알아보지 못했고 사실 나 자신도 거의 알아보지 못할 뻔했다. 그러나 나는 곧 기억해냈는데 그도 내 이름을 말하자 알아보았다.

 서로 감격스레 옛정을 교환한 후 나는 농장과 동업자의 뒷소식을 물었다. 노인은 약 9년 동안 브라질에 가질 못했지만 그는 마지막으로 갔다 올 때에도, 내 동업자가 살아 있었다고 안심시켜 주었다. 그는 동업자와 내 재산관리를 부탁한 신탁관리인이 둘 다 죽었어도 농장재산은 상당히 늘어났을 것이고, 그 훌륭한 보고를 입수하리라 믿고 있었다. 내가 조난당해 익사했다는 소문이 퍼져 관리인은 농장 중 내 몫의 생산품에 대한 계산서를 국고 대리인에게 제출했고, 국고 대리인은 이 재산을 찾으러 오지 않을 경우, 3분의 1은 국왕에게, 3분의 2는 빈민 구제비와 인디언의 가톨릭 개종 전도사업비로 쓰기 위해 성(聖)어거스틴 수도원에 기증하기로 할당했다. 그러나 나나 혹은 내 상속자가 나타나 재산을 요구할 때에는 당연히 반환키로 했다. 다만 매년 수확되는 이익은 자선사업에 쓰이기 때문에 그것까지 돌려받을 수는 없게 되어 있었다. 그러나 국왕의 토지수입 회계원과 수도원의 회계원은 농장 책임자 곧, 내 동업자가 매년 제출하는 자상한 소득계산서를 검토하고 마땅히 내가 받아야 할 몫을 틀림없이 수납해 왔을 것이라고 노인은 보장했다.

나는 노인에게 물었다. 농장에서 나오는 수입이 얼마나 될까? 도로 찾을 만한 값어치가 있을 것인가? 그리고 그리로 가서 내 몫의 정당한 권리를 찾자면 어떤 애로가 있을 것인가?

그의 대답인즉 다음과 같았다. 농장에서 나오는 수익이 정확히 얼마나 되는가는 모르겠지만 내 동업자는 그 수익의 반만 가지고도 나날이 큰 부자가 되어가던 것을 알고 있다. 확실한 기억으로 국왕이 받는 내 몫의 3분의 1은 다른 수도원이나 종교단체에 하사하는데 그 액수가 1년에 2백 모이도레(역주 : 포르투갈의 옛날 금화)가 된다고 들었다. 또 전재산을 회복하는 문제에 대해서는 동업자가 살아 있으니 소유권을 입증할 수 있고, 또 토지등기부에 이름이 실려 있으니 아무런 문제가 없다. 게다가 관리인의 유가족은 매우 공정하고 정직한 사람들인데다가 무척 부자다. 그러니 기쁜 마음으로 재산을 도로 찾는 수속을 도와줄 것이다. 더욱 그들 아버지가 보관한 후부터 신탁권을 이양하기까지, 그러니까 약 12년으로 기억되는 동안, 내 몫으로 농장에서 나온 상당한 액수의 돈도 도로 돌려줄 것으로 믿는다. 이것이 노인의 의견이었다. 이 설명을 듣고 나는 다소 걱정스럽고 불안하다는 표정을 보이면서 노선장에게 물었다. 나는 내 유언장을 만들어 당신을 포괄 상속인으로 지명한 것을 알면서, 관리인들이 재산을 그렇게 처분하게 된 것은 어찌된 일이냐고 물었다. 노선장은 그것은 사실이었지만 내가 죽었다는 확증이 없고 내 사망을 확인할 어떤 단서가 나올 때까지는 유언 집행인으로 행동할 수 없었으며 게다가 자기는 그처럼 먼 앞일에 참견하고 싶지 않았다고 말했다. 그리고 이어서 그는 내 유언장에 등기하고 자기의 청구권도 써넣은 것은 사실이며 만일 내 생사를 확인할 증거를 제출할 수 있다면, 위임장을 따라 대리권을 행사하고, 제당소(製糖所)를 자기 소유로 하고 브라질에 있는 아들에게 그 수속을 하도록 명령을 했을 것이라고 말했다.

노인은 말을 계속했다. "그러나 지금껏 말한 소식만큼은 반가운 것이 못되겠지만 당신에게 말할 것이 있소. 당신이 죽었다고 믿었고 세상도 모두 그렇게 알고 있었을 때 당신 동업자와 재산관리인은 처음 6년 내지 8년 동안의 이윤을 당신 대신 내게 보냈기에 돈을 받았소. 때마침 농장을 늘인다, 제당소를 짓는다, 노예를 사들인다 하느라고 지출이 컸기 때문에 그 돈을 썼는데 그 명세서를 보여드리겠소."

옛 친구와 며칠 동안 더 의논했다. 그는 동업자와 무역 신탁인이 서명한 처음 6년간의 농장 수입계산서를 보여 주었다. 무역 신탁인이 서명한 것은 수입을 언제나 상품으로 보냈다는 명세서였는데 담배, 상자에 든 설탕, 럼주, 또 제당소였던 탓으로 당밀 같은 상품이 구성되었다. 이 계산서에 따르면 매년 수입은 상당히 늘었고 아까 말한 것처럼 지출이 많았기 때문에 처음의 액수는 적다는 사실을 알았다. 그러나 선장은 금화로 4백 70모이도레와 설탕 60상자, 이중으로 만 담배 15권을 빚졌다고 설명했다. 설탕과 담배는 내가 브라질을 떠난 지 11년쯤 됐을 때 리스본으로 귀향하던 그의 배가 파선되는 바람에 잃어버렸던 것이다.

이 선량한 노인은 자기의 불운을 탓하면서 손실을 보상하고 배를 새로 사기 위해 그 부담금으로 어쩔 수 없이 내 돈을 쓰게 됐다고 설명했다. "하지만 당신에게 괴로움을 끼치진 않겠소. 아들이 돌아오는 대로 빚을 모두 갚겠소." 하고 덧붙였다.

이 말을 한 후, 낡은 문갑을 꺼내 포르투갈 금화 1백 60모이도레와 그 아들이 브라질로 타고 간 배의 소유권리서를 내주었다. 노인이 몫이 4분의 1이었고 아들 몫이 4분의 1이었는데, 잔금의 담보로 2인분의 증서를 내 손에 쥐어 주었다. 이 불쌍한 노인의 정직과 친절에 감동한 나는 그것을 받을 수가 없었다. 그가 나를 어떻게 대해 주었던가! 바다에서 구조해 주었고 기회 있을 때마다 후원해 주었다. 특히 지금 얼마나 성실한 친구로 날 대해 주는가. 이 생각을 하고 그의 말을 듣자 눈물을 참을 수 없었다. 그래서 먼저 "지금과 같은 어려운 처지에서 많은 돈을 내놓아도 괜찮겠는가, 그러면 고생이 심하지 않겠는가?"하고 물었다. "물론 고생이야 되겠지만, 그러나 어쨌든 이것은 당신 돈이고 나보다 당신이 더 필요할 것이다."고 대답했다.

이 선량한 노인이 하는 말에는 모든 애정이 가득 차 있었고 그 말을 듣는 동안 흐르는 눈물을 억누를 수 없었다. 요컨대 나는 1백 모이도레만 받고, 펜과 잉크를 달래 가지고 그 돈을 받았다는 영수증을 써서 주었다. 그 후 나머지 돈은 모두 탕감하며 만약 농장을 다시 찾게 된다면 오늘 받은 돈도 도로 돌려 주겠다고 말했다. 사실 뒤에 그 돈을 돌려 주었다. 그리고 "아들이 탄 배에 대한 권리 증서는 절대로 받지 않겠소. 만일 농장을 찾지 못해 돈에 곤란을 겪을 때에는 정직한 당신이 내 빚을 갚아 주겠지요. 만일 돈에 곤란을 받지 않고, 말씀대로 재산을 찾게 되면 한 푼도 더 받을 수 없어요."하고 덧붙였다.

이 문제를 여기서 일단락짓자, 노인은 내가 농장을 찾는 수속을 밟는 데 자기의 지혜로 도와 줄까 하고 물었다. 나는 스스로 현지에 가 볼 작정이라고 대답했다. 그것도 괜찮겠지만 현지로 가지 않고서도 권리를 확보하고, 농장의 이윤을 곧 사용할 수 있도록 하는 방법은 얼마든지 있다고 말하였다. 마침 리스본 강에는 브라질로 떠나는 배가 여러 척 있으니, 내가 살아 있고 땅을 개간하여 농장을 처음 만든 장본인에 틀림없다는 공술서를 첨부해서, 공식 등기부에 내 이름을 등기시키겠다고 했다.

이것이 공증인에 의해 정식으로 증명되었고, 위임장을 붙이면 그가 쓴 편지와 함께 노인이 알고 있는 브라질 무역상에게 보내도록 말해 주었다. 그리고 답장이 올 때까지 그의 집에 묵도록 했다.

이 위임장으로 수속이 순조롭게 진행되었다. 7개월도 안되어 내게 항해를 청했던 상인인 관리인의 유족으로부터 커다란 소포를 받았는데, 거기에는 다음과 같이 특별한 편지와 서류가 동봉되어 있었다.

첫째로 유족의 아버지들이 내 옛 친구인 포르투갈 선장과 결산하던 6년 동안, 농장에서 나온 소득의 당좌계정서가 있었다. 그 차인 잔고가 내 명의로 1천 1백 74모이도레나 되는 것으로 나타나 있었다.

둘째로 정부가 실종된 사람, 법률적으로 말하자면 민사(民事)사망자의 재산으로 선고하고 그 재산의 관리를 맡게 되기 이전, 관리인들이 직접 관리하던 4년 동안의 계산서로, 이 차인 잔고는 농장의 수입도 늘어 3만 8천 8백 92크루세이드(역주 : 옛날 포르투갈의 금화), 즉 3천 2백 41모이도레가 되어 있었다.

셋째는 14년 이상 내 몫의 이윤을 받아 온 어거스틴 수도원장의 계산서였는데, 자선단체에 할당한 명세서는 없었고, 아직 분배하지 않은 돈 8백 73모이도레가 남아 있다고 정직하게 보고하고 이 돈을 반환하겠다고 약속했다. 국왕이 받은 돈은 반환할 것이 없었다. 동업자의 편지도 들어 있었다. 그것은 내가 살아 있다는 것을 진심으로 축하해 주고 재산이 얼마나 늘어났고, 1년 소득이 얼마나 되는가, 그 면적이 정확히 몇 에이커나 되며, 어떻게 곡식을 심고, 노예가 몇 명이나 되는가를 소상하게 설명했다.

내 생존을 22회나 성호를 그어 축복을 하면서, 성모님께 아베 마리아로 감사를 드렸다고 이 편지에 쓰고서, 그곳을 건너와서 내 재산을 차지하도록 간절하게 권해 주었다. 만일 직접 오지 않을 작정이라면 누구에게 재산을 양도하면 좋을지 지시해 달라고 씌어 있었다. 마지막으로 가족과 함께 마음에서 우러나는 따뜻한 우정을 표시하면서 멋진 표범 가죽 7장을 선물로 보내 왔다. 이 가죽은 그가 아프리카로 보낸 배가 난파하지 않고 무사히 돌아와 얻은 모양이었다. 뿐만 아니라 아주 좋은 과자 5상자와 모이도레 금화만큼 크지는 않지만 주조하지 않은 지금(地金) 1백 개를 보내 주었다.

이 소포와 같은 배 편에 두 무역상 관리인은 설탕 1천 2백 상자, 담배 8백 권(卷), 그리고 그 나머지 잔액은 금으로 보내 왔다.

욥(역주 : 구약성서에 나오는 인물로 시련 때문에 자식과 재산을 모두 잃었지만 믿음을 버리지 않아 후에 완전히 회복하고 하나님의 축복을 받음)이 처음보다 말년에 더 큰 부자가 되었다고 하지만 사실 나 자신도 그렇게 말할 수 있으리라. 이 편지를 읽고 더구나 재산을 모두 찾게 된다는 것을 알았을 때, 가슴이 얼마나 뛰었던가 도저히 표현할 수 없다. 브라질 항로의 배는 언제나 선단(船團)을 짜고 있었기 때문에 내 편지를 가지고 온 바로 그 선단이 화물도 운송해 왔다. 편지가 손에 들어오기 전에 재산이 먼저 리스본 강에 안착했다. 그걸 보자 한 마디로 얼굴이 창백해지고 기분이 이상해졌다. 노인이 달려가서 강심주를 갖다 주지 않았다면 너무나 큰 희열에 정신이 뒤집히고 그 자리에서 급사했을지도 몰랐다.

그 후 몇 시간 동안 몹시 언짢았다. 마침내 의사가 왕진했다. 병의 원인을 알아내자 피를 좀 뽑자고 했다. 그 지시대로 하고 난 후에야, 원기도 생기고 건강해졌다. 아마 이런 식으로 흥분을 발산시키지 않았다면 나는 목숨을 잃었을 것이다.

나는 이제 하루 아침에 갑자기, 현금 5천 파운드 이상과 1년에 1천 파운드 이상의 수입을 올리는 토지의 주인이 되었다. 그리고 이 토지는 영국에 있는 것 못지 않게 튼튼한 재산이었다. 요컨대 내 자신 이 기쁨을 어떻게 받아들여야 할지 어리둥절하는 처지가 되었다.

먼저 할 일은 나에게 큰 은혜를 베푼 선장에게 보답하는 것이었다. 그 늙은 선장은 바다에서 조난을 당했을 때 나를 구해 주었고,

시종 친절했고, 성실하게 대해주었다. 내게 온 물건을 모두 그에게 보여주었다. 이것은 만물을 다스리시는 하나님의 섭리이지만 다음으로 노인의 은혜이다. 백 배로 그 은혜를 갚는 게 내 의무라고 말했다. 우선 그에게 받은 1백 모이도레를 돌려 주었다. 그런 다음 공증인을 불러 노인이 빚졌다고 인정하는 4백 70모이도레를 탕감해 준다는 증서를 작성시켰다. 이런 후, 위임장을 쓰게 하여 농장에서 매년 나오는 수익금의 수취인으로 노인을 지명하고, 동업자로 하여금 수익계산서를 노인에게 보고하며, 거기서 나오는 수익을 정기선 편으로 나 대신 노인에게 보내도록 정했다. 그리고 마지막으로 그가 생존할 때는 매년 1백 모이도레의 증여금을, 그가 죽은 후에는 그의 아들에게 일생 동안 매년 50모이도레의 증여금을 준다는 항목을 넣었다. 이리하여 나는 이 늙은 은인에게 은혜를 갚았던 것이다.

이제 나는 앞으로 내 인생 행로를 어디로 잡을 것인가, 하나님이 내게 베풀어 준 은혜스런 재산을 어떻게 할 것인가를 깊이 생각해야 했다. 사실 섬에서 조용한 생활을 할 때보다 이제 관심을 두어야 할 일이 더 많아졌다. 섬에서 내가 가진 것으로 충분하였고 더 원하지도 않았다. 또 원하는 것도 없었다. 그런데 지금은 큰 짐을 지고 있었고 그것을 어떻게 유지하느냐가 큰 일이었다. 이제 돈을 숨겨 둘 동굴도 없고, 자물쇠와 열쇠가 없어도 곰팡이가 피고 변색하도록까지 아무도 손을 대지 않고 그대로 놔둘 장소도 없었다.

따라서 돈을 어디다 두어야 할지, 누구에게 믿고 맡겨야 할지 알 수 없었다. 오직 은인이자 늙은 선장만이 정직한 사람이었고 내가 의지할 수 있는 분이었다.

다음 브라질에 있는 재산을 생각하자 그리로 가 보고 싶은 생각도 들었다. 그러나 신변의 일을 처리하고 재산을 믿을 수 있는 사람에게 맡긴 후가 아니면 그리로 갈 생각을 할 수 없었다. 처음에는 오래 사귀었을 뿐 아니라 정직하고 또 성실하게 대해 준 미망인이 머리에 떠올랐다. 그러나 이때는 이미 나이가 많이 들었고 또 가난하며 자세히는 모르겠지만 부채에 시달릴지도 모른다.

그러나 내가 이렇게 결정하기까지 몇 달이 흘렀다. 그리고 옛날의 은인 노선장에게 충분히 은혜를 갚았기 때문에 이번에는 그 불쌍한 과부를 생각하기 시작했다. 그녀의 남편은 첫 은인일 뿐 아니라 그녀 자신도 한창 잘 살 때는 충실한 관리인이자 후견인이었다. 그리하여 우선 리스본의 한 무역상을 시켜 런던의 거래점에 편지를 보내게 했다. 그녀에게 어음을 보내고 본인을 찾아서 내가 보냈다고 하고 현금 1백 파운드를 주고, 내가 살아 있는 한 그녀에게 송금을 계속하겠다는 말을 하게 했다. 그래서 가난 속에 허덕이는 그녀를 위로해 주도록 부탁했다. 이와 동시에 시골에 있는 두 누이동생에게 각각 1백 파운드씩 보냈다. 이들은 가난하지는 않았지만 그렇다고 아주 잘 사는 편도 아니었다. 하나는 결혼했다가 과부가 되었고, 또 하나는 남편이 있긴 했지만 남편은 잘 돌보아 주지 않았다.

그러나 내 친척이나 친지를 모두 알아 보았지만 전 재산을 맡기고 브라질로 가더라도 뒷일에 안심할 수 있는 사람을 골라낼 수 없었다. 무척 난처했다.

나는 브라질로 가서 정착할 마음을 먹은 적이 있다. 그곳이 생활습성에 맞는다고 생각됐던 것이다. 그러나 종교가 좀 꺼림칙하여 결심을 주저했다. 이 점은 곧 다시 이야기하겠지만 그렇다고 당장 브라질로 가지 못한 것은 종교 때문은 아니었다. 브라질에서 살고 있을 때도 그곳의 종교를 믿는데 전혀 개의치 않았고 지금도 역시 마찬가지였다. 다만 옛날보다 근래에 와서 자주 이 종교 문제를 생각하게 된 것은 브라질 사람들 속에서 살다 죽게 될 경우를 생각하고 난 후부터였는데 전번에 가톨릭 신자라고 신앙 고백한 것이 후회스러웠고, 믿으며 죽을 수 있는 종교로서는 가톨릭이 가장 좋은게 아니라는 생각이 들기 시작한 것이다.

그러나 아까도 말한 것처럼 내가 브라질로 떠나지 못한 주 원인은 그 문제가 아니었다. 내 재산을 맡길 사람을 찾지 못했다는 점이었다. 그래서 결국 내가 재산을 가지고 영국으로 가기로 했다. 거기에 가서 충실히 대해 줄 친지나 연줄을 찾기로 작정했다. 그리하여 전 재산을 가지고 영국으로 떠날 채비를 차렸다.

귀국 준비를 할 즈음 브라질 선단이 막 출발할 참이었다. 그래서 나는 우선 브라질에서 온 공정하고 충실한 보고서에 합당한 회답을 보내기로 했다. 그래서 맨 먼저 성어거스틴 수도원장에게 공정한 처사에 감사한다는 편지를 쓰고, 아직 쓰지 않아서 지불해야 할 8백 72모이도레를 기부하겠으니 5백 모이도레는 그 수도원에, 3백 72모이도레는 원장이 철저하게 생각해서 빈민들에게 주도록 부탁했다. 한편 나 자신을 위해 훌륭한 사제님께서 기도를 해주시면 고맙겠다고 생각했다.

다음에 두 관리인에게, 공정하고 성실하게 처리해준 데 대해 만강의 감사를 드린다는 사례의 편지를 보냈다. 그들에게 무슨 물건을 사서 선사할까 생각해 봤지만 그들은 선물을 받을 사람들이 아니었다.

마지막으로 내 동업자에게 편지를 써서 부지런히 농장을 확장하고, 성실하게 사업 자본을 늘려준 것을 사례했다. 그리고 앞으로 내 몫을 처리하는 방법을 설명했다. 내 권리를 은인에게 양도했으니 내게 보낼 것은 무엇이든 그 은인에게 보내 주기를 바라며 상세한 것은 다시 연락하겠다고 했다. 그리고 내 의사는 브라질로 가서 남은 여생을 편히 살고 싶은 것이라고 덧붙였다. 이 편지와 함께 노선장의 아들이 갖고 있던 이탈리아제 비단을 그의 처와 두 딸에게, 그리고 리스본에서 구할 수 있는 가장 좋은 영국 옷감 두 벌, 그리고 검정 옷감 다섯 벌과 값비싼 프란더스의 레이스 약간을 그의 가족에게 선물했다.

이렇게 일을 처리한 다음 화물을 팔고 전 재산을 고액 어음으로 바꾸었다. 이제 문제는 어떤 길로 영국으로 가느냐 하는 것이었다. 이제는 바다에 아주 익숙해 있었지만 어쩐지 이때는 배를 타고 영국으로 간다는 게 이상하게 싫었다. 왜 그런가, 그 이유는 설명할 수 없지만 혐오감은 점점 심해져서 배를 타려고 짐을 실었다가 마음을 바꾸었는데 그것도 한 번이 아니고 두어 차례였다.

그 동안의 항해는 무척 운이 나빴던 것이 사실이고 그래서 그것도 하나의 이유가 되었을 것이다. 그러나 인간이란 이런 경우에 마음속에서 강렬하게 일어나는 충동을 가볍게 보아서는 안된다. 나는 타고 갈 배 두 척을 골랐는데 다른 배들을 제쳐놓고 이 두 척을 고른 것이다. 그중 한 척에는 짐까지 배에 실었다가 취소했고 다른 한 척은 노선장과 상의해서 선정했던 것이다.

그런데 바로 이 두 척의 배가 모두 제대로 항해를 못한 것이다. 한 척은 알제리아 사람들에게 붙잡혔고 다른 한 척은 토베이 근처 스타이트에서 조난당해 세 사람 외에는 모두 바다에 빠져 죽었다. 그러니 내가 그들 중 어떤 배를 탔든, 타기만 했다면 틀림없이 비참한 꼴을 당했을 것이다. 그러나 어떻게 해서 이 배를 타기 싫어했는지 대체 알 수가 없었다.

이처럼 배를 타기 싫다는 생각이 커지자 모든 일을 함께 의논하는 노선장은 선편 대신 육로로는 그로인으로 가서 비스케이 만(灣)을 건너 로셀로 가면, 거기서부터 파리까지 쉽고 안전한 여행을 할 수 있고 그래서 칼레를 거쳐 도버 해협을 건너는 길이 하나 있고, 또 한 가지는 마드리드로 가서 순전히 육로로 프랑스에 입국하는 길이 있다고 말했다.

여컨대, 칼레에서 도버까지 바다를 건너는 것 이외에는 도대체 해로로 가기는 싫다는 집념에 사로잡혀 있었다. 그래서 모든 여정을 육로로 하기로 작정했다. 이번 여행은 바쁠 것도 없고 비용도 그리 들지 않기 때문에 그만큼 즐거웠다. 게다가 여행을 더욱 유쾌하게 만들기 위해 노선장은 리스본의 상인의 아들로서 함께 여행하고 싶어하는 영국 신사 한 명을 데려왔다. 뿐만 아니라 영국 상인 두 명과 포르투갈의 젊은 신사 두 명이 우리 일행에 끼기로 했는데, 두 명의 포르투갈 신사는 목적지가 파리였다.

그래서 우리 일행은 모두 6명에 하인 5명이 있었다. 상인 두 사람과 포르투갈인 두 사람은 여비를 아끼기 위해서 두 사람이 하인 하나를 거느리는 것으로 만족했다. 그리고 나는 영국 선원 한 명을 내 하인으로 채용하여 여행을 같이 하기로 했다. 거기에 충실한 노예 프라이데이가 있었다. 이번 여행은 프라이데이로서는 너무 낯선 길이었다. 그래서 여행하는 데 필요한 노복 노릇을 제대로 할 수가 없었던 것이다.

산맥을 넘다

　이렇게 하여 우리는 리스본을 출발했다. 우리 일행은 모두 말을 탔고 무장도 완전했다. 마치 규모가 작은 군대 같았다. 그리고 일행 중 내 나이가 가장 많았고, 하인도 둘이나 되고 또 이 여행이 사실 나 때문에 이루어진 것이어서 모두 나를 대장이라고 부르며 대접했다.

　지금까지 나는 항해 일지로 독자들을 번거롭게 한 일이 있지만 이번의 지루하고 고생스러웠던 여행 중에 우리가 겪었던 모험들을 빠뜨려서는 안 되리라 생각한다.

　우리 일행이 마드리드에 도착하자, 스페인에는 모두가 처음이어서 얼마 동안 머물면서, 스페인의 궁전이며 기타의 명소를 구경하려고 했다. 그러나 여름도 거의 다 지난 때라 우리는 걸음을 재촉, 10월 중순에 마드리드를 떠났다. 우리가 나바르 국(역주 : 프랑스 서남부 및 스페인 북부에 걸친 옛날 왕국) 변경에 이르자, 지나는 마을 여기저기서 눈사태의 경고를 해 주었다. 프랑스 쪽 산맥(역주 : 피레네 산맥)에는 눈이 무척 많이 내렸다. 그래도 많은 나그네들은 이 산을 넘으려고 강행해 보았지만 결국 실패하고, 팜펠루나(역주 : 나바르의 수도)로 돌아올 수밖에 없었다는 것이다.

　우리는 팜펠루나에 이르자, 그 소문이 사실임을 알았다. 나로서는 언제나 더운 지방에 익숙해 있었고, 옷조차 거의 입을 수 없는 열대지방에서 살아 왔기 때문에 추위는 견딜 수가 없었다. 기온이 따뜻하다기보다 오히려 무덥게 여겨지던 구(舊) 카스틸을 떠난 지 열흘도 못되었는데 피레네 산맥으로부터 뼈를 에이는 듯한 찬바람이 불어 왔다. 얼마나 고생이 심했던지 스스로 놀랄 지경이었다. 도지히 참기 힘들 뿐더러 손가락과 발가락이 얼얼하고 동상에 걸릴까 봐 걱정이었다.

불쌍하게도 프라이데이는 산들이 모두 눈으로 하얗게 덮인 것을 보고, 또 추위를 느끼자 무척 두려워했다. 그가 평생에 보지도 겪지도 못한 눈과 추위였던 것이다.

팜펠루나에 이르자 사태는 더욱 악화되었다. 눈은 맹렬한 기세로 오랫동안 계속 내렸다. 그곳 주민들도 겨울이 제철보다 일찍 왔다, 그러니 앞으로 가야 할 험난한 길을 절대로 무사히 여행할 수 없다고 말했다. 요컨대 곳곳에 눈이 너무 많이 쌓여 길이 막힌데다가 북쪽 지방에서 흔히 그렇듯, 눈이 딱딱하게 얼지도 않아서, 걸음을 옮길 때마다 푹푹 빠지고 자칫하다가는 산 채로 눈 속에 파묻힐 위험도 있었다. 팜펠루나에서 근 20일을 보내자 나는 폴타라비아(역주 : 프랑스 국경 근처에 있는 스페인의 작은 도시)로 길을 돌려 거기에서 배를 타고 보르도로 가자고 제의했다. 본격적인 겨울은 다가오고 기후가 호전될 가망이 없다고 보았다. 사실 그해 겨울은 일찍이 볼 수 없었던 가장 심한 추위가 전유럽을 휩쓸었던 것이다.

이렇게 의논하고 있을 때, 우리는 네 명의 프랑스 신사들을 만났다. 그들은 우리가 피레네 산맥의 스페인 쪽에서 머물고 있는 동안 맞은편 프랑스 쪽에 이르러 길잡이 하나를 찾아냈는데, 그의 안내로 눈 때문에 겪을 고생도 겪지 않고, 랑그독(역주 : 옛날 프랑스의 남부 지방)의 고지 근처를 통해 산맥을 넘어왔다는 것이다. 그들은 도중에 눈이 상당히 많이 쌓인 것을 보았지만, 단단하게 얼었기 때문에 사람이나 말이 밟아도 괜찮았다고 말했다.

우리는 그 길잡이를 불렀다. 길잡이는 우리가 맹수를 막아낼 만큼 무장만 할 수 있다면 눈에서 오는 위험을 겪지 않고도 왔던 길로 우리를 안내할 수 있다고 대답했다. 맹수란 바로 이리였다. 그의 설명을 들어 보면, 눈이 많이 오면 이리떼가 산 밑에 나타나는데 눈 때문에 먹을 것이 없어 몹시 사나워진다는 것이다. 우리는 그런 짐승이라면 자신이 있었다. "문제는 일종의 네 발 달린 이리떼의 위험인데 그걸 모면할 수 있겠소?"하고 물었다. 이런 종류의 이리는 가장 위험한 짐승인데, 프랑스 쪽 산맥에 산다고 들었던 것이다.

우리가 가는 길에는 그런 따위 위험은 전혀 없다고 안내인은 안심시켰다. 그리하여 우리는 그의 안내를 받아 떠나기로 했다. 우리와 함께 프랑스 인, 스페인 인 등 12명과 그들의 하인도 동행하게 되었다. 이들은 아까도 말한 것처럼, 산맥을 넘으려다 실패하고 되돌아온 사람들이었다.

이리하여, 우리 일행은 안내인을 따라서 모두 11월 15일 팜펠루나를 떠났다. 그러나 놀란 것은 길잡이가 우리를 앞으로 데리고 가는 것이 아니라, 오히려 우리가 떠나온 마드리드 쪽으로 20마일 가량 되돌아가는 것이었다. 그리하여 강 두 개를 건너 평원에 이르자 기온은 다시 따뜻해지고 기분도 상쾌해졌으며 눈도 보이지 않았다. 그러나 가던 길을 갑자기 왼쪽으로 꺾어 다른 길로 산맥에 접근해 갔다. 봉우리와 절벽이 무시무시하게 보인 것도 사실이지만 우리를 무척 꾸불꾸불한 길로 안내해서 여러 차례 우회 여행을 했다. 유달리 눈이 막혀 고생하는 일은 없이 고개를 무사히 넘었다. 그러더니 안내원은 갑자기 랑그독과 가스코뉴의 비옥한 지방을 가리켰다. 아직 거리도 상당히 멀고 길도 험했지만 그곳은 초록빛으로 아름답게 빛났다.

그러나 하루종일, 그리고 밤에도 눈이 맹렬하게 내리는 것을 보자 여행할 수 없을까봐 약간 불안했다. 그러나 안내원은 곧 고개를 다 넘게 된다고 우리를 안심시켰다. 사실 우리는 매일 조금씩 고개를 내려가기 시작했다. 전보다 훨씬 북쪽으로 진출한 것을 깨달았다. 이리하여 우리는 길잡이를 따라서 여행을 계속했다.

그런데 어느 날 어둡기 두 시간 전쯤 해서 우리 앞에 가던 길잡이에게 사고가 일어났다. 우리에겐 보이지 않았지만 커다란 이리 세 마리와 그 뒤로 곰 한 마리가 깊은 숲에 근접해 있는 후미진 길에서 뛰어나와 그 중 이리 두 마리가 안내원에게 덤벼든 것이다. 그가 우리보다 반 마일만 더 앞서 있었더라면 우리가 구조할 여유도 없이 틀림없이 잡혀 먹히고 말았을 것이다. 이리 두 마리 중 한 마리는 길잡이의 말로 덤벼들고 또 한 마리는 맹렬한 기세로 길잡이를 공격했다. 그는 권총을 꺼낼 시간도 없이, 마음의 여유도 없이 소리를 지르며 힘껏 사람살려 하고 외쳤다. 프라이데이가 바로 옆에 있었다. 그에게 말을 타고 달려가서 어떻게 됐는가 보라고 명령했다. 프라이데이는 안내원 쪽으로 달려가더니 먼저 안내원이 그랬던 것처럼 주인님! 아, 주인님! 하고 큰 소리를 질렀다. 그러나 프라이데이는 용감한 사나이였다. 대뜸 곤경에 빠진 안내원 쪽으로 나아가 안내원의 머리를 공격하던 이리를 권총으로 쏘았다.

안내원에게 달려간 것이 프라이데이라 다행이었다. 프라이데이는 자기 나라에서 이런 짐승들에 익숙해 있었기 때문에 두려워하지 않았다. 오히려 바짝 접근해서 아까 말한 것처럼 총을 쏘아 죽였던 것이다. 만일 다른 사람이 갔다면 멀리서 총을 쏘아 이리를 잡지 못하고 놓쳤거나 아니면, 안내원을 쏠 위험이 많았던 것이다.

그러나 그때 나보다 아무리 대담한 사람이라도 공포에 질리지 않을 수 없는 무서운 일이 일어났다. 사실 우리 일행은 모두 깜짝 놀랐다. 프라이데이의 권총 소리에 깨여 양편에서 흉악한 이리떼의 울부짖음 소리가 들려왔고, 그 소리는 산울림 때문에 몇 배나 더 커져서, 마치 굉장히 많은 이리떼가 몰려 있는 듯한 기분을 주었다. 사실 우리가 걱정 안해도 될 만큼 적은 숫자는 아닌 것 같았다.

어쨌든 프라이데이가 이리를 죽이자 말에게 덤벼들던 다른 이리는 즉시 도망가 버렸다. 다행히 이리가 말의 머리 쪽으로 덤볐지만 말고삐의 튀어나온 쇠붙이를 이빨로 물었기 때문에 말은 상하지 않았다. 사람이 많이 다쳤다. 사나운 이리가 한번은 팔을, 또 한번은 무릎 바로 위를 물어 두 번이나 공격했다. 게다가 프라이데이가 달려가 이리를 쏠 때, 말이 껑충 뛰었기 때문에 그는 아래로 굴러 떨어졌던 것이다.

프라이데이의 총소리를 듣고 우리는 걸음을 빨리하여 무슨 일이 일어났는가 알기 위해, 험한 길을 달려간 것은 물론이었다. 우리 앞을 가로막고 있던 숲을 벗어나자 이미 벌어졌던 일과 프라이데이가 불쌍한 길잡이를 구한 것을 알았다. 우리는 프라이데이가 무슨 짐승을 죽였는지 미처 분간도 하지 못했다.

그러나 이 사건에 이어 프라이데이와 곰 사이에 격렬하고도 기묘한 전투가 벌어졌다. 처음에는 우리 자신 무척 놀라고 프라이데이를 걱정했지만, 차츰 보니 상상할 수 없을 만큼 굉장하고 재미난 장난을 벌이고 있었다. 곰이란 둔중하고 미련한 짐승으로 몸이 재빠르고 가벼운 이리처럼 뛰지도 못하지만 일반적으로 다음과 같은 두 가지 특성이 있다. 첫째로, 원래 곰은 사람을 즐겨 먹지 않는다. 지금처럼 온 땅이 눈에 덮여 극도로 굶주려 죽게 된 경우에는 모르겠지만 사람이 곰을 공격하지 않는 한 곰이 사람에게 덤벼들 생각을 하지 않는다. 그런 때는 곰을 아주 점잖게 대해서 길을 내주면 된다. 곰은 멋진 신사여서 상대가 왕공 귀족이라도 자기 길을 양보하지는 않는다. 정말 곰이 무서우면 다른 데를 쳐다보며 길을 그대로 걸어가는 것이 최상책이다. 어쩌다 사람이 걸음을 멈추고 가만히 서서 쳐다보면 곰은 모욕을 당한 것으로 생각한다. 만일 그에게 하다못해 새끼손가락만한 나무토막이라도 던져 몸에 맞게 되면, 곰은 모욕당한 것으로 여겨 만사를 제쳐놓고 보복하기 시작한다. 자기 명예를 살려야만 한다. 이것이 그의 첫 특징이다. 둘쨋번 특징

338

은, 일단 모욕당하면 밤이든 낮이든 복수가 끝날 때까지 결코 상대를 놓지 않고 당당하게 덤벼들어 기어이 굴복시킨다.

우리가 프라이데이에게 갔을 때 그는 안내원을 구해낸 다음 그가 말등에 오르는 것을 돕고 있었다. 안내원은 다치기도 하고 놀라기도 했는데, 사실 다친 것보다 놀란 정도가 더 심했다. 그런데 바로 그때 숲에서 나오는 곰을 흘끗 보았다. 그 곰은 내가 이제껏 본 중에도 가장 큰 것이었다. 우리는 곰을 보자 모두 적잖이 놀랐다. 그러나 프라이데이는 곰을 보자 기쁨과 용기가 솟아나는 듯, 그것이 표정에 역력히 드러났다. "아! 아! 아!"하고 프라이데이는 세 번 소리를 지르더니 "주인님! 허락해 주십쇼. 저놈과 악수합니다. 주인님을 즐겁게 해 드리겠어요."

나는 이 녀석이 좋아하는 것을 보고 깜짝 놀랐다. "이 바보야, 곰이 널 잡아 먹겠다." "날 잡아 먹다니? 날 잡아 먹다니?"하고 그는 두 번이나 같은 말을 반복하더니 "내가 저놈을 잡습니다. 여러분을 웃겨 드립니다. 모두 여기 그대로 계세요. 한바탕 웃겨 드립니다!"라고 지껄였다. 그러더니 프라이데이는 주저앉아 눈 깜짝할 사이에 장화를 벗고, 주머니 속에 가지고 다니던 펌프라는 납작한 신을 신고, 자기 말을 내 다른 하인에게 맡기더니, 총을 들고 바람처럼 잽싸게 달려갔다.

곰은 유유히 걸음을 옮기며 아무에게도 집적거리지 않았다. 그런데 프라이데이가 아주 가까이 다가가더니 곰을 부르면서 자기 말을 알아듣기나 한다는 듯 말했다. "이놈! 이놈!"하더니 "내 너하고 얘기 좀 해야겠어!" 우리는 좀 떨어져서 그가 하는 짓을 구경했다. 우리는 피레네 산맥의 가스코뉴 지방으로 향하는 내리막길의 커다란 산림 속에 들어와 있었기 때문에 이곳은 여기저기 나무가 흩어져 있지만 편편하고 훤히 트여 있었다. 프라이데이는 아까 말한 것처럼, 곰의 뒤로 해서 재빨리 앞으로 쫓아가더니, 커다란 돌을 주워 던졌는데 곰의 머리에 맞았다. 그러나 마치 벽에라도 맞은 듯 곰은 끄떡도 않았다. 그 대신 프라이데이의 꾐에 응했다. 장난꾸러기 프라이데이는 조금도 겁을 내지 않고, 곰이 자기를 따라오게 해서 그가 말한대로 우리를 웃겨 보겠다는 것이었다.

곰은 돌을 맞고 프라이데이를 발견하자 몸을 돌려 쫓는데 그 걸음걸이가 엄청나게 뒤뚱거렸다. 보기에도 우스꽝스런 모습이었다. 프라이데이는 달아나는데, 마치 우리에게 도와달라는 듯 우리 쪽으로 향하고 있었다. 그래서 우리는 곧 곰을 쏘아 하인을 구할 준비를 했다. 곰이 저 혼자 가려는데 그 곰을 우리 쪽으로 꾀어서 끌어 놓고 프라이데이가 도망치는 데 화가 났다. 그래서 소리를 질러 "이 녀석아, 이게 우리를 웃긴다는 짓이냐? 빨리 도망가 네 말을 타라. 우리가 곰을 쏠 테니." 하고 말했다. 프라이데이는 내 말을 듣자 외쳤다. "쏘지 마세요. 쏘지 마세요. 그대로 계세요. 여러분을 웃겨 드리겠어요." 이 꾀보는 곰이 한 걸음 옮길 때 자기는 두 걸음 달리다가 갑자기 우리 쪽으로 몸을 돌리더니 자기 마음에 드는 커다란 참나무를 보고 우리에게 따라오라는 신호를 했다. 그리고 걸음을 두 배로 빨리 하여 총을 땅에 내려 놓고 잽싸게 나무를 5야드 가량 타고 올라갔다.

곰도 곧 나무 쪽으로 왔고 우리는 멀찍이 따라갔다. 곰은 나무 밑에 이르자 먼저 총 앞에 서서 냄새를 맡더니 그대로 버려 두고 나무 위로 기어 올랐다. 그 모양이 무척 육중하긴 했지만 마치 나무를 타는 고양이 같았다. 나는 이 녀석이 무엇을 하려는가 궁금히 여기다가 프라이데이의 바보 같은 짓에 깜짝 놀랐다. 곰이 나무 위로 오르는 것을 볼 때까지 도대체 무엇이 웃을 일인지 알 수 없었다. 우리 일행은 모두 그쪽으로 말을 몰았다.

우리가 나무 쪽으로 갔을 때는 프라이데이가 나무의 큰 가지 끝에 가 있고 곰은 프라이데이 쪽으로 반쯤 가 있었다. 곰이 그 나뭇가지의 가는 쪽으로 오자 프라이데이는 우리에게 말했다. "자, 여러분은 이제 제가 곰에게 춤추는 법을 가르치는 것을 구경하시겠습니다." 그러더니 펄떡펄떡 뛰어 나뭇가지를 흔들었다. 이 요동에 곰은 몸을 흔들거리면서 여전히 서서 뒤를 돌아보며 얼마만큼이나 뒤로 물러가야 할까를 가늠했다. 그러자 우리는 정말 웃음이 터져 나왔다. 프라이데이는 이 정도로는 아직 서곡이라는 듯 곰이 여전히 서 있는 것을 보자 곰이 영어를 알아듣기나 하는 것처럼 "아니, 오다 말건가? 좀더 가까이 와 봐." 하고 곰을 부르면서 펄쩍펄쩍 뛰며 가지를 흔들던 짓을 잠시 멈추었다. 그러자 곰은 그의 말을 알아듣기나 한 것처럼 좀더 가까이 다가갔다. 그러자 그는 다시 뛰기 시작하고 곰은 걸음을 멈추었다.

이제 머리를 쏘아 곰을 죽일 때가 되었다고 생각했다. 나는 프라이데이에게 움직이지 말라, 우리가 곰을 쏘겠다고 말했다. 그러나 "아니 제발, 쏘지 마십쇼. 그때 내가 쏘아 죽입니다." 하고 외쳤다. 아마 '그때'란 말은 잘못한 말 같았다.

어쨌든 이야기를 간단히 줄이자. 프라이데이가 한참 동안 춤을 추듯 뛰어오르거나 받아 내리면 곰은 흔들흔들 서 있어, 우리는 정말 허리를 잡고 웃었다. 그러나 이 녀석이 다음에 무슨 짓을 할지 알 수가 없었다. 처음에는 곰을 흔들어 떨어뜨릴 것으로 생각했다. 그러나 곰도 가지를 흔드는 위협에는 능숙해서 좀처럼 나무에서 떨어지지 않았다. 큼직한 손아귀와 발로 가지를 꽉 움켜쥐고 있었다. 그래서 이 결말이 어떻게 될지, 마지막 익살은 어떻게 될지, 자못 궁금했다.

그러나 프라이데이는 곧 우리의 궁금증을 풀어 주었다. 곰이 가지를 굳세게 붙들고 있는 것을 보자 프라이데이는 좀더 가까이 오라고 꾀이지는 않고 "자, 자, 네가 안 오면 내가 가지, 내가 가지, 네가 나한테 안 오면 내가 너한테 가지." 하고 말했다. 이 말을 하더니 그는 가지의 가는 끝으로 갔다. 가지는 그의 몸무게 때문에 아래로 축 늘어졌다. 그의 몸은 밑으로 떨어졌다. 그때 프라이데이는 펄쩍 뛰어내리더니 자기 총 있는 데로 뛰어가 총을 들고 서 있었다.

"자, 프라이데이야, 이제 어떻게 하겠니? 왜 안 쏘니?" 하고 내가 물었다. "안 쏩니다. 아직 안 쏩니다. 내가 죽이겠어요. 지금 죽이지 마십쇼. 그대로 두면 또 한번 여러분을 웃겨 줍니다." 하고 프라이데이가 대답했다. 사실 그는 곧 보게 되겠지만 자기 말대로 했다. 곰은 적이 도망간 것을 보고 그가 서 있던 가지에서 뒤로 물러갔다. 한 걸음씩 뒤로 물릴 때마다, 다시 뒤를 쳐다보며 느릿느릿 후퇴해서 마침내 나무 본 줄기로 후퇴했다. 그러더니 나무 밑둥을 내려다보고 발톱으로 나무를 꼭 움켜잡아 한 걸음 한 걸음씩 아래로 내려왔다. 이런 모양을 보던 프라이데이는 곰의 뒷다리가 땅에 닿기 전에 곰에게 바짝 달려들어 자기 총구를 슬쩍 곰의 귀에 대더니 간단히 사살해 버렸다.

이런 후, 이 약삭빠른 친구는 우리가 웃는가 돌아다보았다. 우리가 우스워하는 표정을 보고는 웃음을 터뜨리며 큰 소리로 말했다. "우리 나라에서는 이렇게 곰을 죽입니다." "그렇게 죽이다니? 총이 없잖은가?" 하고 내가 반문했다. "네, 총은 없습니다. 그러나 쏘지요. 굉장히 큰 화살로 말입니다."

이 일은 사실 우리에게 적잖은 오락거리였다. 그러나 우리는 여전히 거친 산 속에 있었고 게다가 길잡이가 중상이어서 어쩔 줄을 몰랐다. 이리의 울부짖는 소리가 귀를 떠나지 않았다. 사실 전에 말했지만, 아프리카의 해안에서 들었던 소리를 빼고는 이처럼 내게 공포를 안겨준 소리를 들어 본 적이 없었다. 사태는 이렇게 된 데다가 밤이 가까워 와서 우리는 곧 떠나야 했다. 그렇지 않았더라면 프라이데이는 바란 것처럼 이 커다란 짐승의 가죽을 벗겼을 것이다. 그냥 놔두고 가기는 아까웠다. 그렇지만 우리는 3리그를 더 가야 했고 길잡이도 우리를 재촉했다. 그래서 곰을 버려 두고 여행을 계속했다. 산속에서처럼 그렇게 깊거나 위험하지는 않았지만 눈은 여전히 쌓여 있었다. 그리고 뒤에 들었지만 굶주린 짐승들이 먹이를 찾아 숲속과 평지를 내려와 마을에 많은 피해를 입혔다. 그들은 마을 사람들을 습격하여 양과 말을 굉장히 많이 죽였고, 사람도 몇 죽였다.

안내인의 말에 따르면 우리는 한번 더 위험한 곳을 지나야 했다. 앞으로 이 지방에서 이리가 또 나올 만한 곳으로는 바로 이곳인데 사방이 숲으로 둘러싸인 작은 평야로, 우리가 지나야 할 좁은 산 골짜기 길이라는 것이다. 그리고 여기만 지나면, 우리가 묵을 마을 이 나타난다는 것이다. 우리가 해지기 30분 전에 첫째번 숲을 지 났고 해가 진 뒤 얼마 안되어 그 평야에 이르렀다.

첫째번 숲에서 아무것도 나타나지 않았으나 숲속의 작은 공지를 8분의 1마일쯤 갔을 때 커다란 이리 다섯 마리가 길을 가로질러 달리는 것이 보였다. 이들은 앞에 무슨 먹이나 쫓는 것처럼 전속력 으로 나타나 우리를 보지도 않고 지나치더니 곧 사라져 버렸다.

이것을 보고 불쌍하게도 맥이 빠져 있던 안내원은 이리떼가 더 많이 올 것 같으니 준비 태세를 취하라고 지시했다. 우리는 무기를 갖추고 주위를 살펴보았다. 그러나 반 리그쯤 되는 숲을 다 지나 평야에 들어갈 때까지 이리는 더 나타나지 않았다.

그러나 평야로 발을 들여놓자마자 우리에게 처음 눈에 띈 것은 죽은 말의 시체였다. 그것은 이리가 죽인 시체였는데 적어도 12마 리가 뜯어 먹고 있었다. 아니 말을 뜯어 먹는다기보다 살점은 이미 다 없어지고 제각기 뼈다귀를 핥고 있었다.

먹기에 바쁜 그들을 건드리지 않는 것이 좋으리라 생각되었고, 그들도 우리들에게 별다른 관심을 두지 않았다. 프라이데이는 이 이리떼들을 습격하려고 했지만 허락하지 않았다. 우리가 치러야 할 더 많은 일들이 기다리고 있다고 생각했던 것이다. 공지를 반쯤 가 기도 전에 왼쪽 숲에서 이리떼가 섬쩍섬쩍하게 울부짖는 소리가 들 려오기 시작했다. 그러더니 곧 1백 마리쯤 되는 이리가 한 덩어리 가 되어 마치 노련한 장교가 지휘하는 정규군대처럼 일렬로 달려오는 것이 보였다. 이들을 어떻게 물리쳐야 할지 어리둥절했지만 유일한 방법은 일렬로 바짝 늘어설 수밖에 없었다. 그리하여 곧 그 대형으로 배치했다.

그리고 사격과 사격간의 시간을 많이 두지 않기 위해 나는 한 사람 건너씩 사격하고 나머지 사람들은 그대로 이리가 우리 쪽으로 덤벼들면 곧 두번째의 일제사격을 할 태세를 갖추라고 지시했다. 또 먼저 쏜 사람들은 다시 탄환을 재려 들지 말고 권총으로 사격 준비를 하도록 했다. 우리는 모두 총 한 자루에 권총 두 자루를 갖고 있었다. 이런 방법으로 우리는 한번에 전체의 반인 6발을 쏠 수 있었다. 그러나 이번에는 그렇게까지 할 필요가 없었다. 첫발을 쏘자 이리떼는 총에서 나는 불과 소리에 놀라 일제히 제자리에 섰다. 4마리가 머리를 맞고 쓰러졌고 다른 여러 마리가 부상을 당해 피를 흘리며 도망갔다. 눈 위의 붉은 색으로 알 수 있었다. 그들은 발길을 멈추기는 했지만, 그렇다고 곧 후퇴하지는 않았다. 이걸 보고 아무리 사나운 짐승이라도 사람 목소리는 무서워한다는 이야기가 생각나 일행 전부에게 힘껏 소리를 크게 지르라고 명령했다. 이 생각은 사실 어김없이 적중했다. 우리가 소리를 지르자 이리떼는 돌아서서 물러가기 시작했다. 그러자 나는 또 한번 그 위로 일제 사격을 명령했다. 이리떼는 이 사격을 받고 후닥닥 뛰어 숲속으로 사라졌다.

이 때문에 우리는 총알을 다시 잴 틈이 생겼다. 그리고 시간을 낭비하지 않기 위해 계속 전진했다. 총을 장전하여 다시 태세를 갖추는 순간 왼쪽편, 아까와 같은 숲에서 우리가 행진하는 방향으로 무시무시한 소리가 들렸다. 밤은 다가오고 어둠도 찾아들기 시작해서 더욱 불리하게 되었다. 그 무시무시한 소리가 더욱 커지자 우리는 그 소리들이 저 잔인한 이리떼의 울부짖는 소리임을 곧 깨달았다. 갑자기 두어 무리의 이리떼가 보였다. 한 떼는 우리 왼쪽에 또 한 떼는 우리 뒤에 그리고 나머지 한 떼는 우리 앞에 있었다. 결국 우리는 이리떼로 포위된 형국이었다. 그러나 이리가 우리를 공격해 오지는 않았기 때문에 계속 말을 몰아 급히 달렸다. 길이 무척 나빴으며 말은 달린다기보다 성큼성큼 걷는 편이었다. 이런 형세로 공지가 끝나고 앞으로 지나야 할 숲으로 들어서는 입구가 보이는 거리에까지 다가갔다. 그러나 숲으로 들어서는 길에 갔을 때 바로 숲 입구에서 수많은 이리떼가 서 있는 것을 보고 굉장히 놀랐다.

갑자기 숲의 또 다른 입구에서 총소리가 들려왔다. 그쪽으로 눈을 돌리자 말 한 마리가 숲에서 뛰쳐나와 안장과 굴레를 쓴 채 바람처럼 달려가고, 그 뒤에 열여섯 일곱 마리의 이리떼가 전속력으로 쫓아가고 있었다. 사실 말이 이리보다 앞서고 있지만 그 속력을 그대로 유지할 수 없을 것 같았고, 결국 이리떼에게 잡아 먹히고 말 것이다. 그 예상이 들어맞았다.

그러나 여기서 우리는 처참한 광경을 목격했다. 말이 뛰어나온 입구로 달려가 보니 다른 말 한 마리와 두 남자가 굶주린 이리떼에게 잡아먹힌 시체로 남아 있었다. 그 두 남자 중 하나는 바로 우리가 들었던 총소리를 낸 사람이다. 그 옆에는 총알이 없는 빈 총이 놓여 있었고, 그의 머리와 몸의 상반신은 이미 먹혀 버린 채였다.

이 광경에 모두 공포에 질려 버렸다. 그래서 어떤 길로 가야 할지 당황했다. 그러나 이리떼를 보자 곧 결심이 섰다. 즉 그들은 먹이를 찾아 우리 둘레에 모여들었는데 내가 보기에는 3백 마리쯤 될 것 같았다. 우리에게 천만 다행인 것은 숲의 입구로부터 약간 떨어진 곳에 커다란 재목들이 흩어져 있었다는 점이었다.

아마 지난 여름에 베었다가 운송을 미처 못한 것이라고 생각되었다. 나는 우리 작은 부대를 그 재목더미 가운데로 집합시켜 기다란 나무 뒤로 일렬로 세운 뒤, 모두들 말에서 내려 앞에 있는 나무를 가슴받이로 가운데의 말을 둘러싼 삼각형의 진지를 갖추도록 지시했다.

내 지시대로 진영이 짜여졌던 우리의 작전은 주효했다. 이곳에서 이리떼가 우리에게 가한 공격은 유래를 찾기 힘들 만큼 격렬했다. 그들은 으르렁거리며 달려들었는데 오직 먹을 것에만 돌진하는 듯 가슴받이로 한 재목 위로 뛰어올랐다. 이처럼 이리떼가 미친 듯이 달려드는 주원인은 우리 뒤에 있던 말을 보았기 때문이었고 그들의 목표는 바로 이 말이었다. 나는 일행에게 먼저처럼 반씩 교대해서 사격하도록 지시했다. 그들의 사격은 극히 정확하여 첫 사격으로 여러 마리의 이리를 죽였다. 그러나 계속 사격하지 않으면 안되었다. 이리떼는 악마처럼 앞뒤로 밀고 밀리면서 계속 덤벼들고 있던 것이다.

두번째 일제 사격을 하자 이리떼는 얼마만큼 공격을 멈춘 것 같았다. 나는 이제 도망가 주었으면 하고 바랐다. 그러나 그것도 잠시, 다른 놈들이 다시 전진해 왔다. 그래서 우리는 권총을 두 발씩 쏘았다. 이렇게 네 차례의 사격으로 17, 8마리를 죽이고 그 두 배쯤 절름발이로 만들었을 것이다. 그러나 이리는 다시 덤벼들었다.

마지막 탄환을 아껴두고 싶었다. 그래서 프라이데이가 아닌 다른 하인을 불렀다. 프라이데이는 사격하는 동안, 뛰어나게 기민한 솜씨로 내 총과 자기 총의 탄환을 장전하는 중요한 일을 맡고 있었다. 나는 또 다른 하인을 불러 화약통을 주면서 우리 앞에 놓인 재목을 따라 화약을 뿌려 커다란 도화선을 만들라고 명령했다. 내 지시대로 도화선을 치고 거기서 물러나자 이리떼는 그쪽으로 다가왔고 몇 놈은 그 도화선 위까지 올라왔다.

그 순간 탄환이 없는 권총으로 탁 때려 불을 붙였다. 이 바람에 재목 위에 있던 몇 마리는 새까맣게 타 버리고 6, 7마리는 폭발하는 힘에 놀라 우리 쪽으로 떨어졌다가 뛰어들었다. 우리는 하여튼 넘어온 이리를 단숨에 처치해 버렸다. 그리고 나머지 이리떼는 불빛에 겁을 잔뜩 집어먹고 뒤로 약간 후퇴했다. 이제는 거의 어두운 밤이었고, 그리하여 그 불빛은 이리떼에게 공포심을 주었던 것이다.

346

이것을 보자 나는 마지막 권총 탄환을 일제히 쏘도록 명령했다. 그런 후 함성을 질렀다. 그러자 이리떼는 꼬리를 돌려 달아났고 우리는 곧 역습하여 부상을 당해 절뚝거리는 근 20마리의 이리와 맨땅에서 싸움을 벌여 칼로 찔러 죽였다. 이것이 우리가 예상한 대로 성과를 냈다. 우리가 죽이는 이리들이 처참하게 울부짖자 뒤로 물러서던 이리떼는 어떤 사태가 벌어졌는지를 더 잘 알았다는 듯, 뛰어 도망쳐 우리로부터 떠나가 버렸다.

우리는 처음부터 끝까지 근 60마리의 이리를 죽였다. 아마 대낮이었다면 더 많이 죽였을 것이다. 이리하여 싸움터에는 적의 그림자도 볼 수 없게 되었고, 우리는 다시 전진했다. 아직 1리그는 더 가야 했다. 숲속에서 여러 차례 이리떼의 울부짖는 소리가 들려왔고 때로는 몇 마리를 보기도 했다고 생각되었지만, 쌓인 눈 때문에 눈앞이 부셔 정말 이리인지 확실치는 않았다. 약 한 시간 후쯤 우리가 묵을 마을에 도착했다.

그곳 마을 사람들은 전전긍긍하며 모두 무장하고 있었다. 그 전날 밤 이리떼와 몇 마리의 곰이 마을을 습격해서 그들을 공포로 휩쓸었던 모양이다. 그래서 밤낮으로, 특히 밤에는 더욱 엄중하게 경계해서 가축과 그리고 자신의 생명을 지키지 않으면 안되었다.

이튿날 아침이 되자, 우리 안내원은 용태가 악화되었다. 두 군데의 상처가 붓고 고름이 났기 때문에 더 이상 갈 수 없었다. 그래서 우리는 이곳에서 새 안내원을 구해 툴루즈로 갔다. 여기는 날씨도 따뜻하고 비옥한 지방으로 눈도, 이리도, 그와 비슷한 것도 없었다. 그곳 사람에게 우리가 겪은 모험담을 이야기했더니 산 밑의 큰 숲에서는 특히 땅에 눈이 쌓였을 때는 그런 일이 전혀 드문 것이 아니라고 말했다.

이 혹심한 계절에 그런 길을 안내하다니 어떤 안내인을 고용했느냐고 묻고 모두가 잡아 먹히지 않은 것이 천만 다행이라고 말했다. 우리가 말을 가운데 두고 어떻게 진을 쳤던가를 설명하자, 그들은 우리를 혹독하게 나무라고 십중 팔구 잡아 먹힐 뻔했다고 야단이었다. 말만 보면 이리는 사나워지는데, 말은 좋은 먹이가 되기 때문이다. 다른 때 같으면 정말 총을 무서워하지만 몹시 굶주리고 사나워진 이리는 위험도 느끼지 못하고 말한테 맹렬하게 덤벼든다는 것이다. 우리가 계속 사격하며 마침내 화약으로 도화선 작전을 펴서 이리를 물리치지 못했더라면 당연히 우리 몸뚱어리는 발기발기 찢겨 죽어 버리고 말았을 것이라고 말했다. 우리가 그렇게 하지 않고 말을 계속 탄 채 기마병처럼 사격했더라면 이리는 사람을 등에 태운 말에게 그처럼 공격하지 않았을 것이다.

이곳 주민들은 이런 설명을 하면서 우리가 모두 모여 서서 말을 놓아 주었다면 이리떼는 말을 잡아 먹으려 달려갔을 것이고, 그러면 무기도 있고 숫자도 많은 우리는 안전하게 탈출했을 것이라고 말했다. 내 자신으로 보자면 일생 그처럼 위험을 느껴본 적도 없다. 백 마리 이상의 이리떼가 악귀처럼 울부짖으며 우리를 잡아 먹겠다고 아가리를 벌리며 달려드는데 몸을 숨길 곳도 도망칠 곳도 없어 나는 완전히 죽을 것으로 단념했었다. 이제 앞으로 다시는 감히 산맥을 넘겠다는 용기를 가질 수 없을 것이다. 한 주일마다 폭풍을 한번씩 만난다 하더라도 수천 마일을 차라리 배로 가는 것이 나으리라고 생각했다.

섬을 다시 방문하다

프랑스를 여행하는 동안에는 특별한 일도 없었고 다른 나그네들보다 별다른 이야깃거리도 없었다. 나는 툴루즈로부터 파리까지 와 조금도 지체하지 않고 곧 칼레에 이르러 1월 14일 무사히 도버에 상륙했다. 이리하여 혹한의 계절에 계속되었던 여행은 끝났다. 이제 나는 목적지에 도착했다. 얼마 후 내가 새로 찾은 재산들도 안전히 돌아왔고 가지고 온 어음도 지불을 받았다.

주로 나를 지도해 주고 의논 상대가 되어 준 사람은 예의 그 늙은 과부였다. 그녀는 내가 선사한 돈을 무척 고마워했으며 나를 위해 무슨 일을 해주든 고생이 된다거나 역겹게 생각하지 않았다. 나는 어떤 문제든 그녀를 완전히 믿었다. 그렇기 때문에 내 재산의 안전에 대해서는 조금도 불안히 여기지 않았다. 이 선량한 부인의 티없는 성실성으로 나는 처음부터 지금까지 행복할 수 있었다.

이제 나는 재산을 부인에게 맡기고 리스본으로 떠나 브라질로 갈 생각을 하기 시작했다. 그러나 다른 고민이 생기기 시작했다. 그것은 종교 문제였다. 나는 외국에 가 있을 때조차 특히, 섬에서 고독한 생활을 할 때에도 로마 가톨릭에 대해 몇 가지 회의를 가지고 있었다. 그러므로 조금도 의심없이 로마 가톨릭을 받아들이기로 결심하지 않는 한 브라질로 가서 거기에 정주하지 않는 게 좋겠다는 생각이었다. 로마 가톨릭을 믿지 않으면서 브라질로 간다면 내 자신의 원리 원칙에 제물이 되어 신앙의 순교자가 되고 종교 재판으로 죽을 각오를 해야 했다. 그래서 나는 본국에 머물기로 하고 무슨 조치를 해서 농장을 처분하기로 했다.

이러한 취지를 편지로 써서 리스본의 늙은 친구에게 보냈다. 그는 거기서는 쉽게 농장을 처분할 수 있다는 답장을 보내 왔다. 자기를 대리인으로 허락해 준다면 내 이름으로 브라질에 살고 있는 관리인의 유족인 두 무역상에게 교섭을 해보겠다는 것이었다. 그 무역상들은 농장의 가격도 잘 알 테고, 또 바로 그 현지에 살 뿐 아니라 무척 부자이기 때문에 그 농장을 쾌히 살 것으로 믿는다고 말하고, 그렇게 되면 나는 스페인 화폐로 4, 5천 이상 더 받을 수 있다는 내용이었다.

이 제안에 동의했다. 그에게 무역상과 교섭해 달라고 부탁했다. 내 부탁은 실행되었다. 8개월이 지나 배가 브라질에서 돌아오자, 그 무역상들이 농장 구입의 제안을 받아들여 리스본의 거래선을 통해 스페인화(貨) 3만 3천을 보내왔다는 보고를 해왔다.

나는 리스본에서 보낸 정식 매매증서에 서명을 하여 옛 친구에게 보냈다. 그는 토지 대금으로 3만 2천 6백 스페인화를 송금환으로 보냈다. 전에 약속한 대로, 이 친구는 매년 1백 모이도레를, 그의 사후에는 아들에게 매년 50모이도레를 종신 연금으로 지불할 금액은 따로 떼었다. 이 금액은 그 동안 농장에서 생기는 지대로 지불하게 되어 있던 것이다.

이리하여 나는 세상에서 이 이상 보기 힘든, 유례없이 파란만장한 생애, 하나님의 섭리가 화복(禍福)과 모험으로 짜놓은 생애의 제1부를 기술했다. 어리석게 시작해서 더 이상 소망을 가질 수 없을 만큼 행복하게 끝나는 생애였다. 이처럼 복잡한 경로를 밟아 상당한 재산을 모은 나로서는 더 이상 모험을 하지 않으리라고 독자들은 생각할 것이다. 사실 환경만 달랐더라면 그랬을 것이다. 그러나 나는 방랑생활에 익숙해졌고 게다가 가족도 없고 친척도 적었다. 브라질에 있는 땅을 팔기는 했지만, 내 머릿속에서 그 나라에 대한 생각을 아주 없앨 수는 없었다. 다시 한번 가보고 싶은 생각이 간절했다. 특히 내가 살던 섬에 불쌍한 스페인 사람들이 거기에 와서 살고 있는지, 내가 거기에 남겨둔 악당들은 그들을 어떻게 다루고 있는지 알아 보기 위해 가보고 싶은 강렬한 욕망을 거부할 수가 없었다.

진실한 친구 미망인은 그런 생각을 버리라고 간곡히 설득했고, 그 때문에 거의 7년 동안 해외 여행을 하지 않았다. 그 동안 내 형제의 아들인 조카 둘을 데려다 키웠다. 큰 조카는 자기 재산도 있었는데 나는 그를 신사로 기르고 내가 죽은 뒤에는 내 재산을 물려주기로 했다. 둘째는 어떤 배의 선장에게 보냈다. 5년 후 그가 기민하고 용감하며 패기 있는 청년인 것을 알고 좋은 배에 태워 바다로 보냈다. 이 청년이 후에 나이먹은 나를 다시 모험에 이끌었다.

이러는 동안, 나는 웬만큼 이곳에 정착하는 몸이 되었다. 우선 나는 결혼을 한 것이다. 그리고 별다른 불만도 없이 살았고, 아들 둘과 딸 하나의 3남매를 갖게 되었다. 그러나 아내가 죽고 조카가 스페인 항해로부터 성공해서 귀국하자, 해외에 나가 보고 싶은 욕망과 조카의 끈기 있는 권고에 못이겨 그의 배를 타고 개인 무역상으로서 동인도를 향해 출발했다. 그 해가 1694년이었다.

이 항해 중에도 나는 새로운 식민지인 옛날의 섬을 방문했다. 거기서 후계자가 된 스페인 사람들을 만나고 그들의 생활과 남기고 온 악한들에 대한 이야기를 모두 들었다. 악당들은 처음 불쌍한 스페인 사람들을 학대했다. 그후 그들과 화해를 하고 사이좋게 지내다가는 다시 싸우고, 이렇게 거듭해 왔는데 스페인 사람들이 결국 악한들에게 무력을 행사하지 않으면 안되었고, 그래서 악한들은 스페인 사람에게 항복했고, 스페인 사람들은 그들을 너그럽게 대우해 주었다는 이야기였다.

좀더 써 나간다면 내 자신의 이야기처럼 파란 많고 놀라운 사건으로 가득찬 이야기가 될 것이다. 특히 이들은 섬으로 여러 차례 상륙한 카리브 족과 싸웠다. 그리고 섬 자체를 열심히 개발했다. 그리고 그 중 5명은 대륙으로 모험을 해서 남자 11명과 여자 5명을 포로로 데려왔는데, 내가 그 섬에 갔을 때는 어린아이들이 스무 명쯤 되었다. 나는 여기서 20일 가량 묵었다. 그러면서 그들에게 필수품, 특히 무기, 화약, 탄환, 옷, 연장을 보급하고 영국에서 데리고 온 목수와 대장장이 등 두 사람의 기술자도 섬에 남겨 두었다.

이뿐 아니라 나는 이 섬의 토지를 분배했다. 섬 전체의 소유권은 내 것으로 했지만 그들이 원하는 대로 각각 땅을 나누어 주었다. 이 모든 일을 정리한 다음 그들로부터 결코 이곳을 떠나지 않겠다는 약속을 받고 그곳을 떠나 브라질로 갔다. 여기서 사들인 돛배에 사람을 더 많이 태워 섬으로 보냈다. 배에는 다른 보급품과 함께 7명의 여자가 있었는데 일을 시킬 수도 있고 원하는 사람에게는 아내로 삼을 수도 있도록 했다.

영국인에 대해서는 내가 영국에서 여자를 보내기로 약속했고 만일 농장을 만들고 싶다면 거기에 필요한 물건들을 보내겠다고 했다. 후에 이러한 약속을 실행했다. 이들은 스페인 사람에게 굴복하였고 내가 재산을 나누어 준 뒤로는 아주 정착하고 부지런해졌다. 나는 또한 브라질에서 새끼를 밴 세 마리를 포함한 다섯 마리의 암소와 양 몇 마리, 그리고 돼지 몇 마리를 보냈다. 내가 다시 와 보았을 때는 그 숫자가 상당히 늘었다.

그러나 카리브 원주민 3백 명이 이 섬에 상륙해서 그들을 침략했고 그들의 농장을 파괴한 이야기며 그들이 원주민들과 싸워 처음에는 패배했고 그중 세 명이 피살된 이야기, 그리고 마침내 폭풍우로 원주민의 카누를 부수어 버렸으며 나머지 적을 거의 섬멸하여 농장을 다시 세워 복구했고 지금껏 이 섬에 살고 있다는 이야기도 더 있다.

이러한 이야기들과 그후 10년 동안 내 새로운 모험 중에 겪었던 여러 가지 놀랄 만한 사건들에 대해서는 앞으로 좀더 설명하게 될 것이다.

『 로빈슨 크루소 』그 작가와 작품

　『요크의 선원 로빈슨 크루소의 생애와 그의 신기하고 놀라운 모험』, 흔히들 줄여 부르는 『로빈슨 크루소』는 다니엘 디포의 대표작이며 그보다 7년 늦게 나온 조나단 스위프트의 『걸리버 여행기』와 함께 18세기 영국의 대표적인 고전소설이다. 셰익스피어의 화려한 희곡문학이 있었던 16세기에 비해 이 당시의 영국 문단은 볼만한 소설들이 없었는데 정치, 사회 평론가인 디포의 이 소설은 그즈음 형성되기 시작한 중산층을 대변하는 문학으로 근 2세기 동안 영국 사회를 풍미한 해상 여행에의 활기를 반영하는 픽션으로 대단히 인기를 모았고, 이것이 발표된 1719년으로부터 270여 년이 지난 오늘날에도 생생하게, 끊임없이 독자의 마음을 사로잡는다.
　다니엘 디포(Daniel Defoe)는 런던의 크리플게이트에서 백정의 아들로 태어났다. 그의 생년(生年)은 1660년이 통설이지만 그 이듬해, 혹은 그보다 1년 전이라는 설도 있다. 아버지는 플랜더스 계로 본래의 성이 '뒤포(Dufoe)'였는데 다니엘 자신이 43세 되던 해 '디포(Defoe)'로 갈았다. 이것은 『로빈슨 크루소』가 서두에 소개하듯 본성 '크로이츠나엘'을 '크루소'라고 고쳤다는 이야기와 맞아 들어간다.
　비국교도인 그는 아버지의 지시대로 찰스 모턴 학원에 들어가 목사가 되는 공부를 했는데, 뒷날 하버드 대학의 부총장이 된 모턴의 영향은 성서 및 번역과 함께 그의 문학적 소양을 기르는 데 큰 도움이 되었다. 이 학원에서 5년 동안 종교 교육을 받았음에도 그 자신은 상업에 더 큰 관심을 가져 23세 되던 해에 셔츠 장사를 크게 벌였다. 이 사업은 성공하여 스페인, 포르투갈과도 거래를 하며, 그 자신 유럽 대륙을 여행하기도 했으나 10년이 채 못 가 프랑스와의 전쟁으로 파산했고, 이때 1만 7천 파운드의 거액을 빚지고 말았다. 그후 다시 기와상을 차려 10년 동안 그 빚의 3분의 1을 갚았다.

24세에 역시 상인의 딸인 메리 다프거와 결혼, 일생 동안 7명의 자녀를 둔 그는 결혼 이듬해 몬마스 공장의 반란에 참가했다는 죄명으로 처형을 받을 뻔했으나 겨우 위기를 모면했다. 그는 기와상을 차릴 즈음 새로 즉위한 윌리엄 3세와 안면이 있다는 덕으로 정부의 세무 관리로 근무하게 되었다. 윌리엄 3세는 외국에서 출생한 국왕으로 당시 이에 대한 여론이 좋지 않았는데, 디포는 국왕을 지지하는 정치 논문을 활발하게 발표하기 시작하여 「정책론」(1698), 「상비군(常備軍)론」(1698)이 대표적인 것들이며, 이와 함께 영국에서 태어났다는 것만 들어 자랑하는 풍조를 비웃는 풍자시 「진짜 영국인」(1701)을 발표하여 외국에서 태어난 국왕을 변호했다. 이 즈음부터 약 20년에 걸친 그의 정치평론가 시절이 시작되었는데, 그의 관심은 광범하고 생각이 기발해서 당시의 무슨 문제든 그의 펜 끝에서 요리되었다.

예를 들면 「정책론」에서 다룬 문제는 은행, 보험, 양로원, 교육, 교통 등 사회 각계의 문제를 파헤치고 그 개선책을 논한 것이다. 그러나 1702년 윌리엄 3세가 죽고 앤 여왕이 즉위하자 비국교도인 그는 종교적인 탄압을 받을 것을 우려하여 선수로 비국교도를 박멸하자는 역설적인 「비국교도 처리의 지름길」을 발표했다. 이 종교적인 예리한 풍자 논문 때문에 그는 벌금과 금고형을 받아 투옥되었는데, 보수파 정치가이며 후에 옥스퍼드 백작이 된 해리의 주선으로 석방되었다. 그러나 갇혀 있는 몇 개월 동안은 그에게 좋은 결과를 주었는데 즉, 여기서 접한 죄수들로부터 소설 자료를 취재했고 석방 후 곧 발간된 주간지 《레뷰》지의 구상을 얻은 것이다.

1704년부터 13년까지 주 2회, 후에는 주 3회 발행한 《레뷰》지는 국내외 정세를 보도하며 생활수필을 싣는 잡지로 18세기의 대표적인 주간지 《스펙테이터》의 선구가 되었다. 또한 「진짜 영국인」으로 작가적 명성을 올렸던 그는 1706년 『비일 부인의 유령 이야기』란 단편을 발표했는데 이것은 그 후의 그의 소설을 이해하는 데 중요한 대목을 이룬다. 이 해 앤 여왕과 해리의 명으로 에든버러에 부임, 잉글랜드와 스코틀랜드의 통합 문제에 전력했는데, 그 결과로 나온 것이 정치논문 「병합의 역사」(1709)였다. 그러나 또다시 필화를 일으켜 《레뷰》지가 폐간되고 그 자신도 체포되었으나 해리에 의해 구출된 그는 1705년 하노버 가의 조지가 왕으로 즉위, 처음에는 탄압을 받았으나 새 국왕의 신임을 얻기 시작하여 다시 정치와 종교에 관한 논문 발표를 계속했다.

그러나 그의 명성을 후대에 길이 떨칠 수 있었던 것은 59세 때 발표한 『로빈슨 크루소』였다. 발간 4개월 만에 4판을 거듭한 이 해양소설의 성공으로 왕성한 저널리스트였던 그는 18세기의 가장 위대한 작가의 한 사람으로 전환했다. 『로빈슨 크루소』가 얻은 성공에 힘입어 그는 본편이 나온 그 해에 속편을 썼고 이듬해에 『로빈슨 크루소 내성록』을 발표했다. 이어 1720년에 전장의 생애를 그린 『던칸 캠벨의 생애』, 30년 전쟁에 종군한 『한 기사의 회상록』 및 『싱글턴 선장』을 출판했다. 이 즈음이 작가로서의 디포에게는 가장 왕성한 시절로 1722년에는 또 다른 대표작이라 할 『몰 플랜더스』, 1665년 런던을 휩쓴 페스트에서 취재한 『유행병이 전염하던 해의 일기』, 그리고 『재크 대령』(Colonel Jacque)을 간행했고, 다시 2년 후 한 여자의 생애인 『행복한 부인 록사나』(The Fortunate Mistress or Roxana), 『새로운 세계일주 항해기』를 발표했으며, 3년 후에는 『대영제국 여행기』, 『영국 상인록』, 『영국 신사록』을 썼는데 그 중 마지막 것은 그의 사후 164년 만인 1895년 미완성의 원고로 발견되었다.

40대에 활발한 언론가로, 60대에 왕성한 작가로 활약하던 그는 칠순에 가까워 오면서 정신적인 쇠퇴기를 맞았는데 1730년 9월 돌연히 실종, 자취를 감추었다가 이듬해 4월 26일 모어필스의 하숙집에서 조용히 숨을 거두었다.

디포의 분방했던 생애에서 보듯, 그가 활약한 17세기 말부터 18세기 초는 르네상스 이후 거대하게 일고 있던 시민혁명이 한창 진행되던 때였다. 정치적으로는 의회 민주주의가 형성되며 민권사상이 발전했고, 종교적으로는 국교도와 비국교도간의 싸움이 진행되면서 자유주의의 싹이 돋고 있었고, 경제적으로는 순수한 상업자본에 의존하던 중상주의가 성숙하여 아크라이트의 방적기 발명으로부터 시작되는 산업혁명을 예비하고 있었다. 이 같은 정치적·종교적·경제적 변동에 힘입어 가장 눈부신 모습으로 드러난 것이 중산층의 대두란 대규모의 사회적 변화였다.

그가 태어나던 해 크롬웰의 공화제가 종식되어 1668년의 유명한 명예혁명을 통해 오렌지 공이 윌리엄 3세로 즉위했고, 그가 4년만에 죽자 앤 여왕이 즉위하는 등 빈번한 지배층의 변혁에도 불구하고 디포 자신이 참여한, 잉글랜드와 스코틀랜드가 통합, 오늘의 대영제국이 이루어지는 기틀이 마련되면서 왕정은 차츰 안정되어 가는 한편 왕권을 억제하고 국민의 참정을 확대하며 의회의 결정에 권위를 증가시키는 근대 민주주의의 체모가 갖춰지기 시작했다. 이 같은 정치적 자유가 종교적 자유를 결코 수반하지 않을 리가 없다. 크롬웰의 청교도 혁명과 차알스 2세의 국교, 윌리엄 3세와 앤 여왕을 거치는 동안 전세기 엘리자베스 여왕 대에 선언된 국교도와 신앙의 자유를 요구하는 비국교도간의 상호 견제는 왕의 신앙에 따라 종교 탄압으로 번갈아 나타났지만 그럼에도 탄압의 정도는 훨씬 약해지며, 믿음과 양심의 자유에 대한 허용도가 점차 넓어지고 있었다.

　이 같은 구질서와 새로운 가치관의 경쟁은 이 사회적 변혁에 더욱 뚜렷해진다. 16세기의 거대한 해상활동으로 5대양 6대륙의 부(富)를 긁어모은 영국은 그 축적된 부를 발판으로 한 중산층이 신흥계급으로 성장하여 보수적인 귀족계급에 도전하기 시작했다. 이들 부르주아는 경제적인 실권을 장악함은 물론 자신의 계층을 승인받고 자신의 활동의 자유를 획득하기 위해 청교도 혁명과 명예 혁명을 거쳐 발전하는 민주주의의 주체세력으로 국교도에 대항하여 신앙의 자유를 획득하려고 비국교도의 중심세력으로 나타난 것이다. 이들이 사회의 지도세력으로 확장되었을 때, 마침내 또 하나의 혁명, 즉 근대와 근세의 갈림길이 되는 산업혁명을 맞은 것이다.

　구체제와 구질서로부터 새로운 질서로 이행해 가는 과도기가 바로 디포의 생애에 해당된다. 시대가 이랬던 만큼 두 개의 질서와 두 개의 가치관 간에 치열한 공방전이 진행되고 있었고, 디포의 기복 심한 생애처럼 엘리트는 승자의 쾌감과 피탄압자의 설움을 번갈아 느껴야 했다. 그러나 다행히 디포 자신은 중산층의 아들로 태어나 71세의 생애를 마칠 때까지 중산층의 신분에 맞는 일을 했고, 나아가 중산층을 대변하는 언론가로 앞장섰다. 그런 만큼 그의 대표작이라 할 『로빈슨 크루소』에 깔려 있는 여러 가지 모습들 역시 작가인 디포의 상상과 그 시대상을 닮고 있는 것이다.

　『로빈슨 크루소』의 파란만장한 생애와 무인도에서 혼자 수십 년을 살 수 있다는 독특한 모험은 디포가 스코틀랜드의 선원 '알렉산더 셀커크'가 남태평양에서 표류, 후앙 페르난데스란 섬에서 4년 4개월을 완전히 혼자 살았다는 당시의 이야기를 듣고 쓴 것으로 알려지고 있다. 그러나 이것은 다른 모든 소설에서처럼 하나의 모티브를 제공했을 뿐 크루소의 인간상이나 에피소드, 무인도에서 혼자 사는 데 겪고 또 이룩하는 생활은 순전히 디포 자신의 상상력으로 창조된 것이다. 그런 만큼 『로빈슨 크루소』에 나타난 것들은 디포의 사상과 능력, 그 시대의 분위기와 정신의 결정이라 보아 틀림없다.

　타고난 방랑벽으로 집을 도망쳐 나온 '로빈슨 크루소'는 첫 항해부터 배가 난파되는 등 불길한 생애의 예언을 받는다. 그러나 아프리카의 무어인으로터 탈출한 그는 천부의 모험심으로 브라질의 부유한 농토를 버리고 다시 배를 탔다가 카리브 해에서 폭풍을 만나 일행을 모두 잃고 홀로 절해의 고도에 표류한다. 이 날이 1659년 9월 30일, 이때부터 28년 2개월이란 거의 반 평생을 무인도에서 단독으로 생활하는, 유사 이래로 최초의 '사회 없는 인간'의 피나는 싸움이 시작된다. 살아났다는 안도감과 미지의 섬에 대한 공포에서 서서히 일어난 그는 혼자서 집을 짓고, 가구를 장만하며 가축을 기르고 농사를 짓는 등 집단사회에서나 가능한 수많은 일들을 스스로의 힘으로 해낸다. 마침내 대륙의 식인족에서 구출해낸 흑인 프라이데이를 노예로 만듦으로써 2인 사회가 이룩되고, 다시 반란을 일으킨 상선을 맞아 선장을 구출함으로써 무사히 귀국한다는 이 이야기가 수많은 사회 과학자와 사상가들에게 인용되고 오늘날까지 인류의 유일한 체험(비록 상상이긴 하지만)으로 고전적 가치를 지니는 것은 순전히 자연과 싸우며 혼자 살 수 있다는 것을 보여 준 '경제인' 및 '공작인(工作人)'으로서의 크루소와 그의 인간적 고통, 신앙적 갈등을 사실적으로 서술했기 때문이다.

　크루소에게 우선 드러나는 것은 끈기있는 공포와의 투쟁과 삶의 방편을 만들어 내는 '공작인'으로서의 창의력이다. 디포의 시대가 과학과 예술의 만능인을 만들어낸 르네상스 이후 인간의 능력에 대한 신뢰를 갖던 시기인 만큼 자연은 정복될 수 있으며 지혜만 있다면 무엇이든 할 수 있다는 자신이 크루소의 곳곳에 보인다. 그는 무인도, 흑인 식인종이 살지도 모른다는 전율적인 공포감에도 불구하고, 그 공포를 이겨낼 갖가지 방안을 철저히 마련하여 집을 짓는 일부터 그릇과 식탁, 의자를 만들고 야생의 염소를 잡아 길들이며,

배를 만드는 일까지 초인적인 노력으로 혼자서 감당해 낸다. 이것은 디포가 그 시대의 낙관적인 인간관을 구현한 것이다.

크루소에게 나타나는 또 하나의 면모는 중산계급이 지니는 '경제인'적 소양이다. 집을 떠나 첫 모험을 겪으면서부터 보이기 시작하는 돈계산은 아프리카에서 연안무역을 하고, 브라질에서 농장을 경영하는 데 뿐 아니라 돈이라고는 전혀 필요없는 무인도에서 현금을 보관하고 귀국하여 다시 돈셈을 하는 데까지 계속하고 있는데, 이러한 돈계산을 둘러싼 부의 축적과 합리적인 이윤추구 정신이 흠뻑 배어 있는 것은 여러 차례 상업을 운영해 온 디포 자신의 표현인 동시에 자본주의를 형성시킨 '경제인'의 초기적인 형태가 이루어지던 당시의 반영이기도 하다. 이러한 크루소의 기질은 귀족과 궁중소설에 시기심을 갖던 중산층에게 잘 먹혀들어갈 소지를 지니고 있었다. 그럼에도 불구하고 크루소의 끊임없는 모험심은 영국인의 전통적인 체질을 대변해 준다. 사회적으로 출세하고 가정적으로 안정될 수 있는 아버지의 충고를 거절하고 기어이 집을 뛰쳐나와 항해에 나선 크루소는 그 자신 천성적으로 모험을 갈망하는 나쁜 습벽에 젖어 있다고 고백하지만 일찍이 누구도 겪지 못한 1인 생활을 근 30년 동안 치르고도 노후에 조카와 다시 항해에 나선다는 결말에 이르기까지 현실적인 조건과 양심적인 반성에도 불구하고, 방랑에 몸바친다는 것은 5대양을 휘두르던 영국인의 모험심과 통하는 것이다.

그러나 크루소를 이해하는데 종교적인 영향을 결코 무시할 수 없다. 그는 어떤 위험을 겪을 때마다 성서의 교훈을 되살리어 신앙적인 구원을 갈구하고 그 가르침에 따르지 못하는 자신의 성벽에 냉철한 비판을 가한다. 그가 28년이란 무인도 생활에서 미지에의 공포와 삶의 고통에서 시달리면서도 그것을 감내하고 내적 평정을 얻을 수 있었던 것은 순전히 배에서 가져온 성경의 덕이었다. 그는 일과로 성서를 읽고 기도를 하며 마치 수도원에서 속죄하는 수도승처럼 명상생활을 한 것은 프로테스탄트로서 비국교도였던 디포 자신의 모습을 보여준다. 작자가 이 당시의 크루소가 행한 종교적 성찰을『내성록』으로 별도 출판한 것만 봐도 이 작품에서의 종교적 중요성을 깨달을 수 있게 된다.

다른 어떤 점보다 이 소설이 준 충격은 '인간은 사회적 동물'이란 아리스토텔레스의 명제를 파괴했다는 점이다. 사회가 없이는 인간이 존재할 수 없다는 원리에 집착하는 사람들은 크루소가 이미 개명된 유럽인의 지혜를 갖고 있으며, 무인도에 표류했을 때도 성서와 함께 개와 고양이 등 가축 몇 마리, 밀과 쌀알 몇 낱, 그리고 총과 화약, 공작도구와 의복을 난파선으로부터 날라 갔기 때문에, 순수한 1인 생활일 수는 없었다고 주장한다. 이 견해에는 확실히 오류가 없다. 사실 크루소의 전무후무한 체험은 아리스토텔레스의 명제를 재확인시켜 주는 것이지, 결코 그것을 부정하는 것이 아니다. 그러나 수많은 인간사에는 완전히 혼자 사는 것 같은 고독에 빠질 때가 많고 때로는 그럴 필요까지도 있다. 이것은 인간이 사회적 동물일 뿐 아니라 개인 하나로 끝난다는, 사람들이 흔히 잊어버리는 개별성을 강조해 주는 것이다. 사람들은 타인과의 유대성을 추구하는 그 일방, 신과 직접 대화하려는 독자성을 찾기 위해 몸부림치는데 크루소의 존재는 이러한 탈사회적(脫社會的) 욕구의 알레고리로 해석할 수 있을 것이다.

이러한 자신의 계층을 대변하고 다가오는 앞날의 편에 서서, 그 시대의 정신과 분위기를 해명한 디포의 사상은 그를 표현하기 위해 채용한 기법에서도 나타난다. 『로빈슨 크루소』가 초판 4개월 만에 4판을 내고 이와 동시에『속편』과『내성록』을 연달아 발표하리만큼 공전의 인기를 모은 것은 당시의 사회에 지도 세력으로 등장하는 중산층을 지지하는 입장을 취했다는 점뿐 아니라, 소설 자체의 평이성과 문장의 덕도 컸다. 예컨대 그가 사용한 언어는 명문귀족들의 전용인 킹스 잉글리쉬가 아니라 시중의 누구나가 쓰고 있는

코크니였다는 점이 중요하다. 즉 그의 독자는 학식있고 고상한 말을 쓰는 상류가 아니라 중류 이하라는 것을 문장 자체가 설득하고 있다. 따라서 디포의 소설은 잡상인으로부터 신흥 부르주아, 학생들로부터 선원에 이르기까지 누구나가 읽을 수 있고, 복잡한 사고 없이 이해할 수 있게 되었다. 그가 영국의 위대한 국민문학가로 지칭되는 것은 이 때문이다.

게다가 그는 현학적인 설명이나 고도의 지성이 요구되는 난해한 표현을 피하여 쉽고 명백하며 아주 구체적인 이야기를 서술했다. 이것은 복합성을 바라는 문학에서 그의 약점이 되기도 하지만 명약관화한 그의 전개는 그 대신 박력 있고 명쾌한 미덕을 갖춘다. 그가 의자를 만들고 그릇을 빚은 일로부터 하나님 앞에 엎드려 회개하고 구원을 기구하는 장면에 이르기까지, 전편에 세밀히 묘사하고 있다. 결코 지루하지 않고, 독자의 흥미와 관심을 계속 끌어당기고 있는 것은 이런 미덕에서 연유한 것이다.

그의 사실적인 묘사는 가히 리얼리즘의 선구를 이루는 것 같다. 이것은 가상인물인 크루소가 소설 속에서 이루는 생애로 하나의 연대기(年代記)를 작성하고, 그가 표류하여 28년을 산 무인도의 지도를 그릴 수 있다는 점에서뿐 아니라, 그가 당하는 사건 하나하나, 그가 만들어 쓰는 물건 하나하나에 완벽한 상상력과 해박한 지식으로 면밀히 묘사되고 어느 점에서나 소홀한 점 없이 마치 사실화(寫實畫)처럼 그리고 있다는 점에서 더욱 그렇다. 이처럼 정확한 표현과 치밀한 묘사 때문에 픽션인 크루소의 생애와 모험이 마치 수기처럼 실제 있었던 사건을 재현시킨 사실의 기록으로 착각되기조차 한다. 특히 섬에 처음 도착했을 때, 혹은 발자국을 발견했을 때 등등 수많이 나타나는 크루소의 공포적 심리묘사는 어떤 근대문학에도 찾기 힘든 사실감과 박진감에 젖어 있다.

물론 이 작품의 시대적 한계를 무시할 수는 없다. 그의 문장은 오늘의 독자가 읽기에는 지나치게 호흡이 길고 장황하며 크루소의 전기(傳記)가 깨끗이 정리되지 못했다는 점과 크루소의 공포가 혼자 산다는, 또 자연이나 식인종과 싸워야 한다는 단순한 사건으로부터 생겨났기 때문에 깊은 존재에의 고민이나 형이상학적 고통과는 질적으로 차원을 달리하고 있다. 따라서 『로빈슨 크루소』는 초판 이후 흘러간 2백 70년의 세월 동안 축적된 현대인의 복잡한 심리에는 다소 평면적이며 표피적이기도 하다. 이 소설이 동화로 요약되어 어린이들에게 자주 읽히는 이유도 아마 여기에 있을 것이다. 사실 디포에게는 근 1세기 앞서 있던 셰익스피어의 희곡에서처럼 인간성에의 깊은 탐구나 그와 동시대에 역시 그처럼 해양 모험 소설을 쓴 『걸리버 여행기』의 스위프트처럼 날카로운 문명 비판이 약하다. 그 대신 현상적인 문제에 메스를 가하는 저널리스트였던 것처럼 디포의 소설은 인간의 근본적인 문제를 천착하는 데까지 심각하지 않다. 프랑스의 작가 알퐁스 도데가 그와 그의 『로빈슨 크루소』를 가리켜 "모험과 여행에의 재미, 바다에의 애정과 경건성, 그리고 상업적이며 실제적인 직관을 가진 탁월한 전형적 영국인"이라고 평한 것은 이 때문인 것 같다.

그럼에도 20세기 초, 즉 초판이 나온 지 약 2백 년 동안, 중판, 번역, 번안 등으로 적어도 7백 종의 『로빈슨 크루소』가 나왔다는 점, 18세기, 셰리단이 판토마임으로 각색하고, 19세기에 오펜바흐가 오페라로 작곡하고, 20세기에 스페인의 초현실주의 영화감독인 루이 뷰뉴엘이 영화로 만들었다는 점은 시대적인 한계에도 불구하고 디포의 대표작이 끊임없이 인간 심리에 호소하고 있음을 잘 반영한다는 것이다. 크루소가 자연이나 야만족으로부터 느끼는 공포감은 오늘날의 원자폭탄이나 전쟁으로부터 느끼는 공포감과 다를 바 없으며 무인도에서 외로움과 씨름을 해야 했던 로빈슨의 절망과 빌딩의 밀림 속에서 '군중 속의 고독'에 몸부림치는 현대인의 좌절감과 다를 바 없는 것이다.

디포의 『로빈슨 크루소』는 『걸리버 여행기』처럼 18세기 영국문학의 금자탑이다. 그러나 동화로, 혹은 요약된 것만으로 우리 독자에게 소개됨으로써 이 소설이 지닌 깊은 의미나 맛을 놓치고 그저 우화(寓話)로만 오해되어 왔다. 이제 불충실한 대로나마 이 번역이 독자에게 조금이나마 디포와 그의 『로빈슨 크루소』를 이해하는 계기가 되기를 바랄 뿐이다.

원본에 없는 장(章)나누기는 역본으로 사용한 '시그닛 클래식'판 (*Robinson Crusoe*, A Signet Classic, 1961)을 따랐기 때문이며, 역문은 오늘의 독자가 읽기 쉽도록 긴 문장을 끊기도 하고 의역도 했으며 간접화법을 직접화법으로 바꾸기도 했다.

□ 제3판 역자 후기

내가 『로빈슨 크루소』를 번역한 것은 70년대의 초였던 것 같고 그 원고는 당시 청소년 학생들에게 독서 운동을 펴던 자유교양추진회의 교양 도서 중 하나로 간행되었었다. 그러나 자유교양추진회가 해체되어 그 교양도서들이 사그라들어 이 책마저 구할 수 없게 되어 버렸었는데, 삼중당이 이 책을 살리자고 제의해왔고 이를 다행으로 여겨 동의함으로써 1984년에 문고본으로 재간행될 수 있었다. 그런데, 삼중당 문고는 지금에도 여전히 서점의 한 구석자리를 차지하고 있지만, 원래의 사주가 사거하면서 역사 깊은 삼중당의 경영권도 다른 분에게 넘어가 못내 서운해 있는데, 이번에 다시 문학세계사의 권고를 받고 이 책을 새로 만드는 데 반가이 동의하여 이 책을 새로 내게 되었다. 이 기구한 책은 그러니 나의 『로빈슨 크루소』제3판이 되는 셈이다.

20여 년 전에 번역한 것이라 오역은 물론 문장 자체도 묵은 꼴이어서 계제에 손을 다시 대어 고쳐보고 싶은 마음이 응당 크지 않을 수 없었지만, 책을 빨리 내려는 출판사측의 사정도 있고, 나 자신도 새삼 원문과 대조하며 역문에 손을 댈 만한 충분한 겨를도 없어 원래대로 그냥 출판하지 않을 수 없었다. 이는 내 스스로도 서운한 일이거니와 누구보다 이 책을 읽어줄 새 독자들에게 면목없는 일이 되어버렸다. 그간의 경위야 어떻든, 이 책을 읽고 그 번역에 불평을 가질 분들에게 죄송스럽다는 변명을 해야 할 사람은 어느 다른 사람이 아니라 바로 나 자신일 것이다.

그러나 이 책이 새로 단장하여 다시 나오는 반가운 일은, 시인이며 어려운 중에도 문학세계사를 꾸려가는 김종해 형의 덕분이다. 묵은 책을 찾아 정성스레 다듬는 그의 따뜻한 정성에 거듭 감사를 드린다. 틀림없이 있었을 오식 오문들을 바로잡아 오늘의 좋은 책으로 모양 만들어준 편집부 여러분들에게도 사의를 표한다.

이 책이, 이제껏 나도 볼 수 없었던 로빈슨 크루소의 속편을 거느리고 함께 나오게 된 것이 나로서는 더욱 망외의 보람이 되지 않을 수 없다. 모쪼록 이 기회에 『로빈슨 크루소』가 새로이 의미깊게 정독될 수 있기를 바란다.

1993년 3월초

김 병 익